# HISTORIA
### DE LA
# LENGUA ESPAÑOLA

ESCELICER, S. A.
Héroes del 10 de Agosto, 6.ªMADRID

RAFAEL LAPESA

# HISTORIA
## DE LA
# LENGUA ESPAÑOLA
### SEPTIMA EDICION

Depósito Legal: M. 14.887 - 1962. — Número de Registro: 5-961-62.

Printed in Spain.                                    Impreso en España.

TALLERES DE ESCELICER, S. A.—Comandante Azcárraga, s/n, MADRID-16.

# P R O L O G O

*L*A *historia de la lengua española ha sido ya objeto de obras muy valiosas, a las que se viene a
sumar, muy bien venida, ésta del señor Lapesa, sin
asomo de conflicto entre ellas. Cada una busca su interés en campos muy diferentes, pues la historia de un
idioma se puede concebir y se ha concebido bajo planes
más diversos que cualquier otra historia, debido a la
vaguedad con que se ofrece la cronología de la evolución lingüística, y, por consiguiente, las múltiples maneras posibles de considerar y combinar el estudio de
los elementos gramaticales y estilísticos, ora tradicionales, ora individuales, que es preciso considerar.*

*El plan que el señor Lapesa adopta es sencillo y
claro, además de ser convenientemente comprensivo.
Toma como hilo conductor la historia externa del idioma español, y simultáneamente, a través de ella, expone
la evolución interna gramatical y léxica. El lector profano (pues el libro no quiere ser sólo guía para los que
buscan la especialización) no tropieza con capítulos de
pura técnica gramatical, y, sin embargo, se inicia en esta
técnica, encontrándola bajo forma fácil, diluida en la
exposición de las vicisitudes más generales porque el
idioma atraviesa.*

*Otra cualidad principal que más puede desearse en un libro de esta índole es la de reflejar con precisión el estado de los estudios referentes a las cuestiones tratadas. El señor Lapesa logra este mérito plenamente. No sólo conoce la bibliografía del vasto tema, sino que para manejarla le dan particular aptitud sus trabajos personales, publicados en la "Revista de Filología Española", y su práctica en la enseñanza, siempre conçebida dentro de una aspiración a difundir el rigor de los métodos científicos. Así, puntos tan complicados y difíciles como la situación del latín hispano dentro de la Romania o el desarrollo preliterario del español primitivo, se hallan trazados con todo acierto bajo los aspectos más esenciales que pueden hacerse entrar en una breve historia.*

*También merece aplauso la idea de ensanchar el estudio lingüístico con el de los principales estilos literarios. En la descripción de éstos hallamos la oportunidad de observación que nos prometían anteriores trabajos especiales del autor, como su hermoso estudio consagrado al P. Ribadeneyra.*

*Esperamos que este libro, que sabe decir lo sustancial y sabe decirlo bien, contribuya a difundir conocimientos lingüísticos a que tan poca atención suele concederse.*

R. Menéndez Pidal.
*(Madrid, 1942.)*

# ADVERTENCIAS PRELIMINARES

*La presente obra ha sido escrita con el deseo de ofrecer, en forma compendiada, una visión histórica de la constitución y desarrollo de la lengua española como reflejo de nuestra evolución cultural. Dirijo mi intento a todos cuantos se interesan por las cuestiones relativas al idioma, incluso a los no especializados. Por eso me he esforzado en satisfacer las exigencias del rigor científico sin abandonar el tono de una obra de divulgación.*

*El lector advertirá en ella numerosas y extensas lagunas; en parte serán imputables al autor; en parte obedecen a que muchos extremos se hallan casi inexplorados. Con todo, he creído útil adelantar aquí mi bosquejo, esperando que sus ·defectos sean estímulo para otros investigadores.*

*Mentor constante de mi trabajo han sido las obras de don Ramón Menéndez Pidal y de los maestros procedentes de su escuela filológica. Debo orientación y sugerencias a los libros, ya clásicos, de* KARL VOSSLER, Frankreichs Kultur und Sprache, *y* W. VON WARTBURG, Évolution et structure de la langue française. *He tenido muy en cuenta* The Spanish Language, *de* W. J. ENTWISTLE *(London, 1936),* y la Iniciación al estudio de la Historia de la Lengua española, *de mi buen amigo* JAIME OLIVER ASÍN *(Zaragoza, 1938).*

R. L.

*Madrid, mayo de 1942.*

\* \* \*

*Para la segunda edición he considerado las observaciones hechas a la primera en las reseñas del* P. IGNACIO ERRANDONEA, Razón y Fe, *septiembre de 1942;* SALVADOR FERNÁNDEZ RAMÍREZ, Revista de Filología Española, *XXVI, 1942, págs.* 531-535; YAKOV MALKIEL, Language, *XXII, 1946, págs.* 46-49; J. A. PALERMO, Word, *III, 1947, págs.* 224-228; HEINRICH LAUSBERG, Romanische Forschungen, *LX, 1947, págs.* 230-232, *y* ROBERT K. SPAULDING, Romance Philology, *I, 1948, págs.* 272-275, *así como indicaciones verbales de* AMADO ALONSO *y de* MANUEL MUÑOZ CORTÉS. *A todos ellos expreso aquí mi reconocimiento. He procurado incorporar al texto las aportaciones de la investigación en los últimos años; he revisado mis puntos de vista en cada cuestión y he ampliado las citas bibliográficas. Suprimo la breve antología final, ajena al plan originario de la obra.*

*Madrid, julio de 1950.*

\* \* \*

*Había proyectado refundir por completo la presente Historia para su tercera edición. No he tenido tiempo de hacerlo, y, por lo tanto, me limito a ponerla al día, corregirla, eliminar los puntos más discutibles, completar otros y anticipar datos de futuros estudios en cuestiones que estimo importantes. He tenido en cuenta las reseñas y obser-*

vaciones hechas a la segunda edición por mi maestro AMÉ-
RICO CASTRO, verbalmente; ANTONIO TOVAR, Anales de
Filología Clásica, *Buenos Aires, V, 1952, págs. 155-157;*
YAKOV MALKIEL, Romance Philology, *VI, 1952, 52-63;*
ROBERT K. SPAULDING, Hispanic Review, *XXI, 1953,
80-84;* BERNARD POTTIER, Romania, *LXXIII, 1952, 410-
411;* E. ARANDA, Anales de la Universidad de Murcia,
*1950-1951, 481-484,* y JUAN M. LOPE, Nueva Rev. de
Filol. Hisp., *VIII, 1954, 319-323. A todos doy vivamente
las gracias.*

*Madrid, enero de 1955.*

\* \* \*

*Nuevamente he tenido que diferir la refundición de
esta obra y limitarme a ponerla al día para la cuarta edición. Las investigaciones hechas en los últimos años en el
campo de los substratos prerromanos, así como sobre los
orígenes del andaluz, su propagación y otros aspectos de
la dialectología hispánica han obligado a modificar sobre
todo los capítulos correspondientes. Además, he tenido en
cuenta las reseñas hechas a ediciones anteriores por* MA-
NUEL MUÑOZ CORTÉS *(Clavileño, II, 1951, núm. 11, páginas 73-75);* D. L. CANFIELD *(Hispania, XXXIX, 1956,
páginas 132-3),* y GREGORIO SALVADOR *(Archivo de Filología Aragonesa, VIII-IX, 1956-7, págs. 266-269), a quienes quedo vivamente agradecido.*

*Madrid, septiembre de 1959.*

# SIGNOS FONETICOS Y CONVENCIONALES
## EMPLEADOS

| | |
|---|---|
| ā ē ī ō ū; a: e: o: ... | Vocal larga. |
| ă ĕ ĭ ŏ ŭ ............. | Vocal breve. |
| ẹ ị ọ ụ ............. | Vocal abierta. |
| ẹ ị ọ ụ ............. | Vocal cerrada. |
| ä ...................... | A palatal. |
| ạ ...................... | A velar, como en *causa, caja.* |
| j (en germánico) ... | I semiconsonante. |
| w ...................... | U semiconsonante, como en *puede.* |
| i̯ ...................... | I semivocal, como en *aire.* |
| ƀ ...................... | B fricativa, como en *deber, ave.* |
| đ ...................... | D fricativa, como en *cada, todo.* |
| ḍ'ḍ ...................... | D prepalatal cacuminal, como en el sardo *steḍḍa* o siciliano *stiḍḍa*. |
| ṭṣ, ḍṣ ............. | Alveolares africadas cacuminales sibilantes, sorda y sonora, respectivamente. |
| θ ...................... | C, x de *cielo, caza* en castellano. |
| ć ǵ ...................... | C, g latinas palatalizadas. |
| š ...................... | Prepalatal fricativa sorda, como la x en el gallego *xeito*, *sci* en el italiano *lasciare* o *sh* del inglés *shame*. |
| ẓ̌ ...................... | Prepalatal fricativa sonora, como la j del portugués *janela*. |
| dž ...................... | Prepalatal africada sonora, como el *gi* del italiano *ragione*, o la *g*, *j* del inglés *gentle, jail*. |
| ħ ...................... | Aspiración faríngea, como la andaluza de *higo, hambre*. |
| χ ...................... | Fricativa velar sorda (*j* castellana actual). |
| ł ...................... | L velar. |
| ḷ ...................... | Prepalatal sonora lateral (*ll* castellana). |
| ř̄ ...................... | Alveolar vibrante múltiple, como en *risa, carro, enredo*. |
| ř, ř̄ ...................... | R y *rr* fricativas y asibiladas. |
| c (en voces árabes). | Fricativas laríngea sonora con presión en la glotis. |

El signo < precede a la forma primitiva u originaria, y el signo > a la derivada o resultante. Con + se da a entender 'seguido de'. El paréntesis indica que los sonidos comprendidos por él han desaparecido en la ulterior evolución de la palabra, verbigracia, o c ( ŭ ) l u s ; el apóstrofo marca el lugar donde previamente hubo un sonido desaparecido ya; v. g., o c ' l u s.

# I. LAS LENGUAS PRERROMANAS

PUEBLOS ABORÍGENES, INMIGRACIONES Y COLONIAS.

La historia de nuestra Península antes de la conquista romana encierra un cúmulo de problemas aún distantes de ser esclarecidos. Los investigadores tienen que construir sus teorías apoyándose en datos heterogéneos y ambiguos: restos humanos, instrumental y testimonios artísticos de tiempos remotos; mitos, como el del jardín de las Hespérides o la lucha de Hércules con Gerión, que, si poetizan alguna lejana realidad hispánica, sólo sirven para aguzar más el deseo de conocerla sin la envoltura legendaria; indicaciones —imprecisas muchas veces, contradictorias otras— de autores griegos y romanos; monedas e inscripciones en lenguas ignoradas; nombres de multitud de pueblos y tribus de diverso origen, que pulularon en abigarrada promiscuidad; designaciones geográficas, también de varia procedencia. Combinando noticias y conjeturas, etnógrafos, arqueólogos y lingüistas se esfuerzan por arrancar espacio a la nebulosa, que defiende paso a paso su secreto.

Al alborear los tiempos históricos, pueblos con un idioma común que sobrevive en el vasco actual se hallaban establecidos a ambos lados del Pirineo. Por la costa de Levante y regiones vecinas se extendía, quizá como resto de un dominio anterior más amplio, la cultura de los iberos, de origen probablemente norteafricano: a ellos debió la Península el nombre de Iberia, que le dan los escritores griegos (1).

La actual baja Andalucía y el Sur de Portugal fueron asiento de la civilización tartesia o turdetana, que hubo de recibir tempranas influencias de los navegantes venidos de Oriente. Se ha relacionado a los tartesios con los tirsenos de Lidia, en Asia Menor, de los cuales proceden los tirrenos o etruscos de Italia. Incluso se ha dado como posible una colonización etrusca en las costas españolas del Mediodía y Levante, ya que desde Huelva al Pirineo hubo topónimos que reaparecen con forma igual o análoga en Etruria o en otras zonas italianas *(Tarraco, Subur,* un río *Arnus,* etcétera) (2). Esperemos a que otras investigaciones confirmen o rechacen la hipótesis.

El florecimiento de la civilización tartesia fué largo, y la antigüedad nos ha transmitido curiosas noticias acerca de ella. La Biblia dice que Salomón enviaba sus naves a Tarsis —el nombre bíblico de Tartessos—, de donde volvían cargadas de oro, plata y marfil. También los fenicios sostenían relaciones comerciales con el Sur de España: el profeta Isaías menciona las naves de Tarsis como símbolo de la pretérita grandeza de Tiro. Heródoto cuenta que Argantonio, rey de Tartessos proporcionó a los focenses plata bastante para construir un muro, con el que resistieron al-

(1) Según A. GARCÍA BELLIDO, *Los más remotos nombres de España,* Arbor, 1947, págs. 5-28, la denominación de Iberia procedería de unos iberos asentados en la zona de Huelva, mejor que de los iberos del Este peninsular.

(2) Véase ADOLF SCHULTEN, *Die Etrusker in Spanien* y *Die Tyrsener in Spanien,* Klio, 1930, XXIII y 1940, XXXIII.

gún tiempo los ataques de Ciro. La longevidad y riquezas de Argantonio (1) se hicieron proverbiales en la Hélade. Estas noticias responden al hecho indudable de que los dos pueblos navegantes del Mediterráneo oriental, fenicios y griegos, se disputaron el predominio en la región tartesia. La pugna, que acabó con la desaparición de las factorías griegas, barridas por los cartagineses, herederos de los fenicios, debió de acarrear la ruina de Tartessos.

Los fenicios se establecieron, pues, en las costas meridionales. Ya en el año 1100 antes de Jesucristo tuvo lugar la fundación de *Gádir,* cuyo nombre, equivalente a 'recinto amurallado', era de origen púnico, aunque viniera a través del líbico; deformado por los romanos *(Gades)* y árabes *(Qādis),* ha dado el actual *Cádiz.* Otras colonias fenicias eran *Asido,* hoy Medinasidonia, relacionable con el *Sidón* asiático; *Málaka* (Málaga), probablemente 'factoría'; y *Abdera,* hoy *Adra.* Más tarde, los cartagineses reafirmaron, intensificándola y extendiéndola con sus conquistas, la influencia que habían tenido sus antecesores los fenicios en el Sur. A los cartagineses se debe la fundación de la nueva *Cartago* (Cartagena), capital de sus dominios en España, y la de *Portus Magonis* (Mahón), que lleva el nombre de un hijo de Asdrúbal. De origen púnico se dice ser el nombre de *Hispania,* que en lengua fenicia significaba 'tierra de conejos', así como el de *Ebusus* (Ibiza), que originariamente querría decir 'isla o tierra de pinos' o 'isla del dios Bes',

---

(1) El nombre de Argantonio ha dado lugar a diversas hipótesis. H. HUBERT (Revue Celtique, XLIV, 1927, págs. 84-85) ve en él un céltico a r g a n t o s, hermano del latín a r g e n t u m; ya fuese *Argantonio* el nombre efectivo de un monarca, ya se tratara sólo del sustantivo que designaba la plata, personificado míticamente como símbolo de las riquezas tartesias, revelaría de todos modos la presencia de celtas en Tartessos o tierras inmediatas. En cambio, SCHULTEN (Klio, XXIII, 1930, pág. 339) cree descubrir en *A r g a n t o n i o* un etrusco *arcnti* con adición de un sufijo griego. Los topónimos *Arganda, Argandoña,* de otras regiones, apoyan la hipótesis celtista (véase pág. 17).

divinidad egipcia cuyo culto, muy popular en el mundo púnico, se halla atestiguado en monedas y figurillas de la isla (1).

La colonización helénica, desterrada del Sur, prosiguió en Levante, donde se hallaban *Lucentum* (Alicante), *Hemeroscopion* (Denia), *Rhode* (Rosas) y *Emporion* (Ampurias). Al contacto con las civilizaciones oriental y griega se desarrolló el arte ibérico, que alcanzó brillantísimo florecimiento: las monedas y metalistería, las figurillas de Castellar de Santisteban, las esculturas del Cerro de los Santos y el singular encanto de la Dama de Elche, demuestran hasta qué punto acertaron los hispanos primitivos a asimilarse influencias extrañas dándoles sentido nuevo.

Más oscuras se presentan las cuestiones relativas al Centro y Noroeste. Gentes que procedían de la Europa central debieron de superponerse a la población nativa, bien se tratara de una invasión agrupada, bien del establecimiento de abundantes tribus dispersas. La hipótesis de una inmigración ligur, basada en referencias de historiadores griegos, aunque ha sido impugnada durante algún tiempo, ha cobrado después nuevo crédito, apoyada por la arqueología y la toponimia. Es cierto que la personalidad histórica de los ligures es muy borrosa, y que la idea de un vasto imperio suyo está hoy desechada. Pero entre los nombres de lugares españoles y los de zonas indudablemente ligures hay significativas coincidencias: *Langa* (Soria, Zaragoza, Cuenca y Avila), *Berganza* (Alava) y *Toledo,* por ejemplo, corresponden sin duda posible a *Langa, Bergenza*

(1) Véanse ALBERT DIETRICH, *Phönizische Ortsnamen in Spanien,* Abhandlungen für die Kunde des Morgenlandes, XXI, 2, Leipzig, 1936; JOSÉ M.ª MILLÁS, *De toponimia púnico-española,* Sefarad, I, 1941, y J. M. SOLÁ SOLÉ, *La etimología púnica de Ibiza,* Ibíd., XVI, 1956. Para otras etimologías dadas a Hispania, véase B. MAURENBRECHER, *Zu "Hispania" und "Hispanus",* Berliner Philologische Wochenschrift, 1938, LVIII, 142-144.

y *Toleto* de Piamonte y Lombardía. Aunque no exclusivo, es característicamente ligur el sufijo *-asco,* que abunda en denominaciones geográficas de la mitad septentrional de España: *Beasque, Viascón* (Pontevedra); *Girasga, Retascón, Tarascón* (Orense); *Piasca* (Santander); *Benasque* (Huesca); *Balasc* (Lérida); más al Sur, *Magasca,* río de la provincia de Cáceres; *Benascos* (Murcia). Se dan también como ligures las terminaciones *-osco, -usco* de *Amusco* (Palencia), *Ledusco* (Coruña), *Orusco* (Madrid), *Biosca* (Lérida). Algunos de estos nombres se hallan con forma idéntica o gemela en la región mediterránea francesa, en el valle del Ródano o en el Norte de Italia. Igual sucede con *Velasco,* derivado de *bela* 'cuervo' y arraigado en la onomástica personal hispánica, sobre todo en territorio vascón. Otros, como *Budajoz* y los que ofrecen la raíz * b o r m , * b o r b , * b o r n *(Bormela* en Portugal, *Bormate* en Albacete, *Bormujos* en Sevilla, *Bornos* en Cádiz, *Borbén* en Pontevedra) tienen analogías no sólo en el dominio ligur, sino también en el antiguo de los ilirios Lo mismo ocurre con el sufijo *-ona,* de *Barcelona, Badalona, Ausona, Tarazona,* frecuente en el Sur de Francia, Norte de Italia y en la Iliria balcánica. Algunos topónimos como *Corconte, Corcuera* y los derivados de * c a r a u 'piedra' *(Caravantes, Carabanzo, Caravia, Carabanchel,* de Soria, Asturias y Madrid), sólo encuentran paralelos en Iliria. Precisamente se admite ahora que la lengua de los ligures, no indoeuropea en su origen, sufrió el influjo de las de vecinos indoeuropeos, que, según unos, fueron los ilirios, y, según otros, los *Ambrones;* de estos últimos nos hablan los toponímicos *Ambrona, Ambroa* y *Hambrón,* de Soria, Coruña y Salamanca. El nombre de * B l e t i s ä m a 'muy ancha', origen de *Ledesma,* responde a la fonética iliria (1).

(1) Véanse M. Gómez Moreno, *Sobre los iberos y su lengua,* Homenaje a Menéndez Pidal, 1925, III; I. Pokorny, *Zur Urge-*

Posteriores fueron otras invasiones de procedencia continental, las de los celtas. Oriundos del Sur de Alemania se habían adueñado de las Galias, y hacia el siglo VII penetraron en España. Después de someter a los naturales, se instalaron en Galicia, Sur de Portugal, regiones altas de Centro y Sierra Morena; algunos núcleos debieron llegar más al Sur. El dominio de los celtas no debió de ser pacífico; tuvieron que fortificarse en ciudadelas y vivían pobremente. Mezclados con los iberos, constituyeron en el Centro y Bajo Aragón el importante grupo de pueblos que los antiguos llamaron Celtiberia.

Muchas ciudades fundadas por los celtas tienen nombres guerreros, compuestos de b r i g a 'fortaleza' o s e g o, s e g i 'victoria': C o n i m b r ĭ g a > *Coimbra,* M i r o b r ĭ g a (Ciudad Rodrigo), M u n d o b r ĭ g a > *Munébrega* (junto a Calatayud), N e m e t o b r ĭ g a (Puebla de Trives), L a c o b r ĭ g a (Carrión), B r i g a n t i u m (Betanzos), B r i g a e t i u m (Benavente), S e g o n t i a > *Sigüenza,* S e g ŏ v i a > *Segovia* y *Sigüeya* (León). Otros nombres célticos que contienen en vez de b r i g a su sinónimo d u n u m, se encuentran todos en el Pirineo central y oriental: *Navardún* (Zaragoza), *Berdún* (Huesca), *Verdú* y *Salardú* (Lérida), B i s u l d u n u m > *Besalú* (Gerona). De otros tipos tenemos U x ă m a > *Osma,* que es probablemente un superlativo celta equivalente a 'muy alta'; formaciones análogas parecen S e g i s ă m o > *Sasamón* (Bur-

*schichte der Kelten und Illyrier,* Zeitschrift für celtische Philologie, XX, 1936, y XXI, 1938, especialmente págs. 148-156 del t. XXI; R. MENÉNDEZ PIDAL, *Sobre el substrato mediterráneo occidental,* Zeitschrift für romanische Philologie, LIX, 1938, y "Ampurias", II, 1940; del mismo autor, *Ligures o ambroilirios en Portugal,* Revista da Faculdade de Letras de Lisboa, X, 1943 (reeditados ambos estudios en *Toponimia prerrománica hispana,* 1952); G. BONFANTE, Revista de Filología Hispánica, VII, 1946, págs. 391-392; y A. TOVAR, Boletín de la Real Academia Española, XXV, 1946, pág. 32, y *Estudios sobre las primitivas lenguas hispánicas,* Buenos Aires, 1949, páginas 96-119 y 194-210.

gos) y Cartĭma > *Cártama* (Málaga). Céltico es el sufijo -*acu* superviviente en *Luzaga, Buitrago, Sayago* y otros. Una ciudad antigua, donde ahora está La Bañeza (León), se llamaba B e d u n i a, como hoy *Bedoña* (Guipúzcoa), *Begoña* (Vizcaya), *Bedoya* (Santander), *Bedoja* (Coruña); derivan todos del celta b e d u s 'zanja, arroyo'. Los celtas adoraban a los ríos; recuerdo de este culto son los nombres *Deva* (Guipúzcoa y Santander) y *Ríodeva* (Teruel), cuya raíz indoeuropea es la misma del latín d i v u s, d e u s. *Coruña* y *Coruña del Conde* (Burgos) son resultado del celta C l u n i a. Más al Sur son de origen celta *Alcobendas,* topónimo hermano del nombre personal A l c o - v i n d o s 'corzo blanco'; *Coslada,* de c o s l o, c o s l a 'avellana'; *Arganda, Argandoña, Argance,* de a r g a n - t o 'metal brillante, plata'; *Yebra* < A e b ŭ r a, y algunos más de la antigua Carpetania. En el Occidente abundan los nombres célticos; aparte de algunos ya mencionados, hay *Evora,* procedente de otro A e b ŭ r a, *Braga* ( < B r a c ă n a o B r a c ä l a, variantes de B r a c ă r a ), el río *Támega* ( < T a m ă g a ), etc. Peculiar de los ártabros, que habitaban hacia la actual provincia de La Coruña, es la terminación -*obre* de *Fiobre, Illobre, Tiobre* y unos treinta pueblos más, todos situados en Galicia (1).

LAS LENGUAS DE LA HISPANIA PRERROMANA.

El geógrafo griego Estrabón (época de Augusto) afirma que entre los naturales de la Península hispana no existía

---

(1) Véanse H. D'ARBOIS DE JOUVAINVILLE, *Les Celtes dépuis les temps lès plus unciens jusqu'en l'an 100 avant notre ère,* Paris, 1914; H. HUBERT, *Les Celtes et l'expansion celtique jusqu'a l'époque de La Tène,* París, 1932; A. CASTRO y G. SACHS, *"Bedus",* Rev. Filol. Esp. XXII, 1935, 187, y R. MENÉNDEZ PIDAL, *Toponimia prerrománica hispana,* págs. 179-220. Para *Madrid* se ha propuesto el celta * M a - g e t o r i t o como origen, pero es más satisfactoria la explicación que da J. OLIVER ASÍN, *El nombre "Madrid",* Arbor, XXVIII, 1954, páginas 393-426.

unidad lingüística. Tal aserto ha sido plenamente corroborado por recientes estudios sobre las inscripciones grabadas en lápidas y monedas. Los alfabetos ibérico y tartesio —con sus respectivas variedades— sirvieron cada uno para diversas lenguas, igual que el latino. El alfabeto ibérico ofrece ya pocas dificultades para la lectura, muchas menos que el tartesio; pero aun admitiendo como seguras las transcripciones que se han hecho, queda por resolver el problema fundamental, que es el de darles sentido: no poseemos ningún texto que al lado de la versión indígena contenga otra en una lengua bien conocida. Aun con esta limitación, las principales zonas lingüísticas de la España prerromana empiezan a diferenciarse con cierta claridad.

En el Centro, Oeste, Norte y Noroeste las inmigraciones indoeuropeas dieron como resultado la extensión de lenguas precélticas (ligures o ambro-ilirias) y célticas; de ellas son muestras las inscripciones de Lamas de Moledo (cerca de Viseo, en Portugal), Arroyo del Puerco (Cáceres), Peñalva de Villastar (Teruel) y otras, todas ellas en caracteres latinos, así como el bronce de Luzaga (Guadalajara), en escritura ibérica. Hoy día se empiezan a conocer las peculiaridades fonéticas y flexivas de estas lenguas; recientemente se ha reconstruido la declinación celto-hispánica; asimismo van identificándose palabras sueltas y nombres personales o de lugar.

En el Sur llegó a haber núcleos de población púnico-fenicia que conservaron su lengua hasta el comienzo de la época imperial romana; en otros parece haber sido importante el elemento líbico. Independientemente los turdetanos o tartesios tuvieron su lengua propia, que, según Estrabón, contaba con algún cultivo en poemas y leyes versificadas. Hoy parece que la lengua tartesia, hablada en la Baja Andalucía, era distinta de la ibérica, representada por los plomos de Alcoy, Mogente y Castellón.

La interpenetración y superposición de distintas gentes y lenguas debía de ser grande en toda la Península. Hasta en la Gallaecia, considerada tradicionalmente como céltica, había pueblos de nombres bárbaros, probablemente no celtas y acaso relacionables con otros de Asturias y Cantabria. A su vez, por tierras de Lérida, los nombres de los caudillos ilergetes muertos por los romanos en el año 205, denuncian también la mezcla lingüística: *Indibilis* o *Andobales* parece un compuesto de elementos celtas e ibéricos; *Mandonio* es un derivado de la misma palabra ilirio-celta que subsiste en el vasco *mando* 'mulo'. Y *bárscunes* o *báscunes* (> v a s c ŏ n e s) ha sido explicado recientemente como una denominación indoeuropea (precéltica o céltica) que significaría, o bien "los montañeses, los de las alturas", o bien, en sentido figurado, "los orgullosos, los altivos" (1).

El vascuence y las lenguas ibéricas.

Mientras el resto de la Península aceptó el latín como lengua propia, olvidando sus idiomas primitivos, la región

---

(1) Véanse Hübner, *Monumenta Linguæ Ibericæ*, Berlín, 1893; M. Gómez Moreno, *De epigrafía ibérica*, Rev. Filol. Esp., 1922; *Sobre los iberos y su lengua*, Homenaje a Menéndez Pidal, III, 1925; *Las lenguas hispánicas*, discurso de recepción ante la Real Academia Española, 1942; *La escritura ibérica*, Bol. R. Acad. de la Historia, 1943; *Digresiones ibéricas*, Bol. R. Acad. Esp., XXIV, 1945, 276-288; y *Misceláneas (Dispersa, emendata, inédita). Excerpta: La escritura ibérica y su lenguaje. Suplemento de epigrafía ibérica*, Madrid, 1948; C. Hernando Balmori, *Sobre la inscripción bilingüe de Lamas de Moledo*, Emerita, III, 1935; J. Caro Baroja, *Observaciones sobre la hipótesis del vasco-iberismo*, Emerita, X, 1942, y XI, 1943; *Sobre el vocabulario de las inscripciones ibéricas*, Bol. R. Acad. Esp., XXV, 1946; *La geografía lingüística de la España antigua a la luz de la lectura de las inscripciones monetales*, Ibid., XXVI, 1947; reseña de estos dos últimos trabajos por R. Lafon, Bulletin Hispanique, L, 1948, 84-88; J. Vallejo, *La escritura ibérica. Estado actual de su conocimiento*, Emerita, XI, 1943; J. Casares, *El silabismo en la escritura ibérica*, en el mismo Boletín, XXIV, 1945; A. Tovar, *Prehistoria lingüística de España*, Cuadernos de Historia de España, Buenos Aires, VIII, 1947, y *Estudios sobre las primitivas lenguas hispánicas*, 1949.

vasca conservó el suyo. No por eso permaneció al margen
de la civilización que trajeron los romanos; la asimiló en
gran parte, y el enorme caudal de voces latinas que incorporó, transformándolas hasta adaptarlas a su peculiar fonética, es la mejor prueba del influjo cultural romano. Desde nombres como *abere* 'animal' ( < h a b e r e 'hacienda', 'bienes'), *kipula* y *tipula* 'cebolla' ( < c e p u l l a ) o
*errota* 'molino' ( r ŏ t a 'rueda'), hasta *pake, bake* 'paz',
*errege* 'rey' ( < r e g e ), y *atxeter* 'médico' ( < a r c h i a-
t e r ), *pesta* o *besta* 'fiesta', *liburu* 'libro', *gurutz* 'cruz',
*abendu* 'diciembre' ( < a d v e n t u s ), no hay esfera material o espiritual cuya terminología no esté llena de latinismos (1).

Respecto al origen de la lengua vasca, se han indicado
hipotéticos parentescos, sin llegar a ninguna solución irre-
batible. Dos son las opiniones más persistentes y favoreci-
das: según unos, el vascuence es de procedencia africana
y presenta significativas coincidencias con las lenguas ca-
míticas (beréber, copto, cusita y sudanés); otros, en cambio, apoyándose principalmente en semejanzas de estructura gramatical, sostienen que hay comunidad de origen
entre el vasco y las lenguas del Cáucaso. En la actualidad
la hipótesis caucásica va cobrando creciente fuerza, sin cerrar el paso a una teoría conciliadora, según la cual el vasco
es una lengua mixta: pariente de las caucásicas en su origen y estructura primaria, incorporó numerosos e importantes elementos camíticos, tomados de la lengua o lenguas
ibéricas, recibió influencias indoeuropeas precélticas y cél-

(1) Véanse G. ROHLFS, *La influencia latina en la lengua y la
cultura vascas,* Revista Internacional de Estudios Vascos, 1933; J. CARO
BAROJA, *Materiales para una historia de la lengua vasca en su relación con la latina,* Acta Salmanticensia, 1946, y V. GARCÍA DE DIEGO,
*Manual de dialectología española,* 1946, 195-221.

ticas; y acogió finalmente abundantísimos latinismos y voces románicas (1).

En cuanto a los lazos que existieran entre el vascuence y los otros idiomas prerromanos de la Península, el problema lingüístico suele aparecer mezclado con cuestiones étnicas: Humboldt vió en los vascos genuinos descendientes de los iberos, y creyó que su lengua era pervivencia de la ibérica; esta teoría hizo fortuna. Hoy, según se ha indicado, no suele admitirse la comunidad racial; hay quien defiende que los dos pueblos son ramas distintas de origen caucásico; pero la procedencia africana de los iberos parece indudable. Ahora bien, esa diversidad primaria no es obstáculo para suponer comunidad de algunos o muchos rasgos lingüísticos, ya que los vascos pudieron recibir la influencia de los iberos, pueblo de más elevado desarrollo cultural. La discusión es difícil por la escasez de datos: si el latín, en los veintidós siglos que han transcurrido desde su implantación en España, ha cambiado hasta convertirse en nuestra lengua actual, hemos de suponer que el vascuence no habrá permanecido sin variaciones. Pero su evolución interna es casi desconocida: ha carecido, durante mi-

(1) Véanse, entre otros, H. SCHUCHARDT, *Baskisch und Hamitisch*, Rev. Int. de Estudios Vascos, 1913; J. DE URQUIJO, *Estado actual de los estudios relativos a la lengua vasca*, Bilbao, 1918; R. MENÉNDEZ PIDAL, *Introducción al estudio de la lingüística vasca*, 1921; A. TROMBETTI, *Le origini della lingua basca*, Memorie della Reale Accademia delle Scienze dell'Istituto di Bologna, 1925; JOSEPH KARST, *Origines mediterraneæ, Die vorgeschichtlichen Mittelmeervölker*, 1931; R. LAFON, *Basque et langues kartvèles*, Rev. Int. de Estudios Vascos, XXIV, 1933, y *Etudes basques et caucasiques*, Acta Salmanticensia, V, 1952; C. C. UHLENBECK, *De la possibilité d'une parenté entre le basque et les langues caucasiques*, Ibid., XV, 1924; del mismo autor, *Vorlateinische indogermanische Anklänge im Baskischen*, Anthropos, XXXV-XXXVI, 1940-1941, y *La langue basque et la linguistique générale*, Lingua, I, 1, 59-76; A. TOVAR, *Notas sobre el vasco y el celta*, Bol. de la R. Sociedad Vascongada de Amigos del País, I, 1945, 31-39; N. M. HOLMER, *Ibero-caucasian as a linguistic type*, Staudia Linguistica, I, 1947; K. BOUDA, *kaukasische-baskisch Etymologien*, 1949, y *Neue b.-k. Etymologien*, 1952; A. TOVAR, *La lengua vasca*, 2.ª ed. 1954, etc.

lenios, de toda literatura escrita; sólo desde el siglo x aparecen frases y palabras sueltas, y hasta el xvi no posee textos extensos; aun después no ha llegado a alcanzar el rango de lengua culta. Hoy se nos ofrece como un idioma que mantiene firme su peculiarísima estructura gramatical, pero sometido a secular e intensa influencia léxica del latín y el romance, y fraccionado en multitud de dialectos. Por otra parte, es poco lo que sabemos de las lenguas ibéricas, y las semejanzas que se han apuntado entre ellas y el vascuence (carencia de *r* y *f* iniciales, aparente comunidad de algunos prefijos, sufijos y raíces) no bastan para hacer afirmaciones concluyentes (1).

La toponimia proporciona el mejor argumento en favor de que lenguas relacionadas con la éuscara tuvieron en la Península nuestra, antes de la dominación romana, una extensión muy amplia. Vascos, sin duda posible, son muchos nombres de lugar repartidos a lo largo del Pirineo, desde Navarra hasta el Noguera Pallaresa. Son compuestos integrados por voces y sufijos éuscaros, como b e r r i 'nuevo', g o r r i 'rojo' y e r r i 'quemado'. Así *Javier* y *Javierre*, corresponden a E š a b e r r i 'casa nueva'; *Lascuarre* procede de L a t s c o r r i 'arroyo rojo'; y e r r i constituye el elemento final de *Belsierre* (Huesca), *Esterri* (Lérida). En *Egea* (Huesca y Zaragoza) se reconoce el mismo e š e, e š e a, e š a, de *Javier* y *Javierre*, variante dialectal de e c h e, e c h e a 'casa'; y *Valle de Arán* es una denominación tautológica en el sentido de que *aran* significa en vasco 'valle'. Estos nombres no pueden considerarse

(1) Véanse H. Schuchardt, *Die iberische Deklination*, Sitzungsberichte der k. Akademie der Wiss. in Wien, Phil.-Hist. Klasse, CLVII, 2, y *Baskisch-Iberisch-oder-Ligurisch*, Mitt. der Anthropologischen Gesellschaft in Wien, XLV, 1915; los trabajos de Gómez Moreno *(Sobre los iberos y su lengua)*, Caro Baroja *(Sobre el vocabulario...)* y R. Lafon, citados en la pág. 19, n.; y el de A. Tovar, *Fonología del ibérico*, en "Estructuralismo e Historia", Miscelánea Homenaje a A. Martinet, III, La Laguna, 1962.

como fruto de influjo vasco tardío, pues han experimentado iguales cambios fonéticos que las palabras latinas al pasar a los romances aragonés o catalán; por lo tanto, es preciso admitir que existían ya en la época en que se iniciaron esos cambios, es decir, antes de los siglos VI al VIII; y como no pueden atribuirse a una población que hablara latín, tienen que ser forzosamente anteriores a la romanización, esto es, indígenas (1).

Al Suroeste del actual dominio vasco, en el Sur de Alava, Noroeste de la Rioja, y en la Bureba y Juarros, al Este de Burgos, abundan topónimos como *Ochanduri, Herramelluri, Cihuri, Ezquerra, Urquiza, Zalduendo, Urrez.* Todavía en tiempo de Fernando III, hacia 1235, los habitantes del valle riojano de Ojacastro estaban autorizados para responder en vascuence a las demandas judiciales. En la provincia de Soria, *Iruecha, Garray, Zayas* y otros nombres de lugar son asimismo de origen vasco. Ahora bien, no es seguro que la expansión vasca por Rioja,

---

(1) Los diptongos *ié* de *Javierre, Lumbierre, Belsierre* y *uá, ué* de *Lascuarre, Ligüerre* prueban que b e r r i, g o r r i y e r r i existían en ellos cuando p ĕ t r a dio *piedra* y b ŏ n u, *buano, bueno.* El contraste entre estos topónimos aragoneses y los catalanes *Esterri, Algerri,* que no diptongan, demuestra que unos y otros son anteriores a la diferenciación de los romances aragonés y catalán. Igual divergencia ofrecen dos terminaciones de origen discutido: la de los aragoneses *Bentué, Aquilué* frente a los catalanes *Ardanuy, Beranuy,* y la de *Aragües, Arbués* en Huesca frente a *Arahós, Arbós* en Lérida. Véanse R. MENÉNDEZ PIDAL, *Sobre las vocales ibéricas e y o en los nombres toponímicos,* Revista de Filología Española, V, 1918, págs. 225-255, *Orígenes del español,* § 25 y 96, y *Javier-Chabarri,* Emerita, XVI, 1948, págs. 1-13; G. ROHLFS, *Le gascon,* 1935, § 3; *Le suffixe preroman -ue-, -uy dans la toponymie aragonaise et catalane,* Archivo de Filología Aragonesa, IV, 1952, 129-152; y *Sur une couche préromane dans la toponymie de Gascogne et de l'Espagne du Nord,* Rev. de Filol. Esp., XXXVI, 1952, 209-256; y A. BADÍA, *Le suffixe -ui dans la toponymie pyrénéenne catalane, Mélanges de Phil. Rom. offerts à Karl Michaëlsson,* págs. 31-37. Para otra etimología de *Egea, Gea,* véase MAX GOROSCH, Studia Neophilologica, XXIII, 1951, páginas 37-48.

Burgos y Soria fuese primitiva; pudo ser resultado de la repoblación durante los siglos ix al xi (1).

Fuera de estas regiones adyacentes al País Vasco, hay también, aunque en menor número, denominaciones geográficas emparentadas con el vascuence. Por León, Valladolid y Zamora discurre el *Valderaduey*, río llamado antes *Araduey*, y en el siglo x *Aratoi;* a r a - t o i significa en vasco 'tierra de llanuras', sinónimo de "Tierra de Campos", que es el nombre actual de la comarca regada por el Valderaduey. En el Centro, la antigua A r r i a c a coincidía con el vasco *arriaga* 'pedregal'; los árabes cambiaron el nombre de la ciudad, sustituyendo A r r i a c a por *Guadalajara*, que significa también 'río o valle de piedras' (2). *Aranjuez* (antes *Arançuex*) y *Aranzueque* (Guadalajara) guardan evidente relación con a r a n z 'espino', componente del vasco actual *Aránzazu*. La terminación *-ueque, -ueco* de *Aranzueque, Trijueque, Jirueque, Tembl(u)eque, Barrueco, Mazueco* y tantos otros, proviene de un sufijo - ŏ c c u, semejante al abundancial éuscaro - o k i. Por toda la Península se extienden topónimos con sufijo - e n u s , - e n a , - é n ; en el Centro y Noroeste son principalmente gentilicios o derivados de apelativos prerromanos *(Caracena, Borbén, Teleno, Navaleno);* en Levante y valle del Ebro, zonas estas últimas genuinamente iberas, y en el Sur, el sufijo tuvo vitalidad suficiente para formar derivados de nombres personales latinos durante la romanización y aun

---

(1) Véanse J. J. B. Merino-Urrutia, Boletín de la Sociedad Geográfica, LXXI y LXXII (1931-1932), y Revista Intern. de Estudíos Vascos, XXVI (1935); J. Caro Baroja, *Materiales para una historia de la lengua vasca*, págs. 17-19; R. Menéndez Pidal, *Orígenes del español*, 3.ª edición, § 98, pág. 473, y *Sobre la toponimia ibero-vasca de la Celtiberia*, Homenaje a don Julio de Urquijo, 1950, III, 463-467; E. Alarcos Llorach, *Apuntes sobre toponimia riojana*, 1950, y C. Sánchez Albornoz, Estudios dedic. a M. Pidal, II, 1950, página 636 n.

(2) Menéndez Pidal, *Orígenes del español*, 1929, pág. 228.

después *(Mairena* < M a r i u s, *Lucena* < L u c i u s,
*Purchena* < P o r c i u s, *Lucainena* < L u c a n i u s, etcétera, en Andalucía; *Cairen* < C a r i u s, *Bairén* < V a -
r i u s, *Requena* < gótico R i c h k i s, y muchos más, en
Valencia; *Leciñena* < L i c i n i u s, *Mallén* < M a i l l i u s,
en Aragón). Por otra parte, el vascuence posee un elemento
*-en (-ena* con el artículo *-a)* de valor posesivo *(Michelena,
Simonena, Errandoena,* 'de Miguel, Simón o Fernando')
o para formar derivados de apelativos *(Ibarrena,* de *ibar*
'valle'). Los topónimos y gentilicios - e n u s, - e n a se dan
también en etrusco y se extiende por todo el litoral mediterráneo desde el Asia Menor (1). En Galicia, la antigua I r i a F l a v i a, junto a Padrón, parece contener i r i
'ciudad'. Y al Sur, I l i b e r i s, o I l l i b e r i s, antecedente
de *Elvira,* inmediata a Granada, ha sido reconocido como
latinización de I r i b e r r i 'ciudad nueva' (2). Es, pues,
indudable que en un área mucho más vasta que la zona
ocupada por los vascones hay vestigios toponímicos de
hablas primitivas ligadas al vascuence. No es preciso, sin
embargo, que se trate de elementos originariamente vascos;
pueden ser ibéricos o de otra procedencia, aunque hoy los
encontremos incorporados al vasco (3).

---

(1) R. MENÉNDEZ PIDAL, *El sufijo "-en",* su difusión en la onomástica hispana, Emerita, VIII, 1940. G. ROHLFS, *Aspectos de toponimia española* (Boletim de Filologia, Lisboa, XII, 1951, 244) y
J. M. PABÓN, *Sobre los nombres de la "villa" romana en Andalucía*
(Estudios dedic. a Menéndez Pidal, IV, 1953, 161-4) creen que los
topónimos meridionales en *-én, ena* pueden proceder, en parte al
menos, del sufijo latino *-anus* transformado por la imela árabe. Véase
réplica de Menéndez Pidal a Rohlfs en *Toponimia prerrománica hispana,* pág. 158.

(2) Es también posible que *Bernuy* (Avila y Segovia), *Espeluy*
(Jaén) y *Carcabuey* (Córdoba) encierren el sufijo *-oi* señalado en *Ben-
tué, Ardanuy,* etc., cuyo origen vasco o ibérico está en tela de juicio.
(Véase pág. 23, nota.)

(3) Véanse las reservas que formula A. TOVAR respecto al vasquismo de *Aratoi, -én, Iria Flavia* e *Iliběris,* en Anales de Filol. Clásica, V, 1952, pág. 156.

## SUBSTRATOS LINGÜÍSTICOS PRERROMANOS.

La romanización de la Península fué lenta, según veremos, pero tan intensa, que hizo desaparecer las lenguas anteriores, a excepción de la zona vasca. No sobrevivieron más que algunas palabras especialmente significativas o muy arraigadas, y unos cuantos sufijos. Cuestión muy discutida es si, a través del latín, subsistieron hábitos prerromanos en la pronunciación, tonalidad y ritmo del habla, y si esos rescoldos primitivos influyeron en el latín hispánico hasta la época en que nacieron los romances peninsulares (1).

El historiador Espartiano da una noticia interesante sobre las diferencias entre el latín de Roma y el de España : siendo cuestor Adriano (emperador de 117 a 138 d. de C.), hijo de padres españoles, leyó un discurso ante el Senado ; y era tan marcado su acento regional que despertó las risas de los senadores. Si un hombre culto como Adriano conservaba en la Roma del siglo II peculiaridades fonéticas provincianas, mucho más durarían éstas entre el vulgo de Hispania. Sin duda, la influencia de los substratos primitivos no es único factor en la formación de los romances ; la penetración de la cultura latina hubo de reducirla mucho. Pero cuando un fenómeno propio de una región es muy raro o desconocido en el resto de la Romania, si en el idioma prelatino correspondiente existían tendencias parecidas, debe reconocerse la intervención del factor indígena. Veamos algunos casos (2):

---

(1) Véanse A. ALONSO, *Substratum, superstratum*, Rev. de Filol Hisp., III, 1941, 185-218 ; R. MENÉNDEZ PIDAL, *Modo de obrar el substrato lingüístico*, Rev. de Filol. Españ., XXXIV, 1950, págs. 1-8; y F. H. JUNGEMANN, *La teoría del sustrato y los dialectos hispano-romances y gascones*, Madrid, 1956.

(2) Hasta los últimos años se venía admitiendo que la *s* ápico-alveolar del Norte y Centro de la Península era distinta de la latina

La *f* inicial latina pasó en castellano a *h* aspirada, que en una etapa más avanzada ha desaparecido (f a g e a > *haya* > pronunciación *aya.)* El foco inicial del fenómeno se limita en los siglos xi y xii al Norte de Burgos, La Montaña y Rioja. Al otro lado del Pirineo, el gascón da igual tratamiento a la *f* latina (f i l i u > *hilh).* Son, pues, dos regiones inmediatas al país vasco, Cantabria y Gascuña, las que coinciden. Gascuña ( < V a s c o n i a ) es la parte romanizada de la primitiva zona vasca francesa. Y el vascuence parece no tener *f* originaria; en los latinismos suele omitirla (f i l u > *iru;* f i c u > *iko)* o sustituirla con *b* o *p* (f a g u > *bago;* f e s t a > *pesta).* Además, el vasco —incluso el vizcaíno durante la Edad Media— poseía una *h* que pudo sustituir también a la *f,* con la cual alterna a veces. Cantabria, la región española cuya romanización fué más tardía, debió de compartir la repugnancia vasca por la *f;* es cierto que los cántabros eran de origen indoeuropeo, pero el substrato previo de la región pudo ser semejante al vasco; por otra parte, los cántabros aparecen constantemente asociados con los vascos durante las épocas romana y visigoda. La hipótesis de un substrato cántabro que actuara desde los tiempos de la romanización cuenta con el apoyo de un hecho significativo: en el Este de Asturias y Nordeste de León la divisoria actual entre las pronunciaciones *f* y *h* aspirada coincide con los antiguos límites entre astures y cántabros (1). Este subs-

---

y procedía del substrato prerromano, vasco o ibérico. Pero los estudios de A. Martinet, *Concerning some Slavic and Aryan Reflexes of. I.E. s,* Word, VII, 1951, 91-92; M. Joos *(The Medieval Sibilants,* Language, XXVIII, 1952, 222-231), F. M. Jungemann *(La teoría del sustrato,* 68-101) y Alvaro Galmés de Fuentes *(Las sibilantes en la Romania,* Madrid, 1962) obligan a aceptar que la *s* ápico-alveolar existía originariamente en latín.

(1) Véanse R. Menéndez Pidal, *Orígenes del español,* páginas 228-229; L. Rodríguez Castellano, *La aspiración de la "h" en el Oriente de Asturias,* Oviedo, Instituto de Estudios Asturianos, 1946, y A. Galmés de Fuentes y D. Catalán Menéndez Pidal, *Un límite*

trato cántabro se vió reforzado decisivamente en la Alta Edad Media por el adstrato vasco en la Rioja, la Bureba y Juarros, donde, según se ha dicho, subsistían en el siglo XIII núcleos vascos no romanizados aún (1).

A causa análoga se ha atribuido la ausencia de *v* labiodental en la mayor parte de España y en gascón, siendo así que el sonido existe en los demás países románicos, en zonas laterales del Mediodía peninsular, y existió en español antiguo, aunque no en las regiones del Norte. El vasco no lo conoce, al menos desde la Edad Media, y en la primera mitad del siglo XVI la pronunciación bilabial indistinta para *b* y *v* románicas se atribuía especialmente a gascones y vizcaínos (2).

Aparte de los casos más seguros de influencia, se observan significativas semejanzas entre la fonología vasca y la castellana. En ambas, el sistema de las vocales consta de

*lingüístico*, Revista de Dialectología y Tradiciones Populares, II, 1946, páginas 196-239.

(1) Véanse págs. 23-4 y 131. Fuera de Castilla y Gascuña, el cambio *f-* > *h-* o la caída de la *f-* sólo aparecen en casos o lugares aislados. Es cierto que el intercambio entre *f-* y *h-* se ve atestiguado en ejemplos dialectales latinos (h i r c u s - f i r c u s, h o r d e u m - f o r-d e u m, etc.); pero siempre habrá que preguntarse por qué razón ha cundido única y precisamente a ambos lados de Vasconia. Véase R. MENÉNDEZ PIDAL, *Orígenes del español*, § 41, y *Manual de Gramática Histórica Española*, sexta edición, 1941, § 4, nota, donde contesta objeciones de J. ORR. También las combate F. LÁZARO CARRETER, *F > H. ¿Fenómeno ibérico o romance?*, Actas de la Primera Reunión de Toponimia Pirenaica, Zaragoza, 1949.

(2) Convendrá aclarar conceptos desde el principio: la semiconsonante latina *u*, *v*, que se pronuncia *w* en el latín clásico (u e n i o, u i n u m, l e u i s), se articuló como *ƀ* fricativa bilabial desde la época del Imperio, confluyendo así con la *ƀ* resultante de *b* intervocálica (h a b e r e, c a b a l l u s, p r o b a r e). Esta *ƀ* de uno y otro origen se hizo más tarde *v* labiodental en unas zonas del dominio románico, pero se mantuvo como *ƀ* en otras. Parece ser que en la Península la *v* arraigó, principalmente en la mitad meridional, mientras que en el Norte subsistió la *ƀ*. El español antiguo distinguía el fonema fricativo (ya fuese articulado como *v* labiodental, ya como *ƀ* bilabial) del bilabial oclusivo *ƀ* procedente de *b* latina inicial o de *p* intervocálica *(bien* < b e n e, *saber* < s a p e r e); pero las confusiones empezaron muy pronto en el Norte, y se corrieron al Sur en la segunda mitad del siglo XVI. Sobre *b* y *v* en la Romania prepara un estudio Alvaro Galmés.

sólo cinco fonemas, repartidos en tres grados de abertura; dentro de los límites de estos grados, cada una de las vocales, firmes y claras, admite variedades de timbre según el carácter de la sílaba y de los sonidos circundantes. Los tres fonemas *b, d, g* pueden ser oclusivos o fricativos según condiciones iguales en las dos lenguas. Latinismos como p l a n t a t u han perdido la consonante inicial en su adaptación vascuence *(landatu);* cosa análoga sucedió en la evolución castellana de los grupos iniciales latinos *pl-, cl-, fl-* ( p l a n u ) > *\*planu* > *lano)* (1). Estas y otras coincidencias no parecen casuales

En el Alto Aragón, las oclusivas sordas intervocálicas latinas se conservan frecuentemente sin sonorizar *(ripa, foratar, lacuna).* En algunos valles de la misma región (Fanlo y Sercué) se sonorizan las oclusivas que siguen a nasal o líquida *(cambo* 'campo', *puande* 'puente', *chungo* 'junco' *aldo* 'alto', *suarde* 'suerte'); restos dispersos en otras localidades denuncian que el fenómeno alcanzó antaño a todo el Pirineo aragonés. Los dos rasgos se dan en bearnés y coinciden con el tratamiento que da el vasco a las oclusivas de los latinismos ( t e m p ǒ r a > *dembora,* f r o n t e > *bo-* intervocálicas *(tipula* 'cebolla' *kukula* 'cogolla', *ispatha* 'espada');* pero sonoriza las que van tras *m, n, r* o *l,* tanto en los latinismos ( t e m p ǒ r a > *dembora,* f r o n t e > *bo-ronde,* a l t a r e > *aldare)* como en formaciones indígenas *(emenkoa* > *emengoa, Iruntik* > *Irundik).* En vasco, el carácter sordo o sonoro de una oclusiva depende de los sonidos vecinos, sin constituir rasgo fonológico diferencial; y la escritura ibérica empleaba un mismo signo para sorda y sonora, meras variantes, sin duda, de un mismo fonema (2).

(1) MENÉNDEZ PIDAL, *Orígenes del español,* 3.ª ed., § 102; F. H. JUNGEMANN, *La teoría del sustrato,* págs. 177 y 189, rechaza, sin argumentos concluyentes, el influjo vasco.
(2) Véanse las distintas opiniones expuestas por SAROÏHANDY, *Vestiges de phonétique ibérienne en territoire roman,* Revista Inter-

Otros cambios fonéticos españoles pueden atribuirse a substratos distintos del vasco. La sonorización de las oclusiones sordas intervocálicas latinas parece coincidir originariamente en la Península y en la Romania con la existencia de un anterior dominio céltico. Entre los celtas hispanos la indiferenciación de sordas y sonoras debía de ser grande, a juzgar por grafías alternas como *Doitena* y *Doidena, Ambatus* y *Ambadus, Arcailo* y *Argaela, Ataecina* y *Adaegina, -briga* y *-brica.* Estas vacilaciones se extendían por todo el Noroeste peninsular a partir de la línea Lisboa-Medellín-tierras de Soria; en las mismas regiones alcanzaron también a palabras latinas (i m u d a u i t, p e r p e-d u o, P e r e c r i n u s, A u c u s t i n u s en inscripciones de la época romana); y debieron constituir una base favorable para la sonorización de las oclusivas sordas intervocálicas, que en los siglos IX al XI aparece especialmente arraigada en Galicia, Portugal, Asturias y León (1). En casi todos los países románicos donde estuvieron asentados los celtas, el grupo latino *kt* evolucionó hasta llegar a *it* o *ch,* soluciones en que se reparten los romances occidentales (lat. n o c t e, f a c t u > port. *noite, feito;* esp. *noche, hecho;* cat. *nit, fet;* prov. *nuech, fach;* fr. *nuit, fait).* La

nacional de Estudios Vascos, VII, 1913; R. Menéndez Pidal, *Orígenes del español,* § 46 y 55; G. Rohlfs, *Le Gascon,* 1935, § 364-370; A. Kuhn, *Der hocharagonesische Dialekt,* Revue de Linguistique Romane, XI, 1935, 70-77; W. D. Elcock, *De quelques affinités phoné tiques entre l'aragonais et le béarnais,* 1938; reseña de esta obra por T. Navarro Tomás, Revista de Filología Hispánica, I, 1939, 175-176; A. Tovar, *Los signos silábicos ibéricos y las permutaciones del vascuence,* Emerita, XI, 1943, 209 y sigts., y A. Martinet, *De la sonorisation des occlusives initiales en basque,* Word, VI, 1950, páginas 224-33.

(1) A. Tovar, *La sonorización y caída de las intervocálicas y los estratos indoeuropeos en Hispania,* Boletín de la R. Acad. Esp., XXVIII. 1948, y *Sobre la cronología de la sonorización... en la Romania Occidental,* Homenaje a Fritz Krüger, I, 1952, págs. 9-15. No rechazan la posibilidad del substrato céltico A. Martinet, *Celtic Lenition and Western-Romance Consonants,* Language. XXVIII, 1952, págs. 192-217, ni Jungemann, *op. cit.,* págs. 152 y 189.

primera fase del fenómeno (relajación de la *k* en un sonido
equivalente a nuestra *j* moderna) aparece en inscripciones
galas y es general en irlandés (1). Como el grupo *ks* ha
seguido una transformación análoga a la de *kt* (lat. l a x a -
r e > port. *leixar;* esp. *lexar;* fr. *laisser)*, con igual extensión, podría ser también de origen céltico.

En la morfología española, los restos prerromanos se
reducen a unos cuantos sufijos. De ellos, los que tienen hoy
mayor vitalidad son los despectivos *-arro, -orro, -urro (bu-
harro, machorro, baturro)*, de origen mediterráneo primitivo (2). Por los siglos XI y XII subsistían *-ieco* y *-ueco
(kannariecas, pennueco)*, procedentes de - ĕ c c u y - ŏ c c u,
y de probable ascendencia vasca; ahora sólo se encuentran,
con pérdida total de significado, en palabras sueltas *(muñe-
ca, moruoco)* y en nombres de lugar *(Barrueco, Batuecas)*.
En *peñasco, nevasca, borrasca* parece sobrevivir un sufijo
ligur *-asco*. Acaso tenga el mismo origen el patronímico
español en *z (Sánchez, Garciaz, Muñiz, Muñoz, Ferruz);*
las tesis contrarias a su abolengo prerromano no han logrado ofrecer ninguna solución satisfactoria, mientras que
las terminaciones *-az, -ez, -oz*, abundan en toponimia peninsular y alpina presumiblemente ligur; este sufijo *-z* fue
incorporado por el vasco con valor posesivo o modal (3).

(1) W. MEYER-LÜBKE, *Introducción a la Lingüística románica,*
§ 237.
(2) R. MENÉNDEZ PIDAL y A. TOVAR, *Los sufijos con -rr- en
España y fuera de ella,* Bol. de la R. Acad. Esp., XXXVIII, 1958,
págs. 161-214.
(3) R. MENÉNDEZ PIDAL, *Ligures o ambro-ilirios en Portugal,*
Revista da Faculdade de Letras de Lisboa, X, 1943. Para otras teorías, véanse BAIST, *Grundriss der rom. Phil.,* de Gröber, I, 2.ª ed., página 908; CORNU, *Ibíd.,* pág. 992; CARNOY, *Le latin d'Espagne d'après
les inscriptions,* págs. 232-235; W. MEYER-LÜBKE, *Romanische Namenstudien,* Sitzungsberichte der k. Akad, Wien, 184, 1917, págs. 5-17,
y *Die iberoromanischen Patronymika auf "-ez",* Zeitsch. f. r. Philol.,
XL, 1919-1920, págs. 208-210; E. C. HILLS, *Spanish patronymics in -z,*
Revue Hispanique, LXVIII, 1926, págs. 161-173; L. H. GRAY, *L'origine de la terminaison hispano-portugaise -ez,* Bulletín de la Société

Del precéltico o céltico -a e c u, muy atestiguado en inscripciones hispanas, proviene -*iego*, bastante activo en otro tiempo, pero apenas empleado hoy fuera de los derivados antiguos como *andariego, nocherniego, mujeriego, solariego, palaciego, labriego,* etc.

Aparte hay que señalar la extraña afición del español por formar derivados mediante la añadidura de un incremento inacentuado con vocal *a (relámpago, ciénaga, médano, cáscara, agállara,* de *lampo, cieno, meda, casca, agalla)*. Las consonantes del sufijo son indiferentes, según se ve en *murciégano* y *murciégalo* > *murciélago,* de *murciego,* o en las alternancias *sótano* y antiguo *sótalo, Huércanos* y *Huércal(o) Overa.* A veces sólo se conoce la forma derivada y no la primitiva; así ocurre en *ráfaga, bálago* y tantos otros. Los esdrújulos latinos que se han conservado no bastan para explicar un fenómeno tan amplio; en cambio, la toponimia prelatina abunda en nombres como N a i ă r a, y los ya citados T ă m a g a y B r a c ă r a, con sus variantes B r a c ă n a y B r a c ă l a, semejantes a los actuales *Huércanos, Nuévalos, Solórzano.* El sustantivo *páramo* es indudablemente prerromano, y acaso lo sea también *légamo* o *légano.* Parece tratarse, por lo tanto, de un hábito heredado de las lenguas peninsulares anteriores al latín (1).

de Linguistique de Paris, XXXVII, 1935, págs. 163-166, y J. Caro Baroja, *Materiales para una historia de la lengua vasca en su relación con la latina,* 1942, págs. 102-113. No es aquí el lugar adecuado para discutir cada una de estas hipótesis. Ultimamente, E. García Gómez ha apuntado con prudentes reservas la posibilidad de un influjo de diminutivos árabes en -*ās, -āz, -īs, -īz, -us, -uz (Hipocorísticos árabes y patronímicos hispánicos,* Arabica, 1954, 129-135).

(1) Véase R. Menéndez Pidal, *Manual de Gramática histórica española,* § 84; *Orígenes del español,* § 61 y 61 bis, y *Sufijos átonos en el Mediterráneo Occidental,* Nueva Rev. de Filol. Hisp., VII, 1953, págs. 34-55.

VOCABULARIO DE ORIGEN PRERROMANO.

Son muchas las palabras españolas que no encuentran etimología adecuada en latín ni en otras lenguas conocidas. Algunas, exclusivas de la Península, son tan viejas, arraigadas y características, que invitan a suponerlas más antiguas que la romanización. Por ejemplo, *manteca, nava, perro, tojo,* entre otras; pero el desconocimiento de los idiomas primitivos no permite asegurarlo. Con más certeza puede afirmarse el origen prerromano cuando entre las formas españolas y otras vascas existe una relación que suponga procedencia común no latina ni extranjera: *vega* tenía en los siglos x y xi las formas *vaica* y *vaiga,* semejantes al vasco *ibaiko* 'ribera'; y *arto* 'cambronera' corresponde al vasco *arte* 'encina'; en igual caso están *barro, carrasca* y *cueto* 'otero peñascoso'. Tal vez sea de origen líbico *tamujo,* port. *tamuge,* planta que sólo se da en una franja de la Península y en una zona de Argelia donde estuvo asentada la antigua localidad de T a m u g a- d i (1). Ilirio - ligures deben de ser *gándara* 'pedregal' y *lama* 'barro'. El calzón era prenda característica del vestido celta, y el término correspondiente, b r a c a , ha dejado el español *braga;* el uso de b r a c a en la Península está asegurado por la existencia de B r a c ă r a y los b r a c ă r i, pueblo que habitaba la región de Braga. El compuesto latino-celta O c t a v i o l c a (ciudad situada entre Reinosa y Aguilar de Campoo) atestigua el empleo de o l c a 'terreno cercado inmediato a la casa', de donde el español *huelga* (hoy casi olvidado; recuérdense nombres geográficos como *Las Huelgas* y compárese el francés *ouche).*

La epigrafía latina de la Península no proporciona mu-

_____

(1) V. BERTOLDI, *Romance Philology,* I, 197-8.

chos datos. En el ara votiva de León (siglo ii d. de C.),
Tulio ofrece a la diosa Diana los ciervos cazados "in p a -
r a m i aequore"; *páramo* no tiene aspecto ibérico; debe
pertenecer a la lengua ilirio-ligur o celta de los pueblos
que habitaban el Oeste de la meseta septentrional. *B a l s a*
figura como nombre de una ciudad lusitana enclavada en
terreno pantanoso; es la primera muestra del español y
portugués *balsa,* cat. *bassa.* El bronce de Aljustrel (Portugal, siglo i) da "l a u s i a e lapides"; de *l a u s a vienen el español *losa,* port. *lousa,* cat. *llosa* (1).

Los autores latinos citan como hispanas o ibéricas has
ta unas treinta palabras, que en su mayoría no han llegado al romance. De las que han perdurado, algunas no
son originarias de España, sino latinismos provinciales o
voces extranjeras (2). Quedan, sin embargo, ciertos testimonios interesantes: Varrón afirma que l a n c e a (> español *lanza)* no era voz latina, sino hispana; podría ser,
en efecto, un celtismo peninsular. Plinio recoge a r r u -
g i a 'conducto subterráneo', antecedente de *arroyo;* da
c u s c u l i u m (> esp. *coscojo, coscoja)* como nombre de
una especie ibérica de encina; y atribuye origen hispano
a c u n i c u l u s (> esp. *conejo)* (3). Quintiliano señala
como oriundo de Hispania el adjetivo g u r d u s 'estólido,
necio (> esp. *gordo,* con cambio de sentido); la palabra
se usaba en latín desde varias generaciones antes (4). Y

---

(1) Véase Carnoy, *Le latin d'Espagne d'après les inscriptions,*.
Bruxelles, 1906.
(2) Por ejemplo, c a n t h u s 'hierro con que se ciñe el borde
de la rueda', africano o español. según Quintiliano, es el origen del
esp. *canto* 'borde'; pero es voz helénica o gala. San Isidoro recoge
del vulgo peninsular m a n t u m, probable regresión del latín m a n-
t e l l u m, y b a r c a, derivada seguramente del griego b a r i s 'bar-
ca egipcia'.
(3) Véase Bertoldi, Archivum Romanicum, XV, 1931, 400:
Romance Philology, I, 204, y Nueva Revista de Filol. Hisp., I, 1947,
141-144; Plinio da c u n i c u l u s como voz hispana: "leporum gene-
ris sunt et quos Hispania cuniculos appellat" (8, 217).
(4) S. Fernández Ramírez, Rev. de Filol. Esp., XXVI, 1942, 536..

en el siglo VII San Isidoro menciona en sus Etimologías
s a r n a. Es probable que el latín tomara de las lenguas hispánicas los nombres de algunos productos que se
obtenían principalmente en la Península, como p l u m-
b u m (> esp. *plomo), g a l e n a, m i n i u m* (compárense el nombre fluvial *Miño* —en Galicia, tierra de donde
se extraía abundante óxido de plomo— y el vasco *min*
'vistoso, encendido'). Hispania era ya gran exportadora de
corcho : el latín s u b e r (> esp. *sobral*, cat. *surer*, port. *so-
vro, sobreiro;* it. *sughero, sovero)* parece ser una voz peninsular adoptada (1).

La influencia de las lenguas prerromanas en el vocabulario romance de la Península es, según lo que podemos
apreciar hoy, muy limitada. Son nombres aislados de significación sumamente concreta. No pervive ninguno relativo
a la organización política y social ni a la vida del espíritu.

### Celtismos del latín.

No son prerromanos muchos celtismos que, tomados
de los galos, adquirieron carta de naturaleza en latín y
pasaron a todas o gran parte de las lenguas romances.
Así ocurrió con un nombre característico del vestido celta
c a m i s i a (> esp. *camisa)*. La vivienda celta dejó al
latín c a p a n n a (> esp. *cabaña);* la bebida típica de los
galos se llamaba c e r e v i s i a, origen del esp. *cerveza.*
Medidas agrarias de igual procedencia son a r e p e n n i s >
> *arpende* y l e u c a > *legua.* Los romanos aprendieron
de los galos nombres de árboles, plantas y animales : b e-
t u l l a, a l a u d a y s a l m o son en español *abedul, alon-
dra* y *salmón.* La habilidad de los galos como constructores

---

(1) V. BERTOLDI, *La Iberia en el sustrato étnico-lingüístico del
Mediterráneo,* Nueva Rev. de Filol. Hisp., I, 1947, 128-147.

— 36 —

de vehículos hizo que los romanos se apropiaran los celtismos c a r r u s > *carro* y c a r p e n t u m 'carro de dos ruedas'; c a r p e n t a r i u s 'carrero' amplió su sentido hasta hacerse equivalente de t i g n a r i u s y es el origen de *carpintero* (1). Dos términos celtas que lograron gran difusión en el Occidente de la Romania son * b r i g o s 'fuerza' ( > esp. *brío)* y v a s s a l l u s ( > esp. *vasallo),* que sirvió para designar una relación social que los romanos desconocían.

Vasquismos.

Después de la romanización, el vascuence ha seguido proporcionando al español algunos vocablos. En la alta Edad Media el dominio del habla vasca era más extenso que en la actualidad, y el crecimiento del reino navarro favoreció la adopción de vasquismos. En el siglo x, las Glosas Emilianenses mezclan frases éuscaras con otras romances; en la onomástica española entraban nombres como G a r s e a > *García,* E n e c o > *Iñigo,* X e m e - n o > *Jimeno;* y en el xiii el riojano Berceo empleaba humorísticamente *bildur* 'miedo' como término conocido para sus oyentes. Por esta época *annaia* 'hermano' y *echa* ( < vasco a i t a 'padre') formaban sobrenombres ("*Minaya* Alvar Fáñez" en el Poema Cid; "*Miecha* don Ordonio", en documentos del siglo xii) (2). *Siniestro,* de origen lati-

---

(1) El uso de c a r p e n t a r i u s con el valor de t i g n a r i u s aparece ya en Paladio *(Thesaurus lingua latinae,* III, 1907, col. 489). *Carpintero* no es un galicismo evidente, como pretende H. Lausberg (Romanische Forschungen, LX, 1947, 232); su antigüedad en España está asegurada por la del derivado *carpentería,* que figura en un documento ovetense de los siglos ix o x. (Muñoz y Romero, *Colección de Fueros Municipales,* 1847, 124.)

(2) R. Menéndez Pidal, *Chamartín,* en *Toponimia prerrománica hispana,* 229.

no, contendía con *izquierdo* ( < vasco e z q u e r r ), que había de imponerse. De z a t i 'pedazo' y su diminutivo z a t i k o vienen *zato* y *çatico* 'pedazo de pan', 'pequeña cantidad', usado por Berceo; en las cortes medievales se llamaba *çatiquero* al criado que levantaba la mesa de los señores.

El vocabulario español de origen vasco seguro o probable incluye además términos alusivos a usos hogareños, como *ascua* y *socarrar* (1); nombres de minerales, plantas y animales, como *pizarra*, *chaparro*, acaso *zumaya;* prendas de vestir, *boina* y *zamarra;* agricultura, tracción y ganadería, *laya* 'pala de labrar', *narria, cencerro;* navegación, *gabarra;* supersticiones, *aquelarre;* juego, *órdago,* etc. Del vasco *buruz* 'de cabeza', cruzado probablemente con una voz árabe, vienen los españoles *de bruzos, de bruzas, de bruces,* y el port. *de bruços* (2). En ocasiones la palabra vasca es, a su vez, de origen latino o románico: así el latín c í s t e l l a dió en vasco *txistera,* que ha pasado al castellano en la forma *chistera;* nuestra *chabola* es adopción reciente del vasco *txabola,* pero éste procede del francés antiguo *jaole* 'jaula o cárcel' (3). A cambio de estos y otros escasos préstamos, la influencia léxica del español sobre el vasco ha sido, y sigue siendo, enorme.

(1) J. COROMINAS, Revista de Filol. Hispánica, V, pág. 8.
(2) A. TOVAR, Boletín de Filología, VIII, 1947, 267
(3) J. COROMINAS, *Dicc crit. etimol.;* A. CASTRO, Rev. de Filol
p XX. 1933. 60-61

## II. LA LENGUA LATINA EN HISPANIA

### Romanización de Hispania.

La segunda guerra púnica decidió los destinos de Hispania, dudosa hasta entonces entre las encontradas influencias oriental, helénica, celta y africana. En el año 218 antes de Cristo, con el desembarco de los Escipiones en Ampurias, empieza la incorporación definitiva de Hispania al mundo grecolatino. Gades, el último reducto cartaginés, sucumbe en 206, y los romanos emprenden la conquista de la Península. A principios del siglo II les quedaban sometidos el Nordeste del Ebro, el litoral mediterráneo y la Bética. La contienda sostenida por lusitanos y celtíberos duró más: aun después de la destrucción de Numancia (133) se registran nuevas insurrecciones. En el siglo I repercuten en nuestro suelo las discordias civiles de Roma. La pacificación del territorio no fué completa hasta que Augusto dominó a cántabros y astures (año 19 a. de Jesucristo).

Mientras tanto el señorío romano se extendía por todo el mundo entonces conocido: a Italia y sus islas circundantes se añadían en el siglo II Iliria, Macedonia, Grecia, el Norte de Africa y la Galia Narbonense; en el I, Asia Menor, Galia, Egipto, el Sur del Danubio y los Alpes. Así el Oriente, colosal y refinado; la Hélade, cuna del saber y la belleza, pero incapaz de unificarse políticamente; y el Occidente europeo, habitado por pueblos discordes en mezcolanza anárquica, quedaban sujetos a la disciplina ordenadora de un Estado universal.

La primitiva Roma quadrata se había engrandecido gracias a virtudes supremas: ruda en un principio, como pueblo de agricultores y soldados, poseía un sentido de energía viril, de dominio, que le abrió el camino para cumplir su excelsa misión histórica. La cultura romana traía el concepto de la ley y la ciudadanía; pero el Estado no representaba sólo garantías para el individuo, sino que era objeto del servicio más devoto y abnegado. Al conquistar nuevos países, Roma acababa con las luchas de tribus, los desplazamientos de pueblos, las pugnas entre ciudades: imponía a los demás el orden que constituía su propia fuerza. Consciente de esta providencial encomienda, Virgilio la hacía saber a sus compatriotas:

*Tu regere imperio populos, Romane, memento*
*(hae tibi erunt artes), pacisque imponere morem,*
*parcere subiectis et debellare superbos.*

El sentido práctico de los romanos los hizo maestros en la administración, el derecho y las obras públicas. Roma sentó la base de las legislaciones occidentales. Calzadas, puertos, faros, puentes y acueductos debidos a sus técnicos han desafiado el transcurso de los siglos. Y si, por naturaleza, el romano no sentía afición hacia el escape desinteresado del espíritu y de la fantasía, acertó a apropiarse la cultura helénica, bebiendo en ella lo que le faltaba. De este modo, la escuela romana llevaba a las provincias, a la vez que el nervio latino, el pensamiento y las letras griegas, la creación más asombrosa del intelecto y arte europeos.

Como consecuencia de la conquista romana hubo en His-

pania una radical transformación en todos los órdenes de
la vida : técnica agrícola e industrial, costumbres, vestido,
organización civil, jurídica y militar. La religión de los
conquistadores, con sus dioses patrios y los extranjeros
que iba cobijando, convivió en la Península con el culto
a divinidades indígenas. La mitología clásica alzó templos
consagrados a Diana, Marte o Hércules, y pobló de ninfas
los bosques hispanos. Aún hoy subsiste en Asturias la su-
perstición de las *xanas*, hermosas moradoras de las fuentes,
que tejen hilos de oro y favorecen los amores; *xana* es evolución fonética y semántica de D i a n a , la diosa' virgen
de los bosques y la caza.

La romanización más intensa y temprana fue la de la
Bética, cuya cultura, superior a la de las demás regiones,
facilitaba la asimilación de usos nuevos. La feracidad de
las comarcas andaluzas atrajo desde muy pronto a los colonizadores; ya en 206 a. de J. C. tuvo lugar la fundación
de Itálica, para establecimiento de veteranos; legionarios
casados con mujeres españolas constituyeron la colonia
liberta de Carteya (171), y Córdoba, más señorial, fue de-
clarada colonia patricia (169). En la época de Augusto
afirma Estrabón que los turdetanos, especialmente los de
las orillas del Betis, habían adoptado las costumbres romanas y habían olvidado su lengua nativa. "No falta mucho —añade— para que todos se conviertan en romanos."

A las costas mediterráneas y al valle del Ebro acudieron también muchos colonos. La política de atracción dió
excelentes y tempranos resultados con los indígenas. En
el año 90 a. de J. C., durante la guerra social de Italia,
combatían en las filas del ejército romano caballeros nativos de Salduia (Zaragoza), quienes merecían por su valor la ciudadanía romana y otros honores. Sertorio fundó
la escuela de Osca (Huesca) a fin de dar educación latina
a los jóvenes de la nobleza hispana, preparándolos para

la magistratura, a la vez que se procuraba rehenes. Según Estrabón, la romanización de levantinos y celtíberos no estaba tan avanzada, hacia el comienzo de nuestra era, como la de los turdetanos.

Más retrasada se hallaba todavía la de Lusitania; y los pueblos de Norte, galaicos, astures y cántabros, recién dominados, seguían viviendo con arreglo a sus rudos hábitos seculares.

Con la civilización romana se impuso la lengua latina, importada por legionarios, colonos y administrativos. Para su difusión no hicieron falta coacciones; bastó el peso de las circunstancias: carácter de idioma oficial, acción de la escuela, superioridad cultural y conveniencia de emplear un instrumento expresivo común a todo el Imperio. La desaparición de las primitivas lenguas peninsulares no fue repentina; hubo un período de bilingüismo más o menos largo, según los lugares y estratos sociales. Los hispanos empezarían a servirse del latín en sus relaciones con los romanos; poco a poco, las hablas indígenas se irían refugiando en la conversación familiar, y al fin llegó la latinización completa.

Son interesantes en este respecto algunos nombres de lugar que mezclan elementos latinos con otros ibéricos o celtas. No es de extrañar que en *Gracchurris* (Alfaro) se junte al recuerdo de su fundador, Tiberio Sempronio Graco, la palabra vascona u r r i s, integrante del nativo y cercano *Calagu, is,* hoy Calahorra (1): la fundación de la ciudad ocurrió en el año 178 a. de Jesucristo, muy al principio de la conquista. Pero *Juliobriga* (cerca de Reinosa), *Caesarobriga* (Talavera), *Augustobriga* (Ciudad Rodrigo),

---

(1) El vasco *uri* significa 'villa, ciudad, población'. Para la alternancia *-uri, -urri* en topónimos, véanse P. AEBISCHER, *"Crexenturri": note de toponymie pyrénéenne,* Instituto de Estudios Pirenaicos, Zaragoza, 1950, y R. MENÉNDEZ PIDAL, *Toponimia prerrománica hispana,* página 17.

*Flaviobriga* (Bilbao o Portugalete), *Iria Flavia* y otros, demuestran que en tiempo de César, de Augusto o de los Flavios el celta b r i g a y el i r i conservado en vasco guardaban su valor significativo. Para *Octaviolca,* véase pág. 33. Coinciden con esta deducción los testimonios de escritores latinos y griegos. Cicerón, en su tratado *De divinatione,* compara el desconcertante efecto de los sueños incomprensibles con el que produciría oír en el Senado el habla extraña de hispanos o cartagineses. El historiador Tácito (55?-120) refiere que un aldeano de Termes, en lo que hoy son tierras de Soria, acusado de haber intervenido en el asesinato del pretor Lucio Pisón (año 25 d. de J. C.), se negó a declarar quiénes eran sus cómplices, dando grandes voces en su idioma nativo. Plinio el Mayor (23-79), al describir las explotaciones auríferas de la Península, registra abundante nomenclatura minera prerromana. Como, según dice Estrabón, en la época de Augusto sólo estaba próxima a consumarse la latinización de la Bética, es de suponer que la del Centro, Oeste y Norte no se generalizaría sino mucho más tarde.

EL LATÍN.

Entre las lenguas indoeuropeas, la latina se distingue por su claridad y precisión. Carece de la musicalidad, riqueza y finura de matices propia del griego, y su flexión es, comparativamente, muy pobre. Pero en cambio posee justeza; simplifica el instrumental expresivo, y si olvida distinciones sutiles, subraya con firmeza las que mantiene o crea; en la fonética, un proceso paralelo acabó con casi todos los diptongos y redujo las complejidades del consonantismo indoeuropeo. Idioma enérgico de un pueblo práctico y ordenador, el latín adquirió gracia y armonía al contacto de la literatura griega. Tras un aprendizaje iniciado en el siglo III antes de J. C., el latín se hizo apto para la poesía, la elocuencia y la filosofía, sin perder con ello la concisión originaria. Helenizada en cuanto a técnica y modelos, pero profundamente romana de espíritu, es la obra de Cicerón, e igualmente la de Virgilio, Horacio y Tito Livio, los grandes clásicos de la época de Augusto.

Hispania contribuyó notablemente al florecimiento de las letras latinas; primero con retóricos como Porcio Latrón y Marco Anneo Séneca; después, ya en la Edad de Plata, con las sensatas enseñanzas de Quintiliano y con un brillante grupo de escritores vigorosos y originales: Lucio Anneo Séneca, Lucano y Marcial. En sus obras —especialmente en las de Séneca y Lucano—, españoles de tiempos modernos han creído reconocer alguno de los rasgos fundamentales de nuestro espíritu y literatura.

## Helenismos del latín.

El influjo cultural de la Hélade se dejó sentir sobre Roma en todos los momentos de su historia. El contacto con las ciudades griegas del Sur de Italia —la Magna Grecia— fué decisivo para la evolución espiritual de los romanos. Un cautivo de Tarento, Livio Andrómico, inauguró en el siglo III la literatura latina, traduciendo o imitando obras griegas. La conquista del mundo helénico familiarizó a los romanos con una civilización muy superior. Grecia les proporcionó nombres de conceptos generales y actividades del espíritu: idea, phantasia, philosophia, musica, poesis, mathematica; tecnicismos literarios: tragoedia, comoedia, scaena, rhythmus, ode, rhetor; palabras relativas a danza y deportes: chorus, palaestra, athleta; a enseñanza y educación: s c h o l a, p a e d a g o g u s; en suma, a casi todo lo que representa refinamiento espiritual y material.

La lengua popular se llenó también de grecismos más concretos y seguramente más antiguos que los de introducción culta: nombres de plantas y animales, como o r i g ă - n u m , s ē p i a ( > esp. *orégano, jibia)*; costumbres y vivienda: b a l n ĕ u m , c a m ĕ r a , a p h o t h ē c a *( > baño, cámara, bodega)*; utensilios e instrumental: a m p ŏ r a y el diminutivo a m p ŭ l l a (por a m p h ŏ r a , ánfora), s a g - m a , c h ŏ r d a ( > *ampolla, jalma, cuerda)*; navegación, comercio, medidas: a n c ŏ r a , h e m i n a ( > *ancla, áncora, hemina)*; instrumentos musicales: s y m p h o n ĭ a , c ĭ - t h ă r a ( > *zampoña, zanfoña, cedra, cítara), etc.*

Durante el Imperio, nuevos helenismos penetraron en el latín vulgar. La preposición k a t á tenía valor distributivo en frases como k a t a d u o, k a t a t r e i s 'dos a dos', 'tres a tres'; introducida en latín, es el origen de nuestro *cada*. El sufijo verbal - i z e i n fue adoptado por el latín tardío en las formas - i z a r e, - ĭ d ĭ a r e ; la primera, más erudita, sigue siéndolo en el español *-izar (autorizar, realizar, ridiculizar),* mientras que - ĭ d ĭ a r e ha dado el sufijo popular *-ear (guerrear, sestear, colorear),* más espontáneo y prolífico. El adjetivo m a c a r i o s, 'dichoso, bienaventurado', se empleaba como exclamación en· felicitaciones; de su vocativo m a c a r i e proceden el italiano *magari* y la antigua conjunción española *maguer, maguera* 'aunque' (1). Grecismos vulgares son también c ( e ) l e u s m a 'canto del cómitre para acompasar el movimiento de los remeros' ( > gall. port. *chusma* > esp. *chus-*

---

(1) Para el cambio de sentido, compárese la equivalencia entre "hágalo *enhorabuena;* no lo aprobaré" y "no lo aprobaré *aunque* lo haga". El portugués *embora* 'aunque' es originariamente *em boa hora,* 'enhorabuena'. El italiano *magari* ofrece aún los distintos grados de esta evolución.

*ma,* originariamente 'conjunto de galeotes'); s c h i s m a 'cisma, separación' ( > *chisme); * t h i u s ( < *tío)* y muchos otros.

Las distintas épocas en que se introdujeron en latín los helenismos enumerados se revelan en las adaptaciones fonéticas que sufrieron. Los primeros y más populares fueron tomados al oído. Como el griego poseía fonemas extraños al latín, fueron reemplazados por los sonidos latinos más parecidos: la ͜υ era semejante a la *u* francesa, pero en latín pasó a *u* velar; las aspiradas φ, ϑ, χ se transformaron en *p, t, c.* Así, μίνθα dio m ĭ n t a, de donde el esp. *menta;* θ ύ μ ο ς < *tŭmum < esp. *tomillo;* π ο ρ φ ύ ρ α > p ŭ r p ŭ r a. Es frecuente en el latín arcaico y después en el vulgar que la oclusiva sorda ϰ se convierta en *g,* en lugar de *c,* su correspondiente latina: ϰυβερνᾶν > g ŭ b e r n a r e > esp. *gobernar;* ϰάμμαρος > g a m m ä r u s > esp. *gámbaro,* al lado de *cámaro* y *camarón.*

Cuando se intensificó la helenización de la sociedad elevada, los hombres cultos intentaron reproducir con más fidelidad la pronunciación griega. La υ se transcribió y, y se le dió su sonido de *u* francesa; φ, θ, χ se representaron con *ph, th, ch,* respectivamente. Esta costumbre se generalizó durante el período clásico, extendiéndose al latín vulgar. Pero en boca del pueblo la y se pronunció como *i,* la *ph* como *f, th* y *ch* como *t, c.* De esta manera ϰ ῦ μ α > c y m a > c ī m a, dió en español *cima;* γὺφος > g y p s u m, > g ĭ p s u m > *yeso;* ϰόφινος > c o p h ĭ n u s > > *cuévano;* όρφανός > o r p h ä n u s > *huérfano.*

Los grecismos más recientes muestran los cambios fonéticos propios del griego moderno. La η, que en griego clásico equivalía a *e,* se cerró en *i:* ἀϰηδία dió *acidia* 'pereza'; ἀποθήϰη a través de a p o t h ē c a, había pasado a *bodega,* pero según la pronunciación griega moderna y, pro-

bablemente, con evolución semiculta, resultó también *botica*. Las oclusivas sordas π, τ, χ se sonorizaron después de nasal; καμπή hubo de dar en latín no sólo c a m p a, sino también c a m b a, g a m b a, exigidos por el esp. ant. y cat. *cama* 'pierna', it. *gamba,* fr. *jambe;* de σάνταλον pronunciado s á n d a l o n, viene el español *sándalo.* En la Península debió prolongarse la introducción de grecismos con la dominación bizantina en el litoral mediterráneo durante la época visigoda (1).

## Hispania bajo el Imperio.

La división administrativa de la Península sufrió variaciones a lo largo de la dominación romana. A las dos primeras provincias, Citerior y Ulterior, sucedió la repartición de Agripa (27 a. de J. C.) en Tarraconense o Citerior, Bética y Lusitania. En tiempo de Caracalla se constituyó como provincia aparte la Gallaecia-Astúrica, que comprendía el Noroeste hasta Cantabria. Diocleciano escindió la Tarraconense, separando de ella la Cartaginense, con la franja central de Burgos, Toledo, Valencia y Cartagena. Desde Diocleciano las provincias peninsulares, con la Baleárica y la Tingitana, formaron la diócesis de Hispania, que dependía de la prefectura de las Galias.

Al principio del Imperio, Roma gozaba de una serie de privilegios que no alcanzaban a las provincias; pero la creciente incorporación activa de éstas a la vida romana exigió que disminuyera la desigualdad. El derecho latino, y más aún la ciudadanía romana, sólo eran otorgados fuera de Italia como honor o recompensa. Pero cuando Hispania

---

(1) Véase C. E. Dubler, *Sobre la crónica arábigo-bizantina de 741 y la influencia bizantina en la Península Ibérica,* Al-Andalus, XI, 1946, 283-349.

era ya —según Plinio— el segundo país del Imperio, Vespasiano extendió a todos los hispanos el derecho latino. Las dinastías de Césares y Flavios eran romanas; con la de los Antoninos comienzan los emperadores provinciales. Hispanos eran Trajano y Adriano, los príncipes que dieron mayor prosperidad al Imperio; después siguen otros africanos o ilirios. Roma cede sus prerrogativas y Caracalla (212) convierte en ciudadanos romanos a todos los súbditos imperiales.

## EL CRISTIANISMO.

Conseguida la unificación jurídica faltaba la espiritual. No bastaba el culto al emperador como símbolo de unidad suprema. Se sentía el ansia de una comunión universal, y el Cristianismo vino a traerla como buena nueva; enseñaba la existencia de la vida interior, desdeñaba las grandezas terrenas, equiparaba el alma del hombre libre y la del esclavo y abrazaba a toda la humanidad redimida, por encima de los límites del Estado. Hispania ofrendó a la fe salvadora la sangre de sus numerosos mártires, la enérgica actitud de Osio frente a la herejía arriana, y la obra del mayor poeta cristiano del Imperio, el cesaraugustano Prudencio.

El Cristianismo ayudó eficazmente a la completa latinización de las provincias. Muchos latinismos del vasco se deben indudablemente a las enseñanzas eclesiásticas. En los romances, la influencia espiritual del Cristianismo ha dejado innumerables huellas. El análisis de la propia conciencia, el afán por ver en los actos la intención con que se realizaban, explica el crecimiento de los compuestos adverbiales bona mente, sana mente, aunque hubieran empezado a usarse antes (1). El griego, como idioma más extendido en la parte oriental del Imperio, fué en los primeros tiempos instrumento necesario para la predicación a los gentiles; en él fueron escritos casi todos los textos del Nuevo Testamento. La doctrina y organización de la Iglesia están llenas de términos griegos, que constituyen la última capa de helenismos acogida por el latín; e v a n -g e l i u m, a n g ĕ l u s, a p o s t ŏ l u s, d i a b ŏ l u s, e c- c l e s i a, b a s i l ĭ c a, e p i s c ŏ p u s, d i a c ŏ n u s, c a- t e c h u m ĕ n u s, a s c e t a, m a r t y r, e r e m i t a, b a p t i z a r e, m o n a s t e r i u m, c o e m e t e r i u m. Muchas de estas voces grecolatinas han tomado un sentido especial al emplearlas la Iglesia: L o g o s - V e r b u m, c h a r ĭ t a s, a n g e l u s (en griego 'mensajero'), m a r- t y r (en griego 'testimonio'), a s c e t a (originariamente 'el que se ejercita en algo, sobre todo el atleta'), etc. Especial difusión tuvo p a r a b o l a r e, formado sobre el griego p a r a b ŏ l a 'comparación': el vulgo lo tomó del lenguaje eclesiástico y le dió el sentido de 'hablar' (fr. *parler*, it. *parlare); de* p a r a b o l a vienen el esp. *palabra*, catalán *paraula*, fr. *parole*, it. *parola*. Un símil del Evangelio (San Mateo, 25, vers. 14-30) habla del siervo que no supo obtener provecho de la moneda ( t a l e n t u m ) que le dió su señor; la imaginación popular sustituyó la acepción directa de 'moneda' por la alegórica de 'dotes naturales, inteligencia'; y en una época afectiva, como la Edad Media, *talento* y *talante* valieron como 'voluntad, deseo'. En la terminología militar romana p a g a n u s 'paisano, civil' se contraponía al m i l e s; y como los cristianos primitivos se consideraban m i l i t e s C h r i s t i, p a g a n u s vino a significar el no adepto a la nueva fe (2).

(1) Véase K. Vossler, *Metodología filológica*, Madrid, 1930, página 35.
(2) Véase H. Rheinfelder, *Kultsprache und Profansprache in den romanischen Ländern*, 1934, pág. 132.

4

La decadencia del Imperio.

A partir del siglo III empiezan a asomar en el Imperio síntomas de descomposición. Las legiones eligen emperadores y se convierten en mesnadas personales de sus caudillos. Las exacciones tributarias, cada vez más duras, resultaban insostenibles para los terratenientes modestos, quienes tenían que vender sus predios para defenderse del fisco, o se procuraban el amparo de los poderosos mediante la cesión de la propiedad. De esta manera aumentaban los latifundios, aparecía la adscripción del hombre a la gleba y se iniciaban formas de relación social que habían de conducir a la servidumbre, encomendaciones y behetrías. S e n i o r 'anciano' adquirió el sentido de 'amo, señor', en oposición al j u n i o r 'mozo, siervo'.

Cuando la invasión germánica amenazaba ya las desmoronadas fronteras del Imperio, empezó a cundir el nombre de *Romania,* que designó el conjunto de pueblos ligados por el vínculo de la civilización romana.

## III. LATIN VULGAR Y PARTICULARIDADES DEL LATIN HISPANICO

### LATÍN LITERARIO Y LATÍN VULGAR.

Desde el momento en que la literatura fijó el tipo de la lengua escrita, se inició la separación entre el latín culto, que era el enseñado en las escuelas y el que todos pretendían escribir, y el latín empleado en la conversación de las gentes medias y de las masas populares. Mientras la lengua literaria se depuraba hasta llegar al refinamiento de las odas de Horacio o la prosa de César y Tácito, el habla vulgar seguía apegada a usos antiguos; pero a la vez progresaba en sus innovaciones, desarrollando tendencias existentes en el idioma desde el primer momento, aunque repudiadas o aceptadas tan sólo parcialmente por la literatura.

Durante el Imperio, las divergencias se ahondaron en grado considerable: el latín culto se estacionó, mientras que el vulgar, con rápida evolución, proseguía el camino que había de llevar al nacimiento de las lenguas romances. Las gentes extrañas que iban romanizándose no percibían bien distinciones de matiz antiguas en la lengua que aprendían; en cambio, se percataban del valor significativo encerrado en las expresiones que entonces empezaban a apuntar; así ganaban terreno los usos nuevos. Al fin de la época imperial, las invasiones y la consiguiente decadencia de la cultura aceleraron el declive de la lengua literaria. Desde el siglo VII sólo la emplean eclesiásticos y letrados; pero su lenguaje revela inseguridades y admite vulgarismos, fabrica multitud de palabras nuevas y acoge, barnizándolas ligeramente, numerosas voces romances o exóticas. Es el *bajo latín* de la Edad Media.

Para el conocimiento del latín vulgar la documentación es escasa: fragmentos de una novela realista de Petronio que reflejan el habla ordinaria; textos descuidados, anónimos o de escritores de la decadencia; tal o cual inscripción; citas de gramáticos que reprenden incorrecciones del lenguaje: a esto se reduce el testimonio de la antigüedad. Pero, en cambio, disponemos de la comparación entre las lenguas romances, cuya evolución podemos seguir paso a paso, y que obligan a suponer base latina para muchos de los cambios comunes que hay en ellas.

Veamos en qué diferían el latín literario y el vulgar:

ORDEN DE PALABRAS.

La construcción clásica admitía frecuentes transposiciones; entre dos términos ligados por el sentido y la concordancia podían interponerse otros. Los poetas extremaban esta libertad; sin duda, no pertenecían al habla normal frases con hipérbaton tan extremado como la de Virgilio *"silvestrem* t e n u i *musam* meditaris a v e n a "; pero eran corrientes otras más moderadas, como la de Cicerón *"fuit ista* quondam in hac republica *virtus"*. El orden vulgar prefería situar juntas las palabras modificadas y las modificantes. Petronio ofrece aún "alter *matellam* tenebat *argenteam"*, "quonam genere *praesentem* evitaremus *procellam"*, pero tienden a imponerse "follem plenum habebat", "notavimus etiam res novas". Tras un lento proceso, el hipérbaton acabó desapareciendo en la lengua hablada.

En el latín clásico, las palabras determinantes solían quedar en el interior de la frase: "Castra sunt in Italia contra populum Romanum Etruriae faucibus conlocata". Entre s u n t y c o n l o c a t a están encerrados los complementos; el orden es curvilíneo, sintético. El latín vulgar propendía a una marcha en que las palabras se sucedieran con arreglo a una progresiva determinación; al mismo tiempo el período se hacía menos extenso: "apoculamus nos circa gallicinia, luna lucebat tamquam meridie; venimus inter monimenta" (Petronio). Al final de la época imperial este orden se abría camino incluso en la lengua escrita, aunque sobrevivían restos del antiguo, sobre todo en las oraciones subordinadas. Frases de la Regla de San Benito (siglo vi) dan idea de la transformación realizada: "Ad portam monasterii ponatur senex sapiens, qui sciat accipere responsum et reddere, et cuius maturitas eum non sinat vagari".

MORFOLOGÍA Y SINTAXIS.

Un cambio paralelo alteró esencialmente la estructura morfológica. En latín cada palabra llevaba en su terminación los signos correspondientes a las categorías gramaticales: la desinencia *-um* de h o m i n u m añadía a la idea de "hombre", representada por el tema *homin-*, las notas de genitivo y plural; el tema *ama-* quedaba atribuído a la tercera persona del plural y recibía valor pasivo gracias a la adición de un final *-ntur* (a m a n t u r). No obstante, el latín literario combinaba la flexión desinencial con el uso de preposiciones, y entonces el signo de relación precedía casi siempre a la palabra relacionada. En el latín vulgar se intensificó la tendencia a colocar antes los modificadores y desapareció la declinación nominal; en vez de las seis desinencias casuales para cada número, se empleó una forma única, generalmente la de acusativo, acompañada de preposición, o, como en francés antiguo y provenzal, el nominativo para el sujeto y el acusativo para el régimen; de c e r v o s sustituyó a c e r v o r u m, y en lugar de m a t r i, c u m d i s c e n t i b u s, se dijo a d m a t r e m, c u m d i.s c e n t e s.

En la lengua clásica los comparativos en -*ior* y los superlativos -*issimus* alternaban con perífrasis como m a g i s d u b i u s, m a x i m e i d o n e u s. El latín vulgar reemplazó f o r m o s i o r, g r a n d i o r por m a g i s f o r m o s u s, p l u s g r a n d i s, y a l t i s s i m u s por m u l t u m a l t u s.

En la conjugación se descompusieron muchas formas. Todas las simples de la voz pasiva fueron eliminadas: a p e r i u n t u r, a m a b a t u r, dejaron paso a s e a p e r i u n t, a m a t u s e r a t. Se olvidaron los futuros c a n t a b o, d i c a m, mientras cundían c a n t a r e h a - b e o, d i c e r e h a b e o, que en un principio significaban 'he de cantar', 'tengo que decir'. Una expresión semejante, c a n t a r e h a b e b a m, dió lugar a la formación de un tiempo nuevo, el postpretérito o potencial románico *(cantaría, amaría)*. El verbo h a b e r e con el participio de otro verbo servía para indicar la acción efectuada, pero mantenida en sí o en sus consecuencias, como en español *tener* ("*tengo estudiado el asunto*"); más tarde adquirió el valor de perfecto, y al lado de d i x i, f e c e r a m surgieron h a b e o d i c t u m, h a b e b a m f a c t u m.

La influencia del lenguaje coloquial, que daba amplio margen al elemento deíctico o señalador, originó un profuso empleo de los demostrativos. Aumentó, sobre todo,

— 55 —

el número de los que acompañaban al sustantivo, en especial haciendo referencia (anáfora) a un ser u objeto nombrado antes. En este empleo anafórico, el valor demostrativo de i l l e (o de i p s e, según las regiones) se fué desdibujando; tal fué el punto de partida en la formación del artículo, instrumento desconocido para el latín clásico y que se desarrolló al formarse las lenguas romances.

El desgaste que tuvo el significado de las preposiciones al aumentar sus usos hizo necesaria la formación de partículas compuestas, como d e x (d e - e x), a b a n - t e, d i n a n t e, d e i n t r o, d e t r a n s.

CAMBIOS FONÉTICOS.

En la fonética hay que señalar en primer término los cambios referentes al sistema acentual y al vocalismo. El latín clásico tenía un ritmo cuantitativo musical basado en la duración de las vocales y sílabas. Desde el siglo III empieza a prevalecer el acento de intensidad, esencial en las lenguas romances. Combinada con la transformación del acento, hubo también radical transformación en las vocales. En un principio las diferencias de duración estaban ligadas a diferencias de timbre: las vocales largas eran cerradas, y de timbre medio o abiertas las breves. De este modo, el timbre de una ŭ breve (abierta) se aproximaba al de la ō larga (cerrada), y lo mismo ocurría con la ĭ y la ē. Desaparecida la distinción cuantitativa, se confundieron ŭ y ọ, ĭ y ẹ. En Hispania, Galia, Retia y casi toda Italia las diez vocales clásicas quedaron reducidas a siete, según el esquema siguiente:

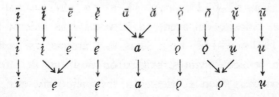

Por último se pronunciaron largas las vocales acentuadas que terminaban sílaba y breves las que estaban en sílaba acabada por consonante. En Hispania estas diferencias de duración debieron de ser menores que en otras zonas de la Romania, pues la misma suerte han corrido ĕ, ŏ en pĕ-dem, nŏ-vum, que en sĕp-tem, pŏr-tam : unas y otras han dado *ié, ué (pie, nuevo, siete, puerta).* En cambio, en otros romances ha habido evolución distinta según fuera libre o trabada la sílaba (fr. *pied-sept, neufporte;* it. *piede-sette, nuovo-porta).*

Desde los tiempos más remotos del latín hay casos de vocal postónica perdida. Ya en Plauto aparecen a r d u s, d o m n u s, c a l d u s por a r ĭ d u s, d o m ĭ n u s, c a l ĭ d u s. El latín vulgar intensificó la pérdida: o c l u m, t r i b l u m, a u c a, de o c ŭ l u m, t r i b ŭ l u m, a v ĭ - c a, etc.; en casos como v e t ŭ l u s, v i t ŭ l u s, la caída de la postónica dió lugar a la formación del grupo inusitado *tl* (v e t l u s, v i t l u s), que pasó a *cl* por analogía con los numerosos -c l u s procedentes de -u c ŭ l u s, -i c ŭ l u s (a u r i c l a, o v i c l a, etc.); la pronunciación v e c l u s, v i c l u s existía ya en el siglo III. En menor grado se debilitó también la vocal protónica, que en algunas regiones, sobre todo en Galia, llegaba a elidirse: f r i g - d a r i a < f r i g i d a r i a, v e t r a n u s < v e t e r a n u s.

La separación silábica tuvo un cambio de gran importancia: fi -l ĭ - u, v i - n ĕ - a y sus similares agruparon en una sola sílaba las vocales en contacto, con lo que la escansión fué fi - l i u, v i - n e a > v i - n i a. En casos como v a - r ĭ - ŏ - l a, m u - l ĭ - e - r e, la sinéresis acarreó el tránsito del acento a la vocal más abierta ( v a - r i ó - l a, m u - l i é - r e ). Esas ĕ, ĭ átonas, así convertidas en semiconsonantes, originaron multitud de alteraciones fonéticas; son el elemento revolucionario que en lo sucesivo llamaremos *yod* (1). La yod, fundiéndose con la consonante que precedía, la palatalizó: m u l i e r e > muḷe-re, f i l i u > fiḷu, v i n i a > viña. Así nacieron los sonidos palatales *ḷ* (nuestra *ll*) y *ñ,* desconocidos por el latín clási-co y característicos de las lenguas románicas. El grupo *t* + yod se asibiló en *ts* + yod o simplemente en *ts*: los dos grados se hallan descritos por gramáticos látinos (2), y una inscripción da V i n c e n t ζ u s por V i n c e n t i u s. Evo-lución parecida siguió el grupo *c* + yod, con resultado, ya que no idéntico al de *t* + yod, sí lo bastante cercano para que hubiera grafías como Μαρσιάνος y m e n d a t i u m por M a r c i a n u s, m e n d a c i u m. Los grupos *d* + yod, *g* + yod se redujeron a *y* ( a d j u t a r e > a y u t a - r e ); pero *d* + yod se asibilaba frecuentemente, equivalien-do entonces a *z,* y en esta alternancia, el sufijo verbal grie-go - ιζειν dió en latín el doble resultado - ĭ d ĭ a r e e i z a r e (véase pág. 45).

En latín clásico, c e, c i sonaban como *ke, ki,* y el va-lor de g e, g i era el que nosotros damos a *gue, gui.* Du-rante la época imperial las oclusivas *c, g* situadas ante *e, i* (3), sufrieron un desplazamiento de su punto de ar-ticulación: las vocales palatales las atrajeron hacia la parte delantera de la boca. La *ć* llegó a pronunciarse de modo semejante a nuestra *ch,* grado que ofrecía el romance de la España visigoda y que conservan el italiano, retorro-mano, rumano y picardo; y avanzando más aún, se hizo *ts*

---

(1) El término yod designará también la *i* semivocal que na-ció al evolucionar grupos como *c'l, kt, ks, g'l,* originando resulta-do palatal (o c ' l u > o i l u > *ožo;* t a c t u > f a χ t u > f a i - t u > f e i t o > *fecho).*

(2) Dice Quinto Papirio: "I u s t i t i a cum scribitur, tertia sylla-ba sic sonat, quasi constet ex tribus litteris *t, z,* et *i,* cum habeat duas *t* et *i*" (KEIL, *Grammatici Latini,* VII, pág. 216). Otro gramá-tico, Pompeyo, afirma a propósito de la *i* en el grupo *t* + yod: "si dicas Titius..., perdit sonum suum et accipit sibilum" (*Ibíd.,* V, pá-gina 104).

(3) Las representaremos en adelante con los signos *ć* y *ǵ.*

alveolar o dental; desde fines del siglo III hay ejemplos epigráficos (paθe, paze, fesit en vez de pace, fecit) que revelan claramente la asibilación. La ǵ pasó a y (βειεντι por viginti) y era frecuente su pérdida entre vocales (fridum por frigidum) (1).

Las consonantes sordas intervocálicas empezaron a contagiarse de la sonoridad de las vocales inmediatas. Inscripciones hispánicas de la época imperial dan imudavit y perpeduo por immutavit, perpetuo (véase página 30). Según veremos, la sonorización no fué general en la Romania, y en España tardó muchos siglos en eliminar por completo la resistencia culta.

Otros fenómenos de asimilación y absorción: el grupo *ns* solía pronunciarse como simple *s*: mensa, ansa > mesa, asa; *rs* pasaba a *ss* y aun a *s*: dorsum < dossum; sursum, deorsum > sūsum, deosum (de donde vienen nuestros adverbios medievales *suso* 'arriba', *yuso* 'abajo'); en la Romania occidental y en Italia, *pt* dió *tt,* luego reducida en español a simple *t;* aptare > attare > esp. *atar;* septem > settem > español *siete;* y la *v* seguida de *u* desapareció frecuentemente: rivus > rius; flavus > flaus.

VOCABULARIO.

El léxico del latín vulgar olvidó muchos términos del clásico, con lo cual se borraron diferencias de matiz que la lengua culta expresaba con palabras distintas: grandis indicaba principalmente el tamaño, y magnus aludía con preferencia a cualidades morales; el latín vulgar conservó sólo grandis. Alius era 'otro, diferente';

---

(1) Véase R. MENÉNDEZ PIDAL, *Manual de Gramática hist. española,* sexta edición, 1941, § 94.

alter 'otro entre dos, el otro'; pero alter asumió el papel de alius. Muchas voces clásicas fueron sustituidas por otras que al principio no eran sinónimas de ellas: jocus 'burla' reemplazó a ludus 'juego'; casa 'cabaña', a domus; aprehendere 'asir, coger', a discere; caballus 'caballo de carga, rocín', a equus. Son frecuentes las metáforas humorísticas: perna 'jamón, pernil' se aplicó a miembros humanos en lugar de crus; testa 'cacharro, tiesto' se empleó para designar la cabeza (> fr. *tête*, esp. ant. *tiesta)*, al lado de caput (> it. *capo*, cat. *cap);* junto a comedere (> esp. *comer)* que sustituyó al clásico edere, cundió manducare (> fr *manger*, prov. *manjar)*, formado por derivación de Manducus, personaje ridículo de la comedia. A veces los términos vulgares eran extranjeros: gladius sucumbió ante el grecismo spatha (> esp. *espada)* y dives ante el germánico riks (> *rico).*

El latín vulgar fué muy aficionado a la derivación. La expresividad afectiva prefería usar diminutivos como aurícŭla, genŭcŭlum, solicŭlum (> esp. *oreja, hinojo;* fr. *soleil)*, en vez de auris, genu, sol. Muchos vocablos con sufijo átono lo cambiaron por otro acentuado: así rotŭla pasó a rotĕlla, esp. *rodilla;* fibŭla a *fibĕlla, esp. *hebilla*. Adjetivos derivados de nombres se sustantivaron: diurnum (> fr. *jour*, it. *giorno)* ocupó el puesto de dies en gran parte de la Romania; mane 'mañana' (> *la man* en el Cantar de Mío Cid) decayó ante *maneana o matutinum (> esp. *mañana*, ant. *matino*, fr. *matin*, it. *mattino)*. La formación verbal fué muy fecunda también: se crearon verbos derivados de nombres, como de carrus, *carricare (> español *cargar)*, y de follis, follicare (> esp. *holgar);* derivados de adjetivos, como de altus, *altiare (> *alzar)* y de amarus, amaricare (> *amargar);*

y derivados de otros verbos. Estos últimos, en especial los frecuentativos formados sobre participios, tomaron tal incremento que en muchos casos reemplazaron total o parcialmente a los verbos de que procedían: \*a u s a r e (> español *osar)* sustituyó a a u d e r e; a d j u t a r e (> *ayudar),* a a d j u v a r e; \*f i g i c a r e (> port. *ficar,* esp. *hincar),* a f i g e r e; \*u s a r e (> *usar),* a u t i; \*a c u t i a r e (> *aguzar),* a a c u e r e, etc.

## EL LATÍN VULGAR DE HISPANIA EN RELACIÓN CON EL DEL RESTO DE LA ROMANIA (1).

El latín vulgar se mantuvo indiviso, y en cierto grado uniforme, durante la época imperial; pero esta fundamental unidad no implicaba falta de diferencias regionales. Indudablemente las había, aunque frenadas mientras se mantuvieron la cohesión política del Imperio, la comunicación entre las diversas provincias, el influjo unificador de la administración y el servicio militar. Deshecho el Imperio en el siglo v, las provincias, convertidas en Estados bárbaros, quedaron aisladas unas de otras; la decadencia de las

(1) Véanse J. JUD, *Problèmes de géographie linguistique romane,* Rev. de Linguistique Romane, I, 1925, y II, 1926; M. BARTOLI, *Introduzione alla Neolinguistica,* Ginebra, 1925; *Per la storia del latino volgare,* Archivio Glottologico Italiano, XXI, y *Caratteri fondamentali della lingua nazionale italiana e delle lingue sorelle,* Torino, 1936; W. VON WARTBURG, *Evolution et structure de la langue française,* 1934; *Die Ausgliederung der romanischen Sprachräume,* Zeitsch. f. rom. Phil., LVI (trad. por M. MUÑOZ CORTÉS con el título de *La fragmentación lingüística de la Romania,* Madrid, 1952); *Die Entstehung der romanischen Völker,* Halle, 1939; *La posizione della lingua italiana,* Florencia, 1940; DÁMASO ALONSO, reseña de los tres últimos estudios de Wartburg en la Revista de Filología Española, XXIV, 1937-40, 384-396; HARRI MEIER, *Die Entstehung der romanischen Sprachen und Nationen,* Frankfurt, 1941; SERAFIM DA SILVA NETO, *História da Língua Portuguêsa,* Río de Janeiro, 1952-54, páginas 114 y sigts., y *Fontes do Latim Vulgar. O Appendix Probi,* Río de Janeiro, 1956, etc.

escuelas dejó al latín vulgar sin la contención que antes suponía el ejemplo de la lengua clásica. En cada región se abrieron camino innovaciones fonéticas y gramaticales, nuevas construcciones de frases, preferencias especiales por tal o cual palabra. Y llegó un momento en que la unidad lingüística latina se quebró, y las diferencias locales constituyeron dialectos e idiomas distintos.

Es difícil precisar cuáles de estas diferencias habían aparecido ya en el latín imperial y cuáles corresponden a la época románica primitiva, pues no alcanzaron pleno desarrollo hasta mucho después. Aún así, cabe distinguir en la Romania dos grupos lingüísticos bien caracterizados: el oriental, que comprende la antigua Dacia, cuna del rumano, Dalmacia y los dialectos de la península itálica; y el occidental, constituido por Hispania, Galia, Norte de Italia o Galia Cisalpina, y Retia.

En los romances occidentales el ritmo del lenguaje tiende a concentrar la fuerza espiratoria en la vocal acentuada, detrás de la cual no suelen tolerar más de una sílaba. En consecuencia, ha desaparecido o se ha reducido mucho la acentuación dactílica. En cambio, los romances orientales conservan gran número de esdrújulos. Así, f r a x ĭ n u, t a bŭ l a, p e c t ĭ n e dan en francés *frêne, table, peigne;* en provenzal, *fraisse, taula, penche* o *pente;* en catalán, *freixa, taula, pinte,* y en español, *fresno, tabla, peine;* pero en italiano *frassino, tavola, pettine,* y en rumano, *frasine, piepten(e)* (1).

_____

(1) Estas diferencias no han de entenderse como *hechos cumplidos* en el latín vulgar, ni siquiera en el de los siglos V al VII, sino como *tendencias apuntadas* entonces y que se fueron desarrollando en el transcurso de varias centurias. El español de los siglos X y XI decía aún *tábola, cuémpetet, póltero* 'potro', en alternancia con *tabla, cuemptet, poltro,* cada vez más favorecidos (MENÉNDEZ PIDAL, *Orígenes del español,* § 32 y 58). La conservación o síncopa de la vocal postónica es uno de los aspectos del fenómeno, pero no el único; el español ha transformado voces dactílicas en trocaicas mediante la apócope de la

La forma del plural en nombres y adjetivos es otra divergencia característica. La *s* final latina se ha conservado en la Romania occidental, que gracias a ello distingue el acusativo de singular p o r t a ( m ), m u r ŭ ( m ) del de plural p o r t a s , m u r ō s ; el signo de pluralidad en los romances occidentales es la *s* *(puerta-puertas; lobo-lobos; hombre-hombres)*. La Romania oriental elidió la *s* final; como la *m* final latina no se pronunciaba tampoco, y las vocales *ŭ* y *ō* sonaban lo mismo, no había medio de distinguir el acusativo de singular p o r t a ( m ) del de plural p o r t a ( s ), ni m u r ŭ ( m ) de m u r ō ( s ); y hubo que recurrir al nominativo de plural p o r t a e, m u r i (en italiano: *porta,* pl. *porte; muro,* pl. *muri; uomo,* pl. *uomini;* en rumano: *capră,* pl. *capre; lup,* pl. *lupĭ; om,* pl. *oamenĭ).*

Las oclusivas *p, t, c* situadas entre vocales subsisten sin alteración en Oriente: r i p a , l a c t u c a y m u t a r e dan en rumano *ripă, lăptucă, muta;* en dálmata, *raipa.* En Occidente, coincidiendo con un substrato céltico propicio, se han sonorizado (1), han sufrido ulteriores relajaciones y han desaparecido en ciertos casos (esp. *riba, lechuga, mudar;* fr. *rivière, laitue, muer).* El italiano sonoriza en algunas ocasiones, pero en la mayoría no *(riva, lattuga, redina;* pero *capo, fuoco, mutare).* Añádase que en el Occidente, también por probable influjo del substrato celta, los grupos *kt* y *ks* han pasado a *-ịt* e *-ịs* (v. págs. 30-31).

---

vocal final *(mármol, árbol, césped, huésped, pómez,* ant. *júez,* etcétera), procedimiento que se da también en otros romances occidentales; el portugués llega a igual resultado rítmico eliminando la *l* y *n* intervocálicas y deshaciendo los hiatos subsiguientes (m a c ŭ l a > *magoa,* n e b u l a > *nevoa,* f r a x i n u > *freixeo* > *freixo).* Por otra parte, la pérdida de las vocales finales en rumano transforma después en trocaicas muchas formas originariamente dactílicas.

(1) La conservación de las sordas intervocálicas en aragonés debe considerarse como un fenómeno local de substrato vasco (véase página 29) y no altera el hecho general de que la sonorización domine en todo el resto del Occidente románico

lo que no ocurre en el Centro y Sur de Italia, ni tampoco en la Dacia.

El futuro románico se ha formado con el auxilio de **h a b e r e** en Occidente e Italia: esp. *cantaré,* fr. *chanterai,* it. *canterò,* de **c a n t a r e h a b e o.** En Oriente, el auxiliar es **v e l l e :** rum. *voiŭ cînta,* de **v o l o c a n t a r e.**

Dentro de la Romania occidental unas lenguas se muestran más revolucionarias y otras más conservadoras. El francés ha llevado hasta el último extremo las tendencias generales. No se ha contentado con suprimir la acentuación esdrújula, sino que, debilitando toda vocal posterior al acento, ha generalizado el ritmo agudo. Después de sonorizar *p, t, c,* ha perdido por completo la *t,* y en muchos casos la *c* (**s p a t h a** > *espée, épée;* **j o c a r e** > *jouer,* etcétera). En cambio, el español es más lento en su evolución. Domina en él el acento llano o trocaico, intermedio entre los abundantes proparoxítonos del Oriente y el ritmo oxítono del francés; incluso conserva la vocal postónica con relativa frecuencia (*pámpano, huérfano, cántaro, trébede, víbora* y tantos otros). La relajación de *t* y *c* intervocálicas latinas no ha llegado a una pérdida tan extensa como en francés (esp. *espada, jugar*). En términos generales puede decirse que los primeros textos franceses están ya más alejados del latín que el español actual.


ARCAÍSMOS DEL LATÍN HISPÁNICO.

Es frecuente entre los romanistas relacionar esta evolución reposada con el carácter español, apegado a tradiciones y poco amigo de la expresión plebeya. Dejando a un lado estas razones psicológicas, poco seguras refiriéndose a época tan lejana, otros factores debieron contribuir a que el latín hispánico tuviera aspecto arcaizante en relación con el de Galia y, en muchos rasgos, con el de Italia.

La romanización de la Península comenzó a fines del siglo III antes de Cristo, al tiempo que Ennio y Plauto empezaban a elaborar literariamente el latín. Así como en América sobreviven usos que en los siglos XVI y XVII eran corrientes en el español peninsular y hoy no existen en él, de igual modo el latín de Hispania retuvo arcaísmos que en Roma fueron desechados. Por ejemplo, el esp. *cueva,* catalán y portugués *cova,* exigen un latín c o v a, anterior a la forma clásica c a v a. En el latín arcaico existía un adjetivo relativo c u i u s - a - u m, que llega hasta Virgilio, pero que después no se emplea sino en el derecho; de ese adjetivo provienen el español *cuyo-a* y el portugués *cujo-a;* los demás romances lo desconocen; sólo se ha conservado en Cerdeña, romanizada antes que Hispania. Ennio, Lucilio o Terencio usan el adverbio d e m a g i s, los verbos p e r c o n t a r i y c a m p s a r e y otros términos que desaparecen en el latín clásico, pero sobreviven en los romances de la Península (esp. *demás, preguntar, cansar;* port. *demais, perguntar, cansar)* (1).

El apartamiento geográfico de la Península respecto al Centro del Imperio fué otra causa para que su latín cambiara con menos rapidez. Las innovaciones partían de Roma, foco principal de la Romania; allí confluía la población dispersa de las provincias y se emitían las modas de lenguaje. Galia era otro centro irradiador: su comunicación con la metrópoli, más estrecha que la de las demás regiones, el establecimiento de sede imperial en Tréveris y el carácter revolucionario del latín galo favorecían allí la difusión de las novedades procedentes de Roma, a las que se añadieron otras. En cambio, comarcas más alejadas, como Hispania, Cerdeña, el Sur de Italia, Sicilia, los valles

(1) SILVA NETO, *História da Língua Port.,* pág. 116.

alpinos, Dalmacia y Dacia, ignoraron muchos neologismos y conocieron otros en grado insuficiente para que pudieran enraizar.

Así se explican las coincidencias léxicas entre el español y los romances meridionales, orientales y de zonas aisladas. Al desaparecer el clásico l o q u i, triunfó f a b u - l a r i o *f a b e l l a r e, que subsisten en el esp. *hablar,* portugués *falar,* sardo *faeḍḍare,* retorromano, *favler;* pero Italia y Galia adoptaron el tardío *p a r a b o l a r e (fr. *par- ler,* it. *parlare).* Las coincidencias del español con el ru- mano son abundantes; y como la Dacia quedó separada del resto de la Romania a partir del siglo iii, revelan una etapa lingüística anterior a la escisión. En lugar del latín clásico i n v e n i r e, el lenguaje vulgar acudió a una metá- fora propia de la caza: a f f l a r e 'resollar el perro al oler la presa' pasó a significar 'encontrar' (esp. *hallar,* portu- gués *achar,* dialectos meridionales de Italia *uliliari, aśá,* si- ciliano *ašari,* dálmata *aflar,* rum. *afla);* después surgió *t r o p a r e, de origen discutido, que ha dado el fr. *trou- ver* y el it. *trovare.* De los adjetivos p u l c h e r y f o r - m o s u s, el primero, más selecto, ·no subsistió en el latín vulgar; f o r m o s u s, más popular, queda en el español *hermoso,* port. *fermoso* y rum. *frumos;* pero b e l l u s, netamente vulgar y más reciente, prevaleció en el Centro de la Romania (fr. *beau,* it. *bello;* el español *bello* ha sido siempre literario, o, al menos, poco general). F e r v e r e se mantiene en el esp. *hervir,* pullés *ferve,* rum. *fierbe;* pero b u l l i r e 'echar burbujas' se propagó por casi toda Italia *(bollire)* y Galia *(boullir),* desplazando a f e r v e r e. De modo similar l a t r a r e (esp. *ladrar,* rum. *latra),* m e n- s a (esp. *mesa,* rum. *masă)* y a r e n a (esp. *arena,* rum. *ari- nă)* son más antiguos que *b a u b a r e (fr. *aboyer,* it. *ab- baiare),* t a b u l a (fr. *table,* it. *tavola)* y s a b u l u m (francés *sable*, it. *sabbia, sabbione)*. A estos ejemplos se podrían añadir otros más (1).

Igual ocurre con fenómenos de tipo gramatical. Entre los sustitutos del comparativo clásico b r e v i o r, l o n - g i o r, la perífrasis m a g i s l o n g u s era anterior a p l u s l o n g u s y estaba más admitida; m a g i s es la partícula comparativa que sigue usándose en los romances peninsulares y en rumano (port. *mais*, esp. *más*, cat. *mes*, rumano *maĭ); la Romania central prefirió p l u s (fr. *plus*, italiano *più)* (2).

Los demostrativos h i c, i s t e, i l l e indicaban en latín la gradación de distancia en relación con las tres personas gramaticales; al perderse h i c, el latín peninsular expresó la triple gradación con i s t e, i p s e y e c c u ( m ) i l l e (esp. *este, ese, aquel;* port. *este, esse aquele);* en los demás países románicos, salvo Sicilia y el Sur de Italia, los demostrativos se redujeron a distinguir la proximidad y la lejanía (fr. *celui-ci, celui-là:* it. *questo, quello* (3): rumano *acest, acel)*. A igual polarización en dos categorías ha llegado el catalán moderno; pero el medieval distingue los tres grados como hace todavía hoy el valenciano *(est, eix, aquell)* (4).

En español, portugués y catalán (sobre todo catalán antiguo y valenciano) se conserva el pluscuamperfecto la-

(1) Aparte de las obras indicadas en la pág. 60, nota 1, véase G. ROHLFS, *Die lexikalische Differenzierung der romanischen Sprachen*, München, 1954.

(2) La comparación con p l u s no fue desconocida en España: las Glosas del siglo x traducen a s p e r i u s por *"plus* áspero, *más";* en portugués medieval existió *chus*, y Berceo usa *plus* y *chus;* en catalán ant. y dialectal hay *pus*. Pero tales restos no invalidan la general preferencia de los romances peninsulares por m a g i s.

(3) En italiano se restableció el sistema latino mediante la formación de *cotesto*, equivalente del latín i s t e y del español *ese;* pero *cotesto* es reciente en comparación con los tres demostrativos españoles o del Mediodía italiano.

(4) Véase A. BADÍA, *Los demostrativos y los verbos de movimiento en iberorrománico*, Estudios dedic. a M. Pidal, III, 1952, págs. 3-31.

tino a m a v e r a m, c a n t a v e r a m, total o parcialmente
convertido en subjuntivo (esp. *amara, pudiera;* portugués
*amara, podera, dormira;* cat. *amara, poguera, dormira);*
fuera de la Península sólo existe en provenzal y en dialectos del Sur de Italia; el francés lo olvidó muy pronto. El
futuro a m a v e r o sólo queda precariamente en España y
en la Romania oriental (port. *cantar, dormir;* esp. *cantare,
durmiere;* dálmata *kanturo,* con valor de futuro imperfecto; rumano de Macedonia *cîntare, dormire).*

Otras veces los romances peninsulares concuerdan con
los de rincones alpinos, Cerdeña o Dacia, en usos ajenos al
latín clásico, que ha mantenido los suyos en Galia e Italia.
En estos casos hay que suponer que las coincidencias
son resultado fortuito de evoluciones independientes entre
sí, o bien se trata de innovaciones que fueron generales a
toda la Romania en un tiempo determinado, pero desecha-
das más tarde en Italia y Galia, mientras se conservaban
en regiones laterales o aisladas. Este último parece ser el
caso de g e r m a n u s (< esp. *hermano,* port. *irmão,* catalán *germá),* que desplazó en España al clásico f r a t e r
(> fr. *frère,* it. *frattello),* cosa que ocurre también en los
dialectos de Bérgamo y la Valtelina: tales son los restos
de un dominio anterior más amplio, pues g e r m a n u s
aparece sustituyendo a f r a t e r en textos merovingios, y
prevaleció hasta el siglo XII en toda Italia, a excepción
del extremo Sur (1). En el fr. *vouloir,* it. *volere,* cat. *voler,* pervive v e l l e como expresión de voluntad, mientras que el Centro y Occidente de la Península, así como
Cerdeña, adoptaron q u a e r e r e 'buscar' (> esp. y port.
*querer,* logudorés *kerrere) (2);* pero el fr. antiguo conoció
también *querre* 'désirer, vouloir', después eliminado.

---

(1) Véase P. AEBISCHER, Zeitsch. f. rom. Philol., LVII, páginas 211-239.
(2) Los únicos restos de v e l l e en el Centro peninsular están fo-

La Península fué el único sitio donde el latín guardó ciertos rasgos de época clásica que desaparecieron en el habla de las demás provincias. Los numerales de decena mantuvieron la acentuación clásica -a g í n t a, asegurada por una inscripción hispana del siglo VI (s e p t u a - z i n t a) y por los derivados romances *sessaenta, setaenta* (> port. moderno *sessenta, setenta;* esp. moderno *sesenta, setenta);* en el resto de la Romania la terminación -a g i n t a sufrió un cambio de acento y se contrajo en *-anta* (fr. *quarante, soixante;* it. *quaranta, sessanta).*

Estas y otras particularidades, unidas a los demás arcaísmos señalados antes, debían de dar al latín de España cierto dejo de vetustez.

## Dialectalismos itálicos en el latín de Hispania.

Es muy probable que entre los colonos y legionarios venidos a Hispania hubiera, sobre todo al principio, gran número de individuos cuya lengua originaria no fuera el latín, sino el osco o el úmbrico. Sertorio había nacido en la Sabina, tierra de dialecto sabélico-osco, y seguramente le acompañaron paisanos suyos en las empresas hispánicas. Hasta la guerra social (comienzos del siglo I antes de Jesucristo), tanto el osco como el úmbrico gozaban plenitud de vida; doscientos años más tarde, el osco seguía aún usándose, conforme demuestran inscripciones de Pompeya.

Se ha discutido mucho la influencia que los emigrantes de regiones itálicas no latinas pudieron ejercer en el habla de las provincias. Los catalanes *nu, uytubre,* esp. *nudo, oc-*

---

silizados en pronombres indefinidos arcaicos: el preliterario *qualbis* (MENÉNDEZ PIDAL, *Orígenes del español,* § 69) y *sivuelque, sivuelqual, sivuelquando, qualsivuel,* usados por Berceo.

*tubre, ochubre* (1), port. *outubro,* exigen una pronunciación
n ū d u s, o c t ū b e r, en vez de la latina pura n õ -
d u s, o c t õ b e r; las formas que han de suponerse para
el latín hispánico responden al vocalismo osco, que tenía *ū* donde ofrecía *õ* el latín. O c t u b e r aparece en una
inscripción pamplonesa del año 119.

La hipótesis del influjo suditálico en el latín traído a
Hispania se fortalece en vista de una serie de coincidencias
que se dan entre los actuales dialectos del Mediodía italiano, Sicilia y Cerdeña de una parte, y los romances hispánicos de otra. En el italiano meridional, siciliano y sardo
la *r-* inicial de palabra se refuerza hasta pronunciarse
como *rr (= ŕ),* igual que en catalán, español, portugués
y gascón. En zonas de ambas penínsulas se refuerza también la *l-* inicial, que, equiparada a la *-ll-* interior, da en
unas áreas resultado palatal *ll, yy* o. simplificado, *l, y,*
y resultado cacuminal (2) en otras (*dd. ts, d, t,* etc.); así
los suditálicos actuales *lluna, luna, dduna, yupo, dana,*
*ddengua* tienen su paralelo en los catalanes *lluna, llop,*
*llana, llengua,* en los astur-leoneses *lluna, llobu, llana,*
*llingua* o *duna, tsuna, tsobu, tsana, tsingua,* y en el mozárabe *yengua.* La cacuminalización de *-ll-* interior y no
de *l-* inicial ocurre en la mayor parte del Mediodía italiano
y en Sicilia, Cerdeña, el Pirineo aragonés y Gascuña. Menor pujanza que el refuerzo de *r-* y *l-* tiene el de *n-* inicial, manifiesto sólo en astur-leonés *(ño, ñaris)* y esporá-
dicamente en Italia *(nnutu, nnido* en Apulia, *ignudo* del
italiano general, etc.) (3).

---

(1) *Ochubre* está muy documentado en el siglo XIII; por ej., en la
*Primera Crónica General,* ed. 1906, pág. 279 a; en los *Opúsculos*
*legales* alfonsíes, II, pág. 17, etc., etc.

(2) Llámanse *cacuminales* los sonidos que se articulan elevando
la lengua hacia el paladar o los alvéolos de modo que los toque con
el borde o cara inferior de su ápice.

(3) Véase R. MENÉNDEZ PIDAL, *A propósito de* l *y* ll *latinas.*
*Colonización suditálica en España,* Bol. de la R. Academia Española,

— 70 —

Caso más problemático es el de las reducciones *mb* >
*m,* que se da en catalán, aragonés, castellano y gascón
(l u m b u > *lomo;* c o l u m b a > catalán *coloma);*
*nd* > *n,* general en catalán (d e m a n d a r e > *demanar)*
y gascón, frecuente en aragonés antiguo; y *ld* > *ll* o *l*
(s o l d a t a > *sollada),* que se ve en ejemplos dispersos,
pero numerosos, de Aragón, Castilla, León y hasta Toledo, en la Edad Media. Las tres asimilaciones son normales en los dialectos del Centro y Sur de Italia, con las
mismas diferencias de extensión e intensidad que en España; allí guardan innegable relación con el substrato lingüístico osco-umbro. También la sonorización de *p, t, k*
tras nasal, *r* o *l,* practicada en aragonés *(cambo, fuande,*
por *campo, fuente)* es corriente en el Centro de Italia y
existía en úmbrico. Aunque este fenómeno aragonés parece estar en estrecha relación con otros semejantes del
vasco (véase pág. 29), la influencia de los colonizadores itá-
licos pudo reforzar las tendencias nativas. Los cuatro fenómenos, aunque *mb* > *m* alcance mayor difusión, se congregan en España hacia la región pirenaica, en torno a las
ciudades sertorianas O s c a e I l e r d a ; tal vez el nombre de *Osca* aluda a la procedencia de sus colonos (1).

---

XXXIV, 1954, 165-216; en contra, G. Rohlfs, *Oskische Latiniät in
Spanien?,* Revue de Linguistique Romane, XIX, 1955, 221-225. En
*Vorrömische Lautsubstrate auf der Pyrenäenhalbinsel?,* Zeitsch. f.
rom. Philol., LXXI, 1955, 408-413, sugiere Rohlfs la posibilidad
de atribuir el refuerzo de la *l* inicial a un substrato ligur. El meri-
dionalismo del fenómeno se hace más probable si se tiene en cuenta
que el latín africano pronunciaba l l a r g u s, l l e x, según aseguran
el gramático Pompeyo y San Isidoro (H. Schuchardt, *Vokalismus
des Vulgärlateins,* III, 303; Silva Neto, *História da Língua Portuguesa,* 124).
(1) Véase R. Menéndez Pidal, *Orígenes del español,* §§ 51-55 y
96. Entre las opiniones contrarias, véase la de G. Rohlfs, *La importancia del gascón en los estudios de los idiomas hispánicos,* Primer Congreso Internac. del Pirineo, 1952; *Concordancias entre catalán y
gascón,* VII Congreso Internac. de Ling. Románica, II, 1955, 663-
672; y *Oskische Latinität in Spanien?,* Revue de Ling. Romane, XIX,
1955, 221-225.

Neologismos del latín hispánico.

En el latín hispánico apuntaban seguramente novedades exclusivas suyas. Perduraban rasgos de pronunciación y vocablos procedentes de las lenguas primitivas (1). Otras veces eran procesos autóctonos del latín peninsular y pueden inducirse del ulterior desarrollo de los romances hispanos; así la tendencia a eliminar la conjugación - ĕ r e en beneficio de las en - ē r e o - ī r e, reduciendo a tres los cuatro paradigmas verbales ( f a c ĕ r e > *hacer,* s c r i - b ĕ r e > *escribir); así también formaciones léxicas como * e x p e r g i t a r e ( < esp. y port. *espertar, despertar)* por c x p e r g i s c ĕ r e, * v e r a n u m t e m p u s (> esp. *veruno,* port. *verão); * c i b a t a (> esp. *cebada,* port. *cevada;* con el sentido de 'avena', prov. y cat. *civada);* y cambios semánticos como el de *cibaria* 'alimentos' a 'cereales, grano' (esp. *cibera) (2).* Poseemos noticias concretas acerca de unas cuantas palabras características del latín hablado en nuestro suelo. Plinio cita el hispanismo f o r m a c ĕ u s 'pared', que da dejado por única descendencia románica el español *hormazo* 'pared hecha de tierra'. En inscripciones hispanolatinas se encuentran otras: c o l l a c t ĕ u s, regresión de c o l l a c t a n ĕ u s 'hermano de leche', es el origen del español medieval *collaço;* el masculino m a n c i p i u s, en lugar del neutro clásico m a n c i p i u m, prueba que era término usado entre el vulgo español; en efecto, se ha conservado en la Península (esp. *mancebo,* cat. *masip),* mientras se ha perdido en

(1) Véanse nuestras págs. 26-35.
(2) Véanse J. Jud, *Problèmes de géographie linguistique romane,* Rev. de Linguist. Romane, I, 181-236, y II, 163-207; y Paul Aebischer, *Les denominations des 'céréales', du 'ble' et du 'froment' d'après les données du latin médiéval,* Essais de Philologie Moderne, 1953, págs. 77 y sigts.

el resto de la Romania. A l t a r i u m por a l t a r e es forma precursora del español *otero*, port. *outeiro*.

En los albores de la época romance, San Isidoro recoge muchas voces usadas en el habla vulgar de España. Algunas son privativas de ella: a n t e n a t u s (> español *alnado*); a r g e n t ě u s 'blanco' (> esp. ant. *arienço*); b o s t a r 'establo de bueyes' (> esp. *bostar*, port. *bostal*); c a t e n a t u s (> esp. *candado*, port. *cadiado*, catalán *cadenat*); c o l o m e l l u s 'diente canino' (> español *colmillo*); s e r r a l i a 'lechuga silvestre' (> español *cerraja*, port. *serralha*, cat. *serralla*). Una caprichosa etimología isidoriana dice que al gato se le llamaba c a t t u s "quia c a t t a t, id est, videt"; con ello nos da la certeza de que en el siglo VII los hispano-godos empleaban el verbo c a t t a r e (< c a p t a r e) con el sentido de 'ver, mirar', propio del esp. medieval *catar*. Y la afirmación isidoriana "omne satis viride a m a r u m dicitur" aclara el origen del esp. *amarillo*, port. *amarelo* (1).

## DIFERENCIAS REGIONALES EN EL LATÍN HISPÁNICO.

Durante el período romano el latín peninsular debía de ser bastante uniforme. Sin embargo, entre los siglos VI y X lo veremos fraccionarse en diversos dialectos románicos. Ya se han indicado los factores que contribuyeron a mantener la cohesión lingüística bajo el Imperio, y cómo, al desaparecer aquéllos, hubo de surgir la variedad romance. Pero cuando tratamos de inquirir si antes del siglo VI apuntaban en España diferencias regionales que pudieran ser

---

(1) R. MENÉNDEZ PIDAL, *Manual*, § 2; CARNOY, *Le latin d'Espagne d'après les inscriptions*, Bruxelles, 1906; J. SOFER, *Lateinisches und Romanisches aus den Etymologiae des Isidorus von Sevilla*, Göttingen, 1930.

base de futuras escisiones, hemos de renunciar a la certidumbre absoluta y contentarnos con hipótesis.

La división administrativa romana no era arbitraria. Los conventos jurídicos que integraban las provincias parecen haberse atenido, en su demarcación, a núcleos previos de pueblos indígenas. A esta diversidad étnica —y posiblemente de substrato lingüístico— se añadió la concentración de actividades de cada convento en torno a su capital. Formábanse de este modo subcomunidades, dentro de las cuales se perpetuaban arcaísmos o aparecían innovaciones extrañas a las comarcas vecinas. La Iglesia estableció sus sedes episcopales con arreglo,· generalmente, a la distribución de conventos y provincias romanas, continuándola después del Imperio y profundizando la disociación. En la geografía dialectal quedan huellas de tan antiguas divisiones: la región de Miranda de Duero, que perteneció al convento y diócesis de Astorga, habla dialecto leonés, no obstante hallarse enclavada políticamente en tierra portuguesa desde fecha muy lejana. Cantabria formaba parte de la Gallaecia, mientras la meseta burgalesa correspondía a la Cartaginense; el castellano de la Montaña y otras zonas norteñas fué, por algún tiempo, distinto del de Burgos en ciertos caracteres (véanse págs. 133-4).

La romanización se efectuó en distintas épocas y condiciones para cada región. Iniciada en la Bética y la Tarraconense, debió formarse en ellas el sedimento lingüístico que fué llevado más tarde al interior. En la Bética, apartada y culta, patria de retóricos y poetas, se hablaría seguramente un latín conservador, purista en cierto grado. En cambio, la Tarraconense oriental era ruta obligada de legionarios, colonos y mercaderes; es de suponer que acogiera una población flotante que se expresaría con descuido, traería novedades de lenguaje y propendería sin duda al neologismo. Al progresar la romanización, los focos ciudadanos de

Évora, Brácara, Emérita y Astúrica recibieron, probablemente, el latín de la Bética, mientras el de la Tarraconense, avanzando por la vía romana del Ebro, debió de llegar hasta la meseta septentrional (1). En Cataluña, Aragón y Burgos encontraremos más adelante ciertos rasgos innovadores que no aparecen en el Sur y el Oeste (reducciones *ai* > *e, au* > *o, mb* > *m).*

La Tarraconense comunicaba con Italia y Galia más estrechamente que el resto de la Península, lo que dió lugar a mayor influencia lingüística de la Romania central. Así adoptó la contracción -a n t a en los numerales de decena (cat. y arag. *sixanta, quaranta),* en vez de - a g í n t a , y conoció como posesivo de la persona ellos, el genitivo i l l o r u m (cat. *llur,* arag. *lor, lur,* como el francés *leur* e *italiano loro)* al lado de *suus.* En la parte más oriental de la región no fué eliminada la conjugación proparoxítona - ě r e , que subsistió también en Galia e Italia (cat. p r e h e n d ě r e > *pendre,* r e d d ě r e > *retre,* frente a *prender, render, rendir,* de los otros romances peninsulares). En el léxico, los catalanes *menjar, parlar, trobar, voler, taula, cosí* ( < \*c o s i n u s , de c o n s o - b r i n u s ), *donar, cercar* ( < c ǐ r c a r e ), *ociure* ( < o c - c i d e r e ), etc., muestran preferencias opuestas a los castellanos y portugueses *comer, hablar - falar, hallar - achar, querer, mesa, cormano -* gall. *curmán* ( < c o n g e r m a - n u s ), *dar, buscar, matar.* No es forzoso que todas estas divergencias aparecieran ya en la época imperial, ni tampoco en la visigótica; la mayoría debió de surgir en el último período de formación de los romances, cuando Cataluña dependía del estado carolingio (2).

---

(1) Véase H. MEIER, *Beiträge zur sprachlichen Gliederung der Pyrenäenhalbinsel,* Hamburg, 1930, y *Die Entstehung der rom. Sprachen und Nationen,* Frankfurt, 1941.

(2) La cuestión de si el catalán, en su origen, es lengua iberorrománica o galorrománica ha sido muy debatida. Véanse, entre

## Palabras populares, cultas y semicultas.

La civilización occidental ha heredado el latín en dos
formas distintas: como lengua hablada, madre de los idiomas
románicos, y como vehículo universal y permanente de cultura. Consagrado por la Iglesia, se conserva en la liturgia
católica; la administración, leyes y cancillerías lo emplearon hasta la baja Edad Media, y aún más tarde, en todos
los países europeos; fué instrumento general de la exposición científica, y todavía hoy se usa como tal alguna vez;
y las literaturas modernas, en especial desde el Renacimiento, no han perdido de vista el modelo de los poetas,
historiadores y didácticos latinos.

A consecuencia de este doble legado, el vocabulario latino ha pasado a las lenguas romances siguiendo diversos
caminos: unas palabras han vivido sin interrupción en el
habla, libres del recuerdo de su forma literaria y abando-
nadas al curso de la evolución fonética; se han transformado
al tiempo que nacían las nuevas lenguas y muestran en sus
sonidos cambios regulares característicos; por ejemplo;
filius, genesta, saltus han dado en castellano

otros, los estudios de K. Salow, *Sprachgeographische Untersuchungen über den östlichen Teil des Katalanisch-Languedokischen Grenz-
gebietes*, 1912; A. Griera, *La frontera catalano-aragonesa*, 1914, y
crítica de R. Menéndez Pidal en la Revista de Filología Española, III, 1916, págs. 80 y sigts.; A. Griera, *Afro-romànic o Ibero-
romànic*, Butlleti de Dialectología Catalana, X, 1922, págs. 34-53;
W. Meyer-Lübke, *Das Katalanische*, 1925; reseña de esta obra por
W. von Wartburg, Zeits. f. rom. Philol., LVIII, 1928, págs. 157-
161; Amado Alonso, *La subagrupación románica del catalán*, Rev.
de Filol. Esp., 1926, y *Partición de las lenguas románicas de Occidente*, en *Miscel·lània Fabra*, Buenos Aires, 1943; M. Hagedorn,
*Die Stellung des Katalanischen auf der Iberischen Halbinsel*, Zeits. f.
neusprach. Unterricht, XXXVIII, 1939, 209-217; las gramáticas históricas catalanas de A. Badía, 1951, §§ 2 y 3, y de F. de B. Moll,
1952, §§ 5-8; G. Rohlfs, *Die lexikalische Differenzierung der rom.
Sprachen*, München, 1954, etc.

*hijo, hiniesta, soto,* según leyes fonéticas que distinguen el castellano de otras lenguas romances. Son las palabras llamadas populares o tradicionales, que constituyen el acervo más representativo de cada lengua.

Tan antiguas como las voces populares, y pertenecientes como ellas a la lengua hablada, hay otras que no han tenido un proceso fonético desembarazado de reminiscencias cultas. Mientras a r g i l l a y r i n g e r e se deformaban hasta llegar a *arcilla, reñir,* no sucedía igual con v i r g i n e o a n g e l u s, que en la predicación y ceremonias religiosas se pronunciaban de una manera más o menos distante de la latina pura, pero esencialmente respetuosa con ella; el oído de las gentes se acostumbró a la pronunciación eclesiástica, cuyo influjo impidió que se consumaran las tendencias fonéticas usuales: v i r g i n e dió *virgen,* no *\*verzen,* y a n g e l u s, *ángel,* en vez de *\*año* o *\*anlo.* De igual modo s a e c ŭ l u m, r e g ŭ l a, a p o s t ŏ l u s, e p i s c ŏp u s, m i r a c ŭ l u m, p e r ī c ŭ l u m, c a p ĭ t ŭ l u m, pasaron a *sieglo > siglo, regla, apóstol, obispo, milagro, peligro, cabildo,* muy distintos de las soluciones normales (1). La influencia de la administración fué semejante a la de la Iglesia, aunque menos extensa. Los notarios redactaban sus documentos en latín, con arreglo a fórmulas muy repetidas, que, al ser leídas a los otorgantes, se grababan en su memoria. Cláusula muy usada en escrituras era "vendo tibi mea r a t i o n e in illa terra'", y con este sentido perduró *ración* con su *i* latina, que desapareció en el vulgar *razón;* en la data se mencionaba el nombre del monarca, y las repeticiones "r e g n a n t e Adefonso in Legione", "r e g n a n t e rege nostro Ordonio", juntamente con el "r e g n u m Dei" de la liturgia, hicieron que r e g n a r e

___
(1) De haber obedecido a las leyes fonéticas, hubieran dado *\*sejo, \*reja, \*abocho, \*besbo* o *\*ebesbo, \*mirajo, \*perijo, \*cabejo.* como r e g ŭ l a > *reja,* t e g ŭ l a > *teja,* v e t ŭ l u > *viejo,* etc.

y r e g n u m se detuvieran en *reinar, reino* y no llegaran
a *reñar, *reño. En la mayoría de los casos citados, y en
p h y s ĭ c u s > *fésigo,* t o x ĭ c u s > *tósigo,* c a n o n ĭ -
c u s > *canónigo,* etc., la acción de la cultura no fué bastante poderosa para mantener la integridad formal de la
palabra, pero sí para frenar o desviar el proceso fonético
iniciado en ella; el resultado es lo que los filólogos llaman
*semicultismo.*

Los cultismos puros se atienen con fidelidad a la forma
latina escrita, que guardan sin más alteraciones que las
precisas para acomodarla a la estructura fonética o gramatical romance ( e v a n g e l i u m > *evangelio,* v o l u n -
t a t e > *voluntad).* Algunos se han transmitido por el habla y la escritura combinadas; pero en su mayor parte
han sido tomados directamente del latín literario, aunque
éste fuera el bajo latín medieval (1).

Una palabra latina puede originar dos romances, una
culta y otra popular. En ocasiones los resultados tienen
acepciones comunes *(fosa* y *huesa, frígido* y *frío, íntegro* y
*entero),* pero aun en ellas hay distinto matiz afectivo o
conceptual; por lo general son palabras completamente independientes, sin más nexo que el de la etimología, olvidado en el uso *(laico* y *lego, signo* y *seña, fingir* y *heñir,*
*artículo* y *artejo, concilio* y *concejo, radio* y *rayo, cátedra*
y *cadera).* Nótese que las voces populares suelen tener un
sentido más concreto y material que las eruditas. Otras
veces la duplicidad se da entre un derivado culto y un semicultismo *(secular* y *seglar)* o entre un semicultismo y una
voz popular *(regla* y *reja).* La lengua se ha servido de estos
dobletes para la diferenciación semántica: el culto *litigar*
ha descargado al popular *lidiar* de uno de sus sentidos.

---

(1) Por ejemplo, *aniquilar* no procede del clásico n i h i l, sino
de la pronunciación bajo-latina n i c h i l (= *n i k i l*).

Desde que los idiomas románicos alcanzaron florecimiento literario, su léxico se ha enriquecido con incesante adopción de cultismos. En el siglo XIII, cuando los poetas del mester de clerecía y Alfonso el Sabio habilitaron el español para la expresión ilustrada, fueron muchas las voces latinas introducidas. A partir del Renacimiento, latinismos y grecismos dieron vestido a las nuevas ideas y sirvieron como elemento estilístico de primordial importancia. Y en los tiempos modernos el latín y el griego siguen siendo cantera inagotable de neologismos. Si las palabras populares son las que mejor reflejan la tradición oral del latín vulgar y ofrecen los rasgos fonéticos peculiares de cada romance, los cultismos revelan la perenne tradición del espíritu latino en la civilización europea. Su menor interés fonético se compensa crecidamente con el histórico-social: son índice de las apetencias, inquietudes, orientaciones ideológicas y conquistas científicas de los momentos culturales en que penetraron.

## IV. TRANSICION DEL LATIN AL ROMANCE. EPOCA VISIGODA

### Los germanos.

En el año 409 un conglomerado de pueblos germánicos —vándalos, suevos y alanos— atravesaba el Pirineo y caía sobre España; poco después el rey visigodo Alarico se apoderaba de Roma y la entregaba al saqueo.

Así quedó cumplida la amenaza que secularmente venía pesando desde el Rhin y el Danubio. Los éxitos de Tiberio y Germánico habían sido amargados por el descalabro de Varo, cuyas legiones aniquiladas lloraba Augusto en la vejez. Tácito observaba el contraste entre la disoluta sociedad imperial y la vigorosa rudeza de los germanos, "magis triumphati quam victi". Desde el siglo III las agresiones germánicas se hicieron cada vez más fuertes: en una de ellas corrieron las Galias y llegaron a Tarragona (256-262); dos emperadores, Decio y Valente, murieron en lucha con los godos. Y apenas desapareció con el hispano Teodosio la última columna del Imperio, sobrevino la irrupción definitiva.

La penetración germánica en Roma no fué solamente

guerrera. Desde el siglo I los germanos comenzaron a alistarse en las legiones; otros se establecían en territorio imperial como tributarios o colonos. Estilicón, el caudillo que Roma opuso al alud invasor, era de sangre bárbara.

## Voces romances de procedencia germánica (1).

Las relaciones sostenidas por los .dos pueblos durante los siglos I al IV dieron lugar a un nutrido intercambio de palabras. Los germanos tomaron del latín nomenclatura del comercio, agricultura, industrias, viviendas, derecho, etc.; pero también comunicaron a los romanos términos suyos. Roma importaba del Norte el jabón, cuya fabricación desconocía; por eso el germánico s a i p o entró en el léxico latino, de donde pasó a las lenguas romances ( s a - p o n e > esp. *xabón, jabón*). Se traían de Germania pieles y plumas; con ellas se introdujo la palabra t h a h s u, latín t a x o ( > esp. *tejón*). B u r g u s procede del germano b u r g s 'fuerte' 'aldea' ( > esp. *Burgo, Burgos*).

En la época de las invasiones fueron muchas las palabras germánicas que entraron en el latín vulgar. Los dos mundos estaban en contacto directo, ya fuera belicoso, ya pacífico. Los germanos, enseñoreados del territorio romano, conservaban con plena vitalidad sus lenguas, y los latinos aprendían de ellos denominaciones de cosas y costumbres extrañas, familiarizándose con expresiones germánicas. El vocabulario militar adoptó muchas, primero a causa de la convivencia en las legiones; después porque la nobleza germánica, dedicada principalmente a las armas, impuso su propia terminología. El latín b e l l u m fué sustituído por w e r r a ( > it. *guerra,* fr. *guerre,* prov., cat., esp. y portugués *guerra);* extensión parecida tuvieron w a r -

(1) Véanse W. Meyer-Lübke, *Introducción a la lingüística románica,* § 36-47, y E. Gamillscheg, *Romania Germánica,* I, 1934.

d ó n ( > esp. *guardar)*, r a u b ó n ( > esp. *robar)* y w a r n j a n (> esp. *guarnir, guarnecer)*. El guerrero germano llamaba h ĕ l m al casco que protegía su cabeza (> esp. *yelmo)*; entre sus armas ofensivas figuraba el *darao* (< germano d a r d ), y buscaba *albergue* ( < \* h a r i - b a i r g o ) donde *guarecerse* (< w a r j a n). La equitación era una de sus mayores aficiones; por ello se han asentado en las lenguas románicas \* s t r e u p ( > esp. *estribo)*, \* s p a u r a o s p ŏ r o ( > esp. *espuela, espolón)*, y \* f a l w, adjetivo de color aplicado al caballo, que dió el derivado latino \* f a l v a r i u s ( > port. *fouveiro*, español *overo)*. Todas estas voces y la mayoría de las que se mencionan a continuación dejaron también descendientes en Francia e Italia.

Al vestido germánico pertenecen h ŏ s a 'calzón corto' (> esp. ant. *huesa* 'bota alta'); f a l d a 'pliegue, regazo de la falda' (> esp. *falda, halda)*, y c ó f e a (> esp. *cofia)*. Las tareas del campo están representadas por el verbo \* w a i d a n j a n 'apacentar', 'cultivar la tierra', origen del español *ganar* (1). La construcción proporcionó s a l 'espacio abierto donde recibía el señor' (> esp. *sala)*; el suevo \* l a u b j o 'enramada' se conserva en el gallego *lobio* 'parral bajo', y el correspondiente franco \* l a u b j a en el francés *loge* 'galería' (que pasó al italiano *loggia* y español *lonja)*. El techo de las primitivas viviendas germánicas era un entramado o cañizo: b a s t j a n 'entretejer' ha dado el francés *bâtir* y el esp. ant. *bastir* 'construir, preparar, disponer'. Los germanos gustaban de la música y cantos heroicos: h a r p a ( > esp. *farpa, arpa)* es el nombre de uno de sus instrumentos.

---

(1) Véase R. MENÉNDEZ PIDAL, Modern Philogoy, XXVII, 1930, páginas 413-414. En la palabra española han debido de confluir el derivado de \*w a i d a n j a n y el del gótico \*g a n a n 'codiciar': v. COROMINAS, *Dicc. crit. etimol.*

6

Al constituirse los estados bárbaros hubo en todos los aspectos de la vida un cambio esencial, debido en gran parte a la implantación de instituciones germánicas. Ese cambio se refleja en el vocabulario romance: el derecho germánico perpetuó voces como b a n 'proscripción, prohibición' (> latín medieval b a n n u m, fr. *ban,* esp. *bando)*; el *bandido* es, originariamente, la persona proscrita que ha perdido la paz pública. Los bienes patrimoniales recibieron la denominación de a l ô d (> lat. mediev. a l o d i u m > esp. *alodio)*; la posesión o tenencia concedida por el señor al vasallo se designó mediante el franco * f ë h u 'ganado', que originó en latín medieval f e v u m ( > fr. *fief)* y f e u d u m, con la *d* de a l o d i u m (> esp. *feudo).* La diplomacia empleó h a - r i w a l d (> fr. *héraut* > esp. *heraldo, faraute);* a n d - b a h t i 'cargo, servicio' (> prov. *âmbaissada* > it. *ambasciata* > esp. *embajada);* y t r i g g w a 'alianza' (> español *tregua).*

Otros germanismos se refieren al mundo afectivo. Es natural que los bárbaros, muy cuidadosos de su fama, conservaran con especial cariño palabras relativas al concepto de sí mismos, ofensas y valentía, como o r g ô l i (> esp. *orgullo);* h a u n i t h a 'burla, mofa' (> fr. *honte,* prov. *anta, onta* > esp. antiguo *onta, fonta);* s k e r n j a n 'burlarse' ( > prov. *escarnir* > esp. *escarnir, escarnecer);* h a r d - j a n 'atreverse' (> fr. *hardi,* prov. *ardit* > ant. esp. *ardido, fardido).* Para indicar el decaimiento de ánimo, ya en tiempos del Imperio se formaron * m a r r i r e y * e x m a - ı r i r e del germánico m a r r j a n (> ant. fr. *marrir,* español ant. *desmarrido* 'triste', it. *smarrire,* rum. *amări);* el desfallecimiento físico se expresó también con un híbrido germano-latino, * e x m a g a r e, de m a g a n 'tener fuerza' (> fr. *esmaier* y de éste el esp. *desmayar).*

De adjetivos han pasado r i k s 'poderoso', f r i s k 're-ciente, lozano', difundidos por toda la Romania occidental (esp. *rico, fresco)*; b l a n k 'brillante' (esp. *blanco*, probablemente a través del francés, como *blondo* y *gris)*. El sustantivo w i s a 'manera' debió de ser adoptado en época temprana (fr. *guise*, it. *guisa*, esp. *guisa, guisar*, antes 'preparar, disponer'); en el español de los siglos xii y xiii *guisa* se empleó para la formación de adverbios compuestos *(fiera guisa* 'fieramente').

Son de notar, por último, traducciones parciales o completas de palabras germánicas. El prefijo g a - de g a - r e d a n 'cuidar' fué reemplazado por los equivalentes latinos c u m - o a d -, surgiendo así *conredare y *adredare (> esp. *conrear, arrear)*. Los dos elementos de g a - h l a i b a 'el que comparte el pan' (h l a i f s 'pan') están calcados en c o m p a n i o, origen de *compañón, compañero, compañía* y toda su familia léxica romance. Iguales procedimientos usaban los germanos para reproducir los compuestos latinos.

La historia detallada de los germanismos en las lenguas romances es sumamente compleja. Unos pertenecen al fondo común germánico; otros son exclusivos de un dialecto; algunos entraron independientemente en cada país, tomados del habla de los respectivos invasores. Los hay propagados a través del latín vulgar y por intermedio del bajo latín. Muchos han pasado de unos romances a otros. Especial poder de difusión tuvieron los germanismos introducidos por los francos: a través del latín tardío o del primitivo romance de la época merovingia pasó a España h ö s a, registrado ya por San Isidoro; otro tanto debió de ocurrir con f a l d a, h ĕ l m, c o m p a n i o, w a r d ô n y acaso w i s a. Después, el prestigio de la sociedad feudal y de la vida cortés bajo la monarquía capeta propagó, ya como galicismos o provenzalismos, *guarnir, dardo, bastir, sala, honta, escarnir, ardido, heraldo*, etc.

Los primeros invasores y los visigodos.

De la primera invasión germánica que penetró en Hispania, dos pueblos desaparecieron pronto: los alanos fueron exterminados a los pocos años, y los vándalos, tras un breve asiento en la Bética, atravesaron el estrecho y pasaron al Africa (429). La estancia de ambas estirpes dejó huella en topónimos como *Villalán* (Valladolid), *Puerto del Alano* (Huesca), *Bandaliés* (Huesca) y *Campdevánol* (Gerona) Los vándalos embarcaron junto a la antigua Julia Traducta (hoy Tarifa); se supone que este lugar tomó un nuevo nombre referente al pueblo emigrado. *[P o r t u W] a n - d a l u, o, en boca de navegantes griegos, *[P o r t u u] a n d a l u s i u; y que este nombre es origen del *Andalus* árabe y de *Andalucía* (1). También hay reliquias toponímicas del pueblo suevo (varios *Suevos* y *Suegos* en Galicia, *Puerto Sueve* en Asturias), cuya influencia lingüística en el Noroeste tuvo que ser mucho mayor.

Los visigodos eran los más civilizados entre los germanos venidos a la Península. El siglo y medio que habían permanecido en la Dacia y al Sur del Danubio, y los casi cien años que duró el reino de Tolosa, les habían hecho conocer la vida romana. No vinieron en gran número: se calcula en unos doscientos mil los que pasaron a España al comenzar el siglo vi, cuando su reino tolosano fué destruído por los francos. Recientes hallazgos arqueológicos indican que la región donde preferentemente se asentaron fué la meseta castellana, desde el Norte de Palencia y Burgos hasta Soria, la Alcarria, Madrid y Toledo, con la actual

---

(1) Véase J. Brüch, Revue de Linguistique Romane, II, 1926, páginas 73-74.

provincia de Segovia como centro de más intensa colonización (1).

La asimilación de los visigodos no progresó grandemente hasta mucho después de su instalación definitiva en el suelo español. Al principio evitaron la mezcla con los hispanorromanos; estaban prohibidos los matrimonios mixtos; el arrianismo de los dominadores establecía una división esencial con el catolicismo de los dominados; y los dos pueblos rehuían la convivencia hasta el punto de agruparse en núcleos diferentes, como demuestran los nombres de lugar *Godos, Revillagodos, Gudillos, Godojos, Godones, Gudín, Gudino, Goda,* de una parte, y de otra, *Romanos, Romanillos, Romanones, Romancos* (2). Pero desde la abjuración de Recaredo (589), la actitud de los visigodos empezó a cambiar. La teocracia toledana conquistó las capas superiores de la sociedad goda y constituyó el más firme apoyo del poder real. Y al fin se llegó a la unificación jurídica para los individuos de ambas procedencias (h. 655).

La romanización de los visigodos no significa que éstos, como pueblo, careciesen de vigor. Perdieron, sí, la postura intransigente de dominio y se debilitó en ellos el sentido particularista de raza: Hispania no se llamó Gotia, mientras que Galia se convirtió en Francia. La fusión con los hispanorromanos tuvo resultados de valor nacional superior: gracias a los visigodos, la idea de la personalidad de Hispania como provincia se trocó en conciencia de su unidad independiente. Transformaron las costumbres y el derecho, y trajeron la simiente de la inspiración épica. Si durante el siglo VII es evidente la decadencia del reino toledano, que se derrumba como un castillo de naipes al surgir la invasión árabe, la impronta visigótica está grabada

(1) Véase W. REINHART, *Sobre el asentamiento de los visigodos en la Península,* Archivo Español de Arqueología, XVIII, 1945, páginas 124-138.

(2) R. MENÉNDEZ PIDAL, *Orígenes del Español,* § 103.

en muchas instituciones medievales y en la epopeya castellana.

## El elemento visigodo en español (1).

La influencia lingüística de los visigodos en los romances hispánicos no fué muy grande. Romanizados pronto, abandonaron el uso de su lengua, que en el siglo VII se hallaba en plena descomposición. No hubo en España un período bilingüe tan largo como en Francia. El elemento visigodo no parece haber influído en la fonética española: las palabras góticas adaptaron sus sonidos a los más próximos del latín vulgar o del romance primitivo, y por lo general sufrieron los mismos cambios que las hispano-latinas. Hay excepciones, sin embargo, por ejemplo: *rapar, brotar, espeto, hato,* no han sonorizado las oclusivas intervocálicas, tal vez porque los sonidos góticos eran más consistentes que los correspondientes latinos. En la morfología sólo queda el sufijo -i n g > -*engo,* en unos cuantos derivados de voces latinas, como *abadengo, realengo, abolengo.*

La mayoría de los vocablos peninsulares de origen gótico tienen correspondientes —de igual procedencia o francos— en italiano, provenzal o francés; así ocurre con los ya citados *albergue, espuela, guarecerse, tregua, tejón,* y con *bramar* ( < \* b r a m ô n ), uno de los germanismos más extendidos por la Romania. De los goticismos hispanos, unos estaban incorporados al latín vulgar; los más datan del tiempo en que los ostrogodos dominaban Italia y los visigodos el Sur de Francia. Incluso los que no han dejado rastro más que en la Península pueden haber penetrado en España latinizados ya. De todos modos, son pocos. Resalta

---

(1) Véanse E. Gamillscheg, *Romania Germánica,* I, e *Historia lingüística de los visigodos,* Revista de Filología Española, XIX, 1932.

la ausencia de términos jurídicos y nombres de cargos palaciegos; los únicos representantes del derecho godo son el verbo *lastar,* 'sufrir o abonar por otro' ( < *l a i s t ô n 'seguir las huellas de alguien'), y *sayón* ( < s a g j o, s a i o, 'ministro inferior de justicia') (1); y si los textos de la época dan títulos godos a los dignatarios, sólo sobrevive *escanciano,* forma latinizada de * s k a n k j a. La vida guerrera conservó *guardia* y *guardián* ( < w a r d j a), *espía* ( < *s p a i h a) y *espuela.* La indumentaria, *ropa* ( < *r a u p a), *hato* ( < *f a t), *ataviar* ( < *a t t a u j a n 'hacer', acaso 'aparejar'), *randa* ( < *r a n d a 'orla del escudo'). La casa, ajuar e industrias domésticas ofrecen *esquila* ( < *s k i l l a), *parra* ( < *p a r r a), *sera* y *serón* ( < *s a h r j a), *tapa* ( < *t a p p a), *espeto* ( < *s p i - t u s), *aspa* ( < *h a s p a 'devanadera') y *rueca* ( < *r ŭk - k a ). Nombres godos de animales son *ganso* ( < *g a n s ) y *marta* ( < *m a r t h u s ). Por su valor emocional o vigor expresivo arraigaron g a s a l j a 'compañero' ( > *agasajar),* u f j o 'abundancia' ( > *ufano, ufanía)* y *gano 'avidez' ( > *gana).* Hay, por último, los verbos *h r a p ô n 'arrancar' ( > *rapar),* *b r u t ô n > *brotar,* *t h r i s k a n, 'pisotear, trillar' > *triscar* y unas cuantas palabras más.

La onomástica española cuenta con buen número de nombres visigodos acomodados a la fonética y morfología latinas y romances. Muy característicos son los compuestos cuya significación alude a la guerra, al valor personal, fama u otras cualidades relevantes: a l l 'todo' y w a r s 'prevenido' formaron *Alvaro;* f r i t h u 'paz, alianza' y n a n t h 'atrevido', F r i d e n a n d u s ( > *Fernando);* h r o t h s 'fama' y r ı k s 'poderoso', R o d e r i c u s ( > *Rodrigo);* el mismo elemento inicial y s i n t h s 'dirección', dieron R u d e s i n d u s ( > *Rosendo);* h a r j i s 'ejército' y m ē -

---

(1) Corominas, *Dicc. crít. etimol.,* da un gót. s a k a n 'pleitear' como probable origen del esp. y port. *sacar.*

r i s 'famoso', *Argimiro; Elvira* (< G e l o v i r a) viene
de g a i l s 'alegre, rebosante de fuerza salvaje', y w e r s
'fiel'; la raíz primera de *Gonzalo* o *Gonzalvo* (< G u n-
d i s a l v u s) es g u n t h i s 'lucha'; A d e f o n s u s, I l-
d e f o n s u s y A l f o n s u s (de h a t h u s, h i l d s 'lucha' o a l l 'todo' y f u n s 'preparado'), han coincidido en
*Alfonso; Adolfo* (< A t a u l f u s), *Ramiro, Bermudo,
Galindo* y otros más son también de origen gótico.

Muchos restos de onomástica visigoda se conservan fo-
silizados en la toponimia. Las villas y fundos tomaban el
nombre de su poseedor, indicado en genitivo latino; tal
es el origen de *Guitiriz* (< W i t e r i c i), *Mondariz, Go-
mariz, Rairiz, Allariz, Gomesende, Hermisende, Guimarães*
(< V i m a r a n i s), *Aldán, Gondomar* (< G u n d e-
m a r i), *Sendim* (< S e n d i n i), concentrados principalmente en Galicia y Norte de Portugal. Esas regiones,
que habían pertenecido al reino suevo, parecen haber servido de refugio a los visigodos cuando huyeron de la invasión árabe. Más extendidos están, aunque menos abundantes, los compuestos de un nombre común latino y otro propio visigodo como *Casanande, Castrogeriz* (< C a s t r u m
S i g e r i c i), *Villafáfila; Villeza* (< v i l l a d e A g ï-
z a), *Villasandino,* etc. (1).

Aunque el patronímico español en *-ez, -iz* sea de origen
prerromano (véase pág. 31), su propagación o consolidación hubo de ser ayudada por los numerosos genitivos góticos latinizados en -r i c i > *-riz* (R o d e r i c i, S i g e-

---

(1) Véanse los estudios de E. GAMILLSCHEG antes citados y los
de W. MEYER-LÜBKE, *Romanische Namenstudien,* Sitzungsberichte
d. k. Akad, d. Wiss, Wien, 1904 y 1917. G. SACHS, *Die germani-
schen Ortsnamen in Spanien und Portugal,* Jena, 1932 (Berliner Beiträge zur Rom. Philol. II, 4); y J. M. PIEL, *Os nomes germanicos
na toponimia portuguesa,* Boletim de Filologia, II, 1933, y volúmenes
sucesivos.

rici, Gunterici, etc.) que se ponían a continuación del nombre individual para indicar el paterno.

Los masculinos germánicos en -a poseyeron una declinación en a - a n i s, cuyos restos sobrevivían en el siglo XIII *(Cíntila-Cintillán)* y todavía se ven en *Froilán* al lado de *Fruela* o en topónimos como el citado *Guimarães*.

EL ROMANCE EN LA ÉPOCA VISIGODA.

La importancia de las invasiones germánicas para la historia lingüística peninsular no consiste en los escasos elementos góticos o suevos que han subsistido en los romances hispanos. El hecho trascendental fué que a raíz de las invasiones sobrevino una grave depresión de la cultura y se dificultaron extraordinariamente las comunicaciones con el resto de la Romania. El latín vulgar de la Península quedó abandonado a sus propias tendencias. Además, los ciento setenta y cinco años que duró el reino suevo hasta su conquista por Leovigildo (585) y la constante insumisión de los cántabros supusieron barreras políticas que hubieron de ahondar las nacientes divergencias regionales del habla. Ahora bien, de las siete centurias que median entre el fin del mundo antiguo y los primeros monumentos conservados de las literaturas románicas peninsulares, el período visigótico es el menos conocido en cuanto se refiere a los fenómenos de lenguaje. Los escritores hispano-godos usan el bajo latín, igual que las leyes, redactadas por eruditos. Sólo San Isidoro proporciona datos acerca del habla vulgar, pero se limitan casi exclusivamente al léxico. Faltan para la época visigoda los documentos notariales, que tanta luz arrojan sobre los cambios lingüísticos ocurridos en Galia durante el dominio merovingio y sobre el español durante los primeros siglos de la Reconquista. Sólo muy parcialmente llenan algo de ese vacío las pizarras escritas que se han encontrado en tierras de Avila, Salamanca y Cáceres, y alguna en el Noroeste de Asturias. Hay entre ellas misivas, conjuros y hasta algún borrador de texto importante, como el testamento del rey Wamba. Son muy difíciles de leer e interpretar. Su latín bárbaro muestra frecuentes confusiones en la declinación y abunda en grafías como *fibola, tegolas, custudiat,* que atestiguan la igualación de $\breve{u}$ y $\bar{o}$; *Fielius,* con su *d* intervocálica perdida; o *ualiente* por *ualente,* prueba del acercamiento morfológico entre las conjugaciones -ē r e e ī r e, si no lo es de la diptongación de $\breve{e}$ en *ie* (1).

Gracias a los dialectos mozárabes sabemos, aunque imprecisamente, el punto a que había llegado la transformación del latín vulgar de España a principios del siglo viii. Veamos algunos de los procesos fonéticos que estaban gestándose en ese momento:

Proseguían los cambios consonánticos iniciados en el latín vulgar. La sonorización de las sordas intervocálicas ofrece los ejemplos p o n t i f i c a t u s > *pontivicatus* y e c ( c ) l e s i a e > *eglesie* en inscripciones béticas de los años 665 y 691. La resistencia contra el fenómeno debía de ser grande, y por espacio de varios siglos continuó la fluctuación (2).

El grupo *c* + yod había llegado seguramente a la misma pronunciación dento-alveolar que *d* + yod precedido de consonante o que *t* + yod ( c a l c ĕ a > *caltsa,* igual que v ĭ r d ĭ a > *bertsa* o p o t i o n e > *potsone*). En los demás casos la evolución de la *c* ante *e, i* estaba más re-

---

(1) Véase M. Gómez-Moreno, *Documentación goda en pizarra,* Bol. R. Acad. Esp., XXXIV, 1954.

(2) Véanse W. Meyer-Lübke, *La sonorización de las sordas intervocálicas latinas en español,* Revista de Filología Española, XI, 1924; R. Menéndez Pidal, *Orígenes del Español,* § 46, y H. Lausberg, *Romanische Forschungen,* LXI, 1948, pág. 131.

trasada: su palatalización no se había consumado en el siglo VI, pues alcanzó a muchos nombres propios visigodos; por eso no tienen hoy pronunciación velar, sino dental o interdental, los topónimos portugueses *Cintães,* *Sintião* (< K h i n t i l a ), los gallegos *Cende, Cendemil* (< K h i n t h s) o el burgalés *Rezmondo* (< R i k i - m ŭ n d s ). El sonido resultante de *ć* o *k̑* se hallaba todavía en el grado *ch,* como en italiano ( c e r v u > *cher· vo,* p a c e > *pache).* Es posible que tanto esta *ch* como la *ts* procedente de *t* + yod y *c* + yod se sonorizasen entre vocales, pronunciándose entonces, respectivamente, *dž* y *ds* (1).

En los grupos de consonantes, *c'l,* resultante de *-c(ŭ)l-,* *t(ŭ)l-* se convirtió, lo mismo que *l* + yod y *g'l,* en la palatal *l̦:* o c ŭ l u m > ŏ c l u m > *ol̦o, uel̦o;* a u r ĭ c ŭ l a > o r i c l a > *orel̦a;* v ĕ t ŭ l u m > v e - c l u m > *vel̦o, viel̦o.* La *k* de *kt, ks,* relajada en χ (v. págs. 30-31), pasó ulteriormente a *i̦:* n ŏ c t e > *no te* > *noite;* m a x ĭ l l a > *maχ sella* > *maisĕlla;* los grados *t* e *i̦t* coexistían probablemente, pues los dos perduraron entre los mozárabes.

Otros fenómenos asomaban solamente en determinadas regiones y marcan el principio de la escisión dialectal. Es probable que al final de la época visigoda el habla de la Tarraconense hubiera comenzado a reducir a *e, o,* los diptongos latinos *ai, au* y fundiera en *m* el grupo *mb* (c a r r a -

(1) Véanse AMADO ALONSO, *Correspondencias arábigo-españo- las en los sistemas de sibilantes,* Revista de Filología Hispánica, VII, 1946; W. MEYER-LÜBKE, *La evolución de la "c" latina delante de "e" e "i",* Rev. de Filol. Esp., VIII, 1921, y E. GA- MILLSCHEG, *Romania Germánica,* II, 1935, pág. 51. La conservación de la *k* velar en los topónimos *Requião, Quende, Quendemil,* etcétera, puede explicarse por el apego que los visigodos sentirían por su pronunciación tradicional, deformada por la palatalización en las adaptaciones romanizadas.

ı i a > *carraira* > *carrera;* a u r u > *oro;* p a l ŭ m-
b a > *paloma,* c o l ŭ m b a > cat. *coloma).* Por el contrario, la Bética, Toledo, Valencia, Lusitania y Gallaecia conservaban los estados primarios *ai, au, mb,* según veremos
en el capítulo VII.

Desde que la corte visigótica se estableció en Toledo,
el centro cultural, político y lingüístico de la Península
no estuvo en las comarcas primera y más hondamente romanizadas, Bética y Tarraconense, sino en la región central. En ella debió de surgir la diptongación de *ĕ* y *ŏ* tónicas; al recibir el acento de intensidad (v. págs. 55-56), estas vocales, en vez de sostener un mismo timbre para toda
la articulación, se bimatizaron, cerrándose en su momento
inicial; sonaron, pues, *ẹe ọọ;* y extremada la disimilación
entre los dos elementos resultantes, nacieron los diptongos
*ie, ia* para *ĕ,* y *uo, ue, ua* para *ŏ.* Alternaban *sierra* y *sia-
rra, buono, bueno* y *buano.* La diptongación espontánea
de *ĕ* y *ŏ* no alcanzó a la Tarraconense oriental; amplias
regiones de la Bética y Lusitania, así como el Oeste de la
Gallaecia, permanecieron fieles al último vocalismo del latín vulgar, sin conocer tampoco la alteración producida en
el Centro.

El tratamiento de ambas vocales cuando iban seguidas
de yod establece otro criterio de división dialectal. El castellano no tiene diptongo en este caso ( p ŏ d ĭ u > *poyo,*
č c ( ŭ ) l u > *ojo,* s ĕ d ĕ a t > *sea);* pero en el resto de
la zona central la yod no fué obstáculo para el nacimiento
del diptongo (leonés y aragonés, *pueyo, güeyo, güeḷo, sieya;*
moz. *ueḷo).* En catalán la yod tuvo efectos contrarios a los
que aparecen en castellano, ya que sólo ante yod se ha dado
el paso de *ĕ, ŏ* a *ié, ué,* reducidos muy pronto a *i, u* ( f ŏ-
l ĭ a > * *f u e ḷ a* > *fulla;* l ĕ c t u < * *llieito* < *llit).* La diptongación ante yod se extendía, por tanto, desde León y

Toledo hasta el Mediterráneo, con excepción de Castilla (1).

Difusión parecida debió de lograr el refuerzo de la *l* inicial, que se hizo geminada y llegó más tarde a palatalizarse en las mismas regiones (l u p u, l u n a > leon. *llobu, lluna,* cat, *llop, lluna;* l i n g u a > leon. *llengua, llingua,* cat. *llengua,* moz. *yengua;* v. pág. 69).

El romance que se hablaba en España al terminar la época visigoda se hallaba en un estado de formación incipiente, con rasgos muy primitivos. Ofrecía grados iniciales por los que han atravesado otros romances, como la *ch* o *dž* intermedia entre la *ć* latina y la asibilación *(cherasia, radžimo);* la *y (yenesta, yermano),* primer resultado de la *ǵ* latino vulgar; o la χ de *no* χ *te, ma* χ *sella.* No se había diferenciado grandemente de los romances extrapeninsulares, pues las soluciones *ļ* y *ñ* de *fiļu, viña, ļ* de *oļo - ueļo, veļo-vieļo,* e *ịt* de *faito, feito,* o databan del latín vulgar, u ocupaban casi todo el Occidente de la Romania. Como hispanismos específicos pueden señalarse la diptongación de *ŏ* y *ě* en sílaba trabada *(puerta, siete <* p ŏ r t a m, s ě p t e m) y la geminación o palatalización de *l* inicial (l i n g u a > *llengua);* y estos dos fenómenos ni eran generales en la Península, ni carecían totalmente de paralelos fuera.

Por encima de las variantes regionales, todavía poco acusadas, existía en el español naciente una fundamental unidad, representada por la conservación de *f* y *y* iniciales

---

(1) Sobre la diptongación, véase R. MENÉNDEZ PIDAL, *Orígenes del Español,* § 22-28. La teoría de F. SCHÜRR, *Umlaut und Diphthongierung,* Romanische Forschungen, L, 1936, *La diptongación iberorrománica,* Rev. de Dialectol. y Tradic. Popul., VII, 1951, y *La diphtongaison romane,* Rev. de Ling. Rom., XX, 1956, 107-248, es difícilmente aceptable en cuanto se refiere a España. Véase la crítica que hacen de ella D. CATALÁN y A. GALMÉS, *La diptongación en leonés,* Archivum, IV, 1954, y DÁMASO ALONSO, *La fragmentación fonética peninsular,* 1962, 33-42.

*(farina, yenesta)*, y por los recién enumerados paradigmas *filo, olo, vielo, no*$_\chi$ *te, faito*. Ahora bien, estos fenómenos comunes eran radicalmente distintos a los que más tarde habían de propagarse con la expansión castellana *(harina, hiniesta, hijo, ojo, viejo, noche, hecho)*. Formas como *auro, carraira, palomba* y *pueyo,* opuestas también a las castellanas *oro, carrera, paloma* y *poyo,* ocupaban las mayores áreas del territorio peninsular. Se hablaba, pues, un romance precastellano. Tal vez en las montañas de Cantabria, teatro de frecuentes insurrecciones, apuntaran indicios de un dialecto nuevo; pero, dado que así ocurriera, no debían de rebasar los límites comarcales.

# V.  LOS ARABES Y EL ELEMENTO ARABE EN ESPAÑOL

## La civilización arábigo-española.

Cuando empezaba a consolidarse el aluvión germánico en Occidente, las tribus dispersas de Arabia, electrizadas por las doctrinas de Mahoma, encontraron un credo y una empresa aglutinante: la guerra santa. En menos de medio siglo se adueñaron de Siria, Persia, el Norte de Africa y Sicilia; siete años les bastaron para conquistar España, y a continuación cayó en sus manos casi todo el Mediodía de Francia. Frente a la Europa cristiana y romano-germánica se alza el Islam, que será su rival y a la vez su estímulo y complemento. Dos civilizaciones sostendrían en España una contienda prolongada y decisiva.

Los árabes, sirios y berberiscos que invaden la Península no traen mujeres: casan con hispano-godas, toman esclavas gallegas y vascas. Entre los musulmanes quedan muchos hispano-godos, los mozárabes, conservadores del saber isidoriano: unos consiguen cierta autonomía; los más exaltados sufren persecuciones y martirio; otros se islamizan; pero todos influyen en la España mora, donde se habla romance al lado del árabe, cunden relatos épicos sobre el fin de la monarquía goda y personajes mozárabes relevantes, se cantan villancicos romances y nace un tipo de canción lírica, el zéjel, en metro y lenguaje híbridos. El arco de herradura, característico de las construcciones visigodas, pasa a la arquitectura arábiga.

Córdoba se convierte pronto en el centro de una brillantísima civilización islámica; florecen la agricultura e industrias y el comercio alcanza gran desarrollo. La vida es cómoda y refinada; el lujo y los festines alternan con la música, la danza y la poesía más exquisita. Califas y reyes de taifas reúnen copiosas bibliotecas, como la de Alhákem II, y protegen a los sabios. En Oriente, los árabes recogen las matemáticas indias, la ciencia y la filosofía griegas, e imprimen a todas sello propio.

En la Península, los primeros en sentir el influjo de la cultura musulmana son, naturalmente, los mozárabes; aun los que siguen profesando el cristianismo escriben a veces en árabe y suelen tomar nombres árabes. Les siguen los cristianos del Norte, movidos por el ejemplo de los emigrados que acogen en sus reinos. En los siglos x y xi abundaban en León y Castilla nombres como *Abolmondar, Motárrafe, Ziti, Abohamor;* había quien, en vez de emplear el patronímico romance, indicaba el linaje anteponiendo *ibn* 'hijo de' al nombre paterno, según la costumbre semítica; así se formaron apellidos como *Benavides, Benigómez.* A la arquitectura ramirense de Santa María de Naranco sucede el predominio de la mozárabe; en los inventarios eclesiásticos aparecen citas numerosísimas de enseres, telas, joyas y preseas venidas del Sur (1). Sancho I de León

---

(1) Véanse M. GÓMEZ MORENO, *Iglesias Mozárabes. Arte español de los siglos IX al XI,* Madrid, 1919, y A. STEIGER, *Zur Sprache der Mozaraber,* en *Sache, Ort und Wort, Festschrift Jakob Jud,* Romania Helvetica, 20, 1943.

va a la corte de los califas para que los médicos andaluces curen su obesidad; Alfonso V sostiene talleres donde se fabrican tejidos morunos; y el conde castellano Sancho García recibe a los legados cordobeses vestido a usanza mora y sentado en cojines.

Al avanzar la Reconquista caen en poder de los cristianos Toledo (1085) y Zaragoza (1118), comarcas bien pobladas, con vida y tráfico intensos. Los mozárabes que las habitan están fuertemente arabizados y el contingente moro que permanece en ellas es muy numeroso. Los mudéjares y moriscos de las regiones que se van ocupando conservan sus creencias, instituciones, costumbres y hasta el uso de su lengua. El arzobispo don Raimundo (1125-1152) funda en Toledo la célebre escuela de traductores, y Alfonso el Sabio (rey de 1252 a 1284) reúne en su corte sabios judíos conocedores de la ciencia árabe al lado de los letrados cristianos. El renacimiento europeo del siglo XII y la Escolástica traban conocimiento con Aristóteles, Hipócrates y Dioscórides, por medio de Avempace y Averroes, Avicena y los botánicos árabes.

## VOCABULARIO ESPAÑOL DE ORIGEN ÁRABE (1).

El elemento árabe es, después del latino, el más importante del vocabulario español, que le debe (incluyendo formaciones derivadas) más de cuatro mil palabras.

La guerra proporcionó muchas: los moros organizaban contra los reinos cristianos expediciones anuales llamadas *aceifas*, además de incesantes correrías o *algaras;* iban mandados por *adalides;* los escuchas y centinelas se llamaban

---

(1) Véanse R. Dozy y W. Engelmann, *Glossaire des mots espagnols et portugais dérivés de l'arabe,* Leyden, 1869; L. de Eguílaz, *Glosario etimológico de las palabras españolas de origen oriental,* Granada, 1886, y E. K. Neuvonen, *Los arabismos del español en el siglo XIII,* Helsinki, 1941.

*atalayas* y la retaguardia del ejército, *zaga*. Entre las armas figuraban el *alfange* y la *adarga;* los saeteros guardaban las flechas en la *aljaba;* y la cabeza del guerrero se protegía con una malla de hierro o *almófar*. Fronteras y ciudades estaban defendidas por *alcazabas*, con almenas para que se resguardaran los que disparaban desde el *adarve*. Novedad de los musulmanes fue acompañar sus ataques o *rebatos* (1) con el ruido del *tambor;* sus trompas bélicas eran los *añafiles*. La caballería mora seguía táctica distinta que la cristiana: ésta era más firme y lenta; aquélla, más desordenada y ágil. Los *alféreces* o caballeros montaban a la *jineta*, con estribos cortos, que permitían rápidas evoluciones, y espoleaban a la cabalgadura con *acicates*. Entre sus caballos ligeros o *alfaraces* había muchos de color *alazán;* la impedimenta era llevada por *acémilas*, y en los arreos de las bestias entraban *jaeces, albardas, jáquimas* y *ataharres*.

Los moros eran hábiles agricultores; perfeccionaron el sistema romano de riegos, que aprendieron de los mozárabes; de ahí los nombres de *acequia, aljibe, alberca, azud, noria* y *arcaduz*. En sus *alquerías* y *almunias* se cultivaban *alcachofas, algarrobas, alubias, zanahorias, chirivías, berenjenas, alfalfa*. Los campos del Andalus dieron productos desconocidos hasta entonces en Occidente, como el *azafrán*, la caña de *azúcar* y el *algodón*. La paja de las mieses se guardaba en *almiares*, y en *alfolíes* el grano, que después era molturado en *aceñas* y *tahonas* mediante el pago de la *maquila;* la aceituna se molía en *almazaras*. Cuando los vergeles europeos estaban casi abandonados a la espontaneidad natural, la jardinería árabe llegaba a gran perfección artística. Los castellanos del siglo xv, al soñar con el

(1) Véase J. Oliver Asín, *Origen árabe de rebato, arrobda y sus homónimos. Contribución al estudio de la táctica militar y de su léxico peninsular*, Madrid, 1928.

anhelado rescate de Granada, no encontraban nada comparable a sus jardines: el Generalife era "huerta que par no tenía". En la España mora había patios con *arriates* y surtidores, *azucenas, azahar, adelfas* y *alhelíes,* encuadrados por setos de *arrayán.* Nombres arábigos de árboles son *almez, alerce, acebuche;* y hasta en la flora silvestre se introdujeron denominaciones como *jara, retama, alhucema, almoraduj;* las tres últimas en alternancia con las románicas *hiniesta, espliego, mejorana.*

La laboriosidad de los moros dió al español el significativo préstamo de *tarea.* De los telares levantinos y andaluces salían tejidos como el *barragán,* de lana impermeable, o el *tiraz,* ricamente estampado; además se comerciaba con telas de Oriente: egipcio era el *fustán* y chino el *aceituní* que vestían las hijas del Marqués de Santillana. El verbo *recamar* y el antiguo *margomar* 'bordar' dan fe del prestigio que alcanzaron los bordados árabes. El curtido y elaboración de los cueros dejó *badana, guadamacil, tahalí;* los cordobanes fueron usados en toda Europa. *Alfareros* y *alcalleres* fabricaban *tazas* y *jarras* con reflejos dorados o vistosos colores, mientras los joyeros, maestros en el arte de la *ataujía,* hacían *ajorcas, arracadas* y *alfileres,* o ensartaban el *aljófar* en collares. Muy estimadas eran las preciosas arquetas de *marfil* labrado. Entre los productos minerales que se obtenían en la España mora están el *azufre, almagre, albayalde* y *alumbre;* y el *azogue* se extraía, como hoy, de los yacimientos mineros de *Almadén.*

La actividad del tráfico hacía que los más saneados ingresos del erario fueran los procurados por *aranceles* y *tarifas* de *aduana. Almacén, almoneda, zoco, alhóndiga,* recuerdan el comercio musulmán. El *almotacén* inspeccionaba pesas y medidas, de las que han perdurado muchas: *arroba, arrelde, quintal, fanega, cahiz, azumbre.* La moneda de los moros corrió durante mucho tiempo entre los cristianos; el primitivo *maravedí* era el dinar de oro acuñado en las *cecas* almorávides.

Las casas se agrupaban en *arrabales*, o bien se diseminaban en pequeñas *aldeas*. A la vivienda musulmana pertenecen *zaguán*, *alcoba*, *azotea;* la luz exterior penetraba a través de *ajimeces* o celosías que sobresalían del *alféizar*. *Alarifes* y *albañiles* decoraban los techos con artesonados y *alfarjes;* levantaban *tabiques*, ponían *azulejos* y resolvían el saneamiento con *alcantarillas* y *albañales*. El *ajuar* de la casa comprendía muebles de *taracea*, *almohadas*, *alfombras*, *jofainas* y utensilios de cocina como *alcuzas* y *almireces*. Entre los manjares figuraban las *albóndigas* y el *alcuzcuz*, y en la repostería entraban el *almíbar*, el *arrope* y pastas como el *alfeñique* y la *alcorza*. Los moros vestían *aljubas* o *jubones*, *almejías*, *albornoces* y *zaragüelles;* calzaban *borceguíes* (1) y *babuchas*. Rezaban cuando el *almuédano*, desde lo alto del *alminar*, tocaba la señal de *zala* u oración. En los ratos libres tañían la *guzla*, el *albogue*, el *adufe* o el *laúd;* se entretenían con el *ajedrez*, y los *tahures* aventuraban su dinero en juegos de *azar* ( < *azahr* 'dado'). Los nobles sentían por la caza de altanería igual afición que los señores cristianos; conocían bien los *sacres*, *borníes*, *alcaravanes*, *neblíes* (2), *alcotanes* y otras aves rapaces para las cuales disponían *alcándaras* o perchas.

Los cristianos españoles adoptaron instituciones, costumbres jurídicas y prácticas fiscales de los moros, con la terminología consiguiente: *alcaldes* y *zalmedinas* entendían en los pleitos y juicios; el *alguacil* fué primero 'goberna-

---

(1) Para las contradictorias etimologías que se han dado a esta palabra, véase MARIUS VALKOFF, *Les mats français d'origine néerlandaise*, 1931, pág. 77, y COROMINAS, *Dicc. crít. etimol.*

(2) Dozy y Engelmann registran *leblí* 'de Niebla' como adjetivo aplicado a una clase de halcones; el mismo gentilicio árabe ofrece la forma *neblí* en Pedro de Alcalá. La etimología latina n i b ŭ l u s, propuesta por Díez y Meyer-Lübke, no explica la terminación -*í* del español *neblí*, port. *nebrí*.

alwazir → alguazil

dor', según el significado del árabe *alwazir* 'lugarteniente'; pero descendió más tarde a la categoría de oficial subalterno. En las testamentarías intervenía, como hoy, el *albacea*. Los contratos se formalizaban por medio de documentos o *albaláes* y para festejarlos había convites de robra o *alboroque*. El *almojarife* cobraba impuestos y *alcabalas*.

Las matemáticas deben a los árabes grandes progresos. El sobrenombre de *Alχuarizmí*, llevado por uno de sus más eminentes cultivadores, dió lugar a *algoritmo* 'cálculo numérico' y *guarismo*. Propagaron la numeración india, y con ella el empleo de un signo para indicar la ausencia de cantidad; el signo en cuestión se llamó *sifr* 'vacío', de donde viene el español *cifra* (1). Iniciaron además el *álgebra*. En la *alquimia* fueron constantes investigadores: instrumentos como el *alambique*, la *alquitara* y la *redoma;* términos tan usuales como *alcohol* y *álcali*, hablan de sus esfuerzos para obtener el *elixir* o piedra filosofal. La farmacia conserva *jarabe, alquermes* y muchos nombres de plantas medicinales. Y la astronomía, *cenit, nadir, auge, Aldebarán*, etc.

No abundan los adjetivos: *garrido, horro, mezquino, baladí, baldío, zahareño, gandul;* los antiguos *rahez,* 'ruin' y *jarifo* 'vistoso'; algunos de color, como *azul, añil, carmesí,* y pocos más. Del indefinido árabe *fulán* 'uno', 'cualquiera', procede *fulano* (esp. medieval *fulán);* y *man kana* 'el que sea' dió origen a *mengano*. De verbos, aparte de los numerosos formados sobre sustantivos y adjetivos, hay algunos derivados directamente, como *halagar (halaq* 'pulir'), *acicalar* y el ya citado *recamar*. Partículas de origen árabe son

(1) Además de aplicarse a los signos numéricos en general y a la criptografía, *cifra* era aún equivalente de 'cero' para nuestros clásicos. *Cero* arranca del mismo origen árabe, pero ha venido a través del it. *zero,* que a su vez proviene de *zephirum,* adaptación bajo-latina de *sifr.*

*marras, de balde, en balde, hasta* (de *hatta,* ant. esp. *fata,
ata),* la demostrativa *he* de *he aquí, hélo;* las interjeccio-
nes *hala, harre, ojalá,* así como la antigua *ya* 'oh' ("¡*Ya*
Campeador, en buena cinxiestes espada!"), y alguna otra.

En el léxico español de procedencia arábiga faltan palabras referentes al sentimiento, emociones, deseos, vicios y
virtudes. La religión cristiana apoyaba los términos latinos, y el arabismo, cuando lo hubo, consistió en prestar
alguna acepción nueva. Casi sólo las manifestaciones rui-
dosas de alegría *(alborozo, alboroto, albuélbola)* y la cere-
moniosidad de las salutaciones *(zalema)* dejaron términos
árabes en la lengua de los cristianos. Sin embargo, *hazaña*
desciende del árabe *hasana* 'buena obra', 'acción meritoria',
con influencia posterior de *facer* (1); y *aleve,* del ár. *alᶜaib*
'vicio', 'acción culpable'.

Como en tantos aspectos de su civilización, también en
el léxico fueron los árabes afortunados intermediarios.
Transmitieron buen número de voces procedentes de diversas lenguas, y las amoldaron a su fonética igual que el español hizo con los arabismos. De origen sánscrito son, por
ejemplo, *alcanfor* y *ajedrez;* del persa vienen, entre otras,
*jazmín, naranja, azul, escarlata;* los helenismos son muchos:
ó r y z a > *arroz,* z i z y p h o n > *azufaifa,* d r a c h m é
> *adarme,* á m b i x > *alambique,* c h y m e i a > *alqui-
mia,* s i k e l ó s > *acelga;* y abundan las palabras latinas:
[m a l u m] p e r s i c u m > *albérchigo,* m o d i u s >
*almud,* c a s t r u m > *alcázar.* Las formas españolas son
resultado de una doble adaptación: a la distancia que media
entre el latín s i t ū l a o el griego t h e r m o s y los árabes *asetl, altarmuz,* se ha añadido la deformación que lleva
de estos últimos hasta los españoles *acetre, altramuz.* Estas
deformaciones permiten reconocer los vocablos y nombres

---

(1)  J. Corominas, Vox Romanica, X, págs. 67-72.

geográficos grecolatinos que han pasado a través del árabe. Aparte del artículo árabe *al,* que suele anteponerse, la *p,* que  no existía en árabe, fue sustituída por *b* ( p r a e c o q u u s > *albaricoque,* [ m a l u m ] p e r s ĭ c u m > *albérchigo;* la *g* velar da a veces *dž,* sonido análogo a nuestra antigua *j* palatal: T a g u s > *Tajo,* port. *Tejo.* Fenómeno peculiar del árabe hispano es la *imela* o paso de la *a* acentuada a *é* y ulteriormente a *í;* así H i s p a l i s > *H i s p a l i a* dió *Isbilia,* origen de nuestra *Sevilla.*

Cuando a raíz de la invasión, los árabes entraron en contacto con los hispano-godos sometidos, tomaron de ellos la *ch* con que articulaban la *ć* ante *e, i.* Los árabes conservaron en las voces hispánicas este sonido, incluso después que los mozárabes alternaron las pronunciaciones *ch* y *ts.* A esto se debe el predominio de *ch* en las transcripciones árabes de voces romances *(achelaira* 'acedera', *cherasia* 'cereza', *richino* 'ricino'), así como la abundancia de *ch* por *c* en topónimos de las regiones que pertenecieron al Andalus: *Conchel* (Huesca), *Alconchel* (Zaragoza, Cuenca, Badajoz, Portugal), *Conchillos* (Zaragoza) de c o n c ĭ l ĭ u ; *Escariche* (Guadalajara), *Escriche* (Teruel) del genitivo A s c a r i c i ; *Carabanchel* (Madrid), *Caramonchel* (Portugal); *Elche* < I l i c e (Alicante); *Hornachuelos* < f ŭ r - n a c e u (Córdoba); *Turruchel* (Ciudad Real y Jaén, compárese *Torrecilla); Arocha* < A r ŭ c c i (Huelva), etc. (1).

Para la reducción *st* > *ç* y el trueque de *s* en *š,* véanse páginas 105 y 107.

(1) Véase Amado Alonso, *Correspondencias arábigo-españolas en los sistemas de sibilantes,* Revista de Filología Hispánica, VIII, 1946

Toponimia peninsular de origen árabe.

Es nutridísima, no sólo en las zonas que estuvieron más tiempo bajo el dominio musulmán y donde los núcleos de población morisca fueron más importantes, sino también, aunque con menor intensidad, en la meseta septentrional y el Noroeste, reconquistados en época temprana. Recordemos *Algarbe* (< *algarb* 'el poniente'); la *Mancha* (< *mandža* 'altiplanicie'); los muchos *Alcalá* y *Alcolea* (< *alqalat* 'el castillo' y su diminutivo *alqulaiᶜat*), *Medina* y *Almedina* ( < *madinat* 'ciudad'), *Rápita, Rábida, Rábita* ( < *rābita* 'convento militar para la defensa de las fronteras'); los compuestos de *wadi* 'río' *(Guadalajara* 'río de las piedras'; *Guadalquivir* 'río grande'; *Guadalén* 'río de la fuente'), *džábal* 'monte' *(Gibraltar* 'monte de Tárik', *Javalambre)* o *hisn, hasn* 'fuerte, castillo' *(Iznájar* 'castillo alegre', *Aznaitín* 'fuerte de la higuera', *Aznalcázar)* y, además, *Alborge, Borja* ( < *burdž* 'torre'), *Algar, Algares* ( < algar 'cueva') *Algeciras, Alcira* ( < *aldžazira* 'la isla'), *Almazán* ( < *almalisán* 'el fortificado'), *Maqueda* ( < *makada* 'firme, estable'), etc. Abundan los que tienen por segundo elemento un nombre personal *(Medinaceli* 'ciudad de Sélim', *Calatayud* 'castillo de Ayub', *Calaceite* 'castillo de Zaide'), así como los del tipo *Benicásim* 'hijos de Cásim', *Bugarra* 'Abu Qurra'. Muchos son híbridos arábigo-romances *(Guadalcanal* 'río del canal', *Guadalope, Guadalupe* 'río del lobo', *Guadiana* < wadi A n n a , *Guadix* < wadi A c c i , *Castielfabib* 'castillo de Habib', *Tordomar* 'torre de Omar') o añaden a una voz romance el artículo árabe al *(Almonaster, Almonacid* < m o n a s t e r i u m , *Almonte. Alpuente, Alportel* < p o r t ĕ l l u m ) (1).

(1) Véanse M. Asín Palacios, *Contribución a la toponimia árabe de España*, Madrid-Granada, 1940, y Jaime Oliver, *Iniciación al estudio de la Historia de la Lengua Española*, § 26.

Fonética de los arabismos (1).

Los arabismos, tomados al oído, fueron acomodados a las exigencias de la fonología romance. Muchos fonemas árabes eran extraños al español, que los reemplazó por fonemas propios más o menos cercanos. El romance peninsular no tenía entonces más sibilantes fricativas que la *s* sorda y sonora alveolares; así, pues, las sibilantes fricativas dentales árabes fueron sustituídas por las africadas romances *ç (ts)* y *z (ds)* (2). Había en árabe gran variedad de fricativas o constrictivas cuyo punto de articulación era el velo del paladar o la laringe; el romance, en cambio, no contaba entonces más que con la *h* castellana, pues la *j* fué palatal hasta el siglo xvi. En consecuencia, esas aspiradas o constrictivas árabes fueron representadas con la *h* familiar a los castellanos *(alharaca, alheña)*; otras veces fueron sustituídas por f *(alḥauz > alfoz, al χ ordž > alforja)*, de donde las alternancias *alholí-alfolí, Alhambra-Aljambra;* en ocasiones dan *g* o *k (alᶜarabiyya > algarabía šai χ > xeque)*; y no es rara la desaparición *(ḥaloq > aloque)*. Mediante estos diversos procedimientos quedó casi eliminado lo que Juan de Valdés llamaba "aquel pronunciar con la garganta que los moros hazen". Otro caso de adaptación fué el de los masculinos árabes: solían terminar en consonantes y grupos que nuestra lengua no tolera en posición final de palabra; la dificultad se resolvió añadiendo una vocal de apoyo: *assoq > azogue* 'mercado', *zoco; urratl > arrelde; alard > alarde.*

(1) Véase A. Steiger, *Contribución a la fonética del hispano-árabe y de los arabismos en el ibero-románico y en el siciliano,* Madrid, 1932.
(2) Véase Amado Alonso, *Correspondencias arábigo-españolas en los sistemas de sibilantes,* Revista de Filología Hispánica, VIII. 1946, páginas 12 y sigts.

Una vez admitidos, los arabismos experimentaron los cambios fonéticos propios del romance. La palatalización y ulterior asibilación de *k* ante *e, i* estaban ya consumadas cuando se introdujeron los más antiguos, y no les alcanzaron: la *k* guarda en todos su sonido velar *(miskin > mezqui-no)*. Pero los diptongos *ai, au* han dado *e, o* en castellano y catalán, *ei, ou* en gallego-portugués; *daica* > cast. cat. *al-dea*, port. *aldeia; assaut* > cast. *azote*, cat. *açot*, port. *açou-te* (1). Muchos préstamos viejos sonorizaron sus oclusivas sordas, como las voces latinas: *alqutn* > *algodón; šabika* > *xábega; taliqa* > *talega* (2). También participaron en la palatalización de *l-l* y *n-n* en *ļ* y *ñ*: *annil* > *añil; bannāᶜ* > *albañil; annafir* > cast. *añafil*, cat. *anyafil; balluᶜa* > cast. *albellón*, cat. *albelló; muçalla* > cast. ant. *almuzalla*. El portugués ha reducido las consonantes dobles a senci-llas *(anil, anafil, alvanel, almocela)*. El grupo *st* (con *s* pre-dorsal en árabe) fué interpretado en castellano como *çt*, y después reducido a *ç (mostaᶜrab > moçárabe; alfóstaq* > *alfócigo; ostawân > çaguán);* el cambio alcanzó a las palabras y topónimos grecolatinos transmitidos por los ára-bes (gr. m a s t i c h e , lat. m a s t ĭ c u m > ár. *almástika* > cast. *almáçiga;* C a e s a r a u g u s t a > ár. *Saraqusta* > esp. *Çaragoça;* A s t i g i > ár. *Éstidža* < esp. *Écija* (3). El español no ha incorporado ningún fonema árabe. Nebrija, observando que las antiguas *ç, x (= š)* y *h* aspi-rada no tenían equivalentes en griego ni en latín y sí en árabe, creyó procedían de éste. Pero se trata de una

---

(1) Los arabismos que conservan el diptongo *ai (daifa, ataifor, alcaicería)* tienen que haber entrado en español cuando ya se había efectuado la reducción *ai > e,* o deben su diptongo a causas espe-ciales. Hay algún ejemplo, extraño en castellano, de *ei (accite, albéitar)*.

(2) Es de notar, sin embargo, que el *ta'* enfático y el *qaf* post-velar fueron sonoros en árabe antiguo (Steiger, págs. 47 y 208-9).

(3) Véase AMADO ALONSO, *Publications of the Modern Language Association of America*, 1947, LXII, págs. 325-338.

simple coincidencia: la evolución autóctona de ciertas consonantes y grupos latinos en español había producido los tres sonidos con absoluta independencia respecto del árabe, aunque éste los poseyera también. Se suele afirmar que el paso de *s* a *š* (escrita antiguamente *x*: s a p o n e > *xabón*, s u c u > *xugo*) ha sido fruto de influencia morisca, pues el árabe no tenía *s* igual a la castellana y la transformaba en *š;* y la pronunciación morisca *š (moxca)* está atestiguadísima hasta el siglo XVII. Con todo, nuestra *s* adquiere de modo espontáneo un timbre chicheante que basta para explicar su frecuente sustitución por *š (x);* el influjo morisco sólo es probable en nombres geográficos del Andalus, como S a e t a b i s > *Xátiva*, S a r a m b a > *Xarama*, y en algún arabismo claro, como *xarabe, xarope* (1).

APOGEO Y DECADENCIA DEL ARABISMO.

La suerte de los arabismos hispánicos ha variado según las épocas. Hasta el siglo XI, mientras la Península estuvo orientada hacia Córdoba, se introdujeron sin obstáculo ni competencia. Durante la baja Edad Media, continúa pujante la influencia arábiga, aunque lucha ya con el latinismo culto y con el extranjerismo europeo. Después se inicia el retroceso: Villalobos, en 1515, censura a los toledanos porque empleaban arabismos "con que afean y ofuscan la pulideza y claridad de la lengua castellana". Nuevas técnicas, modas e intereses suceden a los medievales, y la cultura musulmana, en franca decadencia, no podía ofrecer nada comparable al espléndido Renacimiento europeo. Mientras los moriscos permanecieron en España, su vestido, costumbres y usos tenían valor de actualidad;

(1) AMADO ALONSO, *Trueques de sibilantes en antiguo español.* Nueva Revista de Filología Hispánica, I, 1947.

desde su expulsión quedaron sólo como recuerdo. Muchos términos árabes fueron desechados: *alfayate, alfageme* no resistieron la competencia de *sastre y barbero;* el *albéitar* creyó ganar en consideración social llamándose *veterinario,* y el nombre de *alarife* se conservó únicamente en la memoria de los eruditos. Otros arabismos han sido recluídos  en el habla campesina o regional. Pero la gran cantidad de los que subsisten con plena vida, muchos de ellos fundamentales, caracteriza al léxico hispano-portugués frente a los demás romances. Sólo al léxico: el árabe no influyó en el sistema fonológico español y muy poco en la morfología. Su estructura gramatical, como la de todas las lenguas semíticas, era demasiado distinta del sistema romance para que le fuera posible dejar huellas en éste. Unicamente nos  dió el sufijo *-í* de adjetivos y gentilicios —a veces sustantivados— que se conserva generalmente en voces de raíz arábiga *(cequí, baladí, muladí)* y en algún derivado hecho a imitación de ellas, aunque el primitivo sea de otro origen *(alfonsí).*

ARABISMO SEMÁNTICO, SINTÁCTICO Y FRASEOLÓGICO (1).

La penetración árabe en español tiene otras manifestaciones más recatadas que la incorporación de vocabulario o sufijos. Hay palabras y expresiones completamente románicas en cuanto al origen y evolución formal de su sig-

(1) Véanse AMÉRICO CASTRO, *España en su historia,* 1948, páginas 63, 65-79, 86-92, 218-219, 222, 253-255, 658-662, 668-671 y 686-689, y *La realidad histórica de España,* 1954, págs. 106-112 y 567-572; L. SPITZER y A. CASTRO, Nueva Rev. de Filol. Hisp., III, 1949, 141 158; MAX LEOPOLD WAGNER, *Uber die Unterlagen der romanischen Phraseologie,* Volkstum und Kultur der Romanen, VI, 1933, págs. 1-26; PAUL AEBISCHER, Mélanges de linguistique offerts à Albert Dauzat, 1951, págs. 12-21, y H. L. A. VAN WIJK, Neophilologus, 1951, páginas 91-94.

nificante, pero parcial o totalmente arabizadas en su contenido significativo, pues han adquirido acepciones nuevas por la presencia mental de una palabra árabe con la que tenían algún significado común. Así, el antiguo *poridat* tomó los sentidos de 'intimidad' y 'secreto' poseídos por los derivados del ár. χ*alasa* 'ser puro'; *casa* significó 'casa' y 'ciudad', según uso del árabe *dār; infante se* concretó a significar 'hijo de noble', 'hijo de rey', apoyándose en el árabe *walad* 'hijo', 'niño' y 'heredero del trono'; *acero* valió 'filo agudo' y 'energía, fuerza', según el árabe *dokra* 'acero de la espada', 'agudeza del filo', 'vehemencia, fuerza'. *Nuevas* aparece en la Edad Media con los sentidos de 'acaecimiento, suceso' 'hazañas', 'renombre' y 'relato' existentes todos en los árabes *ḥadiθ, ḥuduθ*. El árabe llama 'hijo de una cosa' a quien se beneficia de ella (el rico es *ibn ad-dunyā* 'hijo de la riqueza'; el ladrón, *ibn al-layl* 'hijo de la noche', porque la noche favorece el robo); así se explica el primer elemento de *hijodalgo, hidalgo,* voz sinónima de 'hijo de bienes', según la definió Alfonso el Sabio. Dos de las palabras árabes *(ludžain y waraqa)* que significan 'plata' poseen acepciones originarias de 'hoja, follaje' y 'lámina'; a imitación suya el latín *platta* 'lámina de metal' tomó el valor de a r g e n t u m en la Cataluña de los siglos x y xi, de donde pasó al resto de la España cristiana: el Poema del Cid ya no usa *ariento,* sino *plata.* En ocasiones una misma palabra árabe ha dado lugar a un calco semántico y a un préstamo léxico; *gāwara,* que valía 'correr' y 'depredar', contagió este segundo sentido al español *correr* ("agora *córrem* las tierras que en mi empara están", Mio Cid, 964); de aquí el uso de *corredor* por 'depredador', que no impidió la introducción del arabismo léxico *almogávar* ( < *almogāwir,* participio de *gāwara*). De igual modo el español *adelantado,* port. *adiantado* reproducen la semántica de otro participio árabe, *almuqaddam* 'puesto delante', 'jefe', 'magistrado', 'autoridad', sin que esto fuera obstáculo para que se adoptase también *almocadén* 'caudillo, jefe de tropa' (1).

Por último, al adoptar la vida española prácticas religiosas o sociales de origen musulmán, se han reproducido con palabras romances las fórmulas árabes correspondientes. Tal es el caso de las bendiciones "que Dios guarde", "que Dios mantenga", que antaño acompañaban la mención del rey o señor. La exclamación entusiasta "bendita sea la madre que te parió", el "si Dios quiere" con que se limita la confianza en los proyectos humanos al hablar del futuro, o el "Dios le ampare" que se dice al mendigo, son también, entre otros, traducción viva de fraseología arábiga.

---

(1) Se ha atribuído también a arabismo el uso de *casa* con el sentido de 'habitación o cámara dentro de un edificio' y la construcción personalizada de *amanecer* y *anochecer* 'encontrarse uno en determinado lugar o estado al hacerse de día o de noche'; pero tal acepción de *casa* es normal en rumano, lo mismo que empleos personales de los verbos correspondientes a *amanecer* y *anochecer*. Como esto último ocurre también en francés y provenzal, es necesario pensar en una base latina y no árabe. Véase E. Coseriu, *¿Arabismos o romanismos?*, Nueva Rev. de Filol. Hisp., XV, 1961, págs. 4-22.

# VI.  EL ESPAÑOL PRIMITIVO (1)

Con la invasión árabe (711), todo el suelo español cae en poder de los musulmanes, a excepción de pequeños focos de resistencia amparados en las montañas del Norte. Los cristianos que los constituyen se limitan, durante los siglos VIII y IX, a aprovechar las disensiones internas de los musulmanes para extender poco a poco su escaso territorio y a asolar la cuenca del Duero, evitando así la proximidad del enemigo. A cada reconquista definitiva sigue la repoblación de tierras yermas; hacia 950 había llegado esta repoblación hasta Sepúlveda, Salamanca y Coimbra. Por entonces el Califato cordobés alcanza su máximo poderío militar, y Almanzor, en una serie de afortunadas campañas, pone a los cristianos en situación angustiosa; pero desde el siglo XI, dividido el Califato en pequeños reinos de taifas, la superioridad del Norte sobre el Sur es manifiesta, y los reyezuelos moros pagan tributo a los monarcas de León, Aragón y Castilla.

---

(1)  Véase R. MENÉNDEZ PIDAL, *Orígenes del español,* 1926, tercera ed., 1950.

Los Estados cristianos sentían la continuidad histórica con el reino visigodo, bajo el cual se habían forjado el concepto nacional y la unidad religiosa de España. Es cierto que, al ocupar los moros la mayor parte de nuestro suelo, el nombre de *Spania* llegó a usarse como sinónimo del Andalus. pero nunca perdió el valor que le habían dado San Isidoro y los Concilios toledanos: Covadonga había sido "la salvación de España", que se vería restaurada mediante la expulsión de los sarracenos, detentadores pasajeros de un territorio que forzosamente abandonarían. Tales ideas, que encontramos repetidas en los cronicones, agrupaban a los distintos Estados en la empresa reconquistadora.

No era un vivir muelle el de los cristianos independientes. En contraste con el regalo y brillantez de la España musulmana, la guerra asolaba campos y ciudades con incursiones destructoras. Las leyendas épicas guardaban siglos más tarde el recuerdo de los tiempos azarosos en que "los caualleros et los condes et aun los reys mismos parauan sus cauallos dentro en sus palatios, et aun... dentro en sus camaras" (1) para acudir con presteza a los rebatos. Las ciudades eran pequeñas y modestas, y su industria, muy primitiva, se hallaba reducida a lo más indispensable. En las cortes y en los palacios de los nobles había algunas comodidades y hasta cierto lujo suntuario; pero las gentes humildes, inseguras y míseras, tenían que buscar el amparo de un señor haciéndose dependientes de él o caían en la servidumbre.

Las costumbres eran duras; el fermento germánico y los hábitos indígenas resurgen con más vigor del que harían suponer las leyes visigodas. Estaba muy arraigada la "venganza de la sangre", que perpetuaba los odios entre las familias enemigas; los juicios se resolvían frecuentemente por medio de ordalías; y los acreedores, en lugar

---

(1) *Primera Crónica General*, ed. Menéndez Pidal, pág. 474, *b*.

de acudir al juez, ejecutaban por su cuenta los embargos.

A pesar de la barbarie dominante, la cultura era cualidad apreciada. De las escuelas monásticas salían letrados capaces de escribir cronicones u obras teológicas, y monjes que se dedicaban a copiar manuscritos. Escaseaba la producción nueva: el espíritu isidoriano daba sus últimos destellos, más pobres en el Norte que entre los mozárabes; pero de él se nutrieron San Beato de Liébana, cuyas obras corrían en preciosos códices miniados; Teodulfo, obispo de Orleans, que tanto contribuyó al renacimiento carolingio, y Alfonso III, monarca que gozó fama de sabio. Había bibliotecas importantes, y los monasterios catalanes atrajeron por su ciencia a Gerberto (luego Papa con el nombre de Silvestre II), que estudió en ellos antes de marchar a Córdoba. En los nobles, al lado de la destreza en las armas y el valor guerrero, se estimaba el conocimiento del derecho. El hecho de que en medio de la ignorancia ambiente, no desaparecieran las apetencias cultas, explica en buena parte las fluctuaciones del lenguaje durante este período.

Hasta el siglo xi la comunicación de la España cristiana con Europa fué, salvo en Cataluña, poco intensa. En el reino leonés se mencionan espadas "franciscas", indicio de que la actividad comercial con Francia no se había interrumpido. Influencia carolingia se advierte en cargos e instituciones de la corte asturiana. Pero en el siglo x estos influjos se vieron eclipsados por el cordobés. ·

El latín popular leonés.

Todos los usos cultos y oficiales seguían reservados al latín que se aprendía en las escuelas. El habla vulgar constituía ya una lengua nueva; pero se la calificaba despectivamente de "rusticus serno" Entre el latín de los eruditos y el romance llano existía un latín avulgarado, escrito y probablemente hablado por los semidoctos, que amoldaba las formas latinas a la fonética romance. Conservaba restos de declinación y de voz pasiva, y multitud de partículas y vocablos cultos; pero alteraba el timbre de las vocales *(inmóvele, flúmene, títolum,* en vez de i m m o b ĭ l e, f l u - m ĭ n e, t i t ŭ l u m); sonorizaba consonantes sordas *(probrio, edivigare, cíngidur, abud,* por p r o p r i o, a e d i - f i c a r e, c i n g i t u r, a p u d); suprimía la *ǵ* y grupos *gi, di* intervocálicos *(reis, reliosis, remeum,* en lugar de r e g i s, r e l i g i o s i s, r e m e d i u m); admitía formas latino-vulgares o del romance más primitivo *(dau, stau,* en vez de d o, s t o; *autairo, carraira* < a l t a r i u, c a - r r a r i a); y acogía muchas otras incorrecciones. Este latín arromanzado existió también en Francia antes del renacimiento carolingio, que restauró los estudios e impuso un latín más puro. En España debía de usarse ya al final de la época visigoda; los mozárabes lo llamaban "latinum circa romancium", en oposición al "latinum obscurum". Los escribas y eclesiásticos del arcaizante reino leonés siguieron empleándolo hasta fines del siglo XI.

Mientras perduró tal forma de lenguaje intermedio, no estuvieron bien marcados los linderos entre el latín y el romance; palabras absolutamente romances aparecen latinizadas, mientras se romancean otras que no es de suponer hayan pertenecido nunca al habla vulgar *(artigulo* 'engaño' < a r t i c ŭ l u s; *acibere* 'recibir' < a c c i p e r e). La indeterminación de campos favorecía el semicultismo y, en efecto, muchos de los que sobreviven en español arrancan de esta época primitiva. Durante ella, toda voz latina era susceptible de ser deformada, y toda palabra vulgar podía ver detenido su proceso por influjo del latín culto.

El romance de los siglos ix al xi.

El español primitivo de los Estados cristianos nos es conocido gracias a documentos notariales que, si bien pretenden emplear el latín, insertan por descuido o ignorancia formas, voces y construcciones romances. A veces el revestimiento latino es muy ligero, y los textos resultan doblemente valiosos.

La lengua vulgar aparece usada con plena conciencia en las *Glosas Emilianenses,* compuestas en el monasterio riojano de San Millán de la Cogolla, y en las *Glosas Silenses,* así llamadas por haberse conservado su manuscrito en el monasterio de Silos, al Sureste de Burgos. Unas y otras datan del siglo x y están en dialecto navarro-aragonés. Son anotaciones a unas homilías y un penitencial latinos; los monjes que los consultaban apuntaron al margen la traducción de palabras y frases cuyo significado no les era conocido. Las Emilianenses contienen dos glosas en vasco y un párrafo romance de alguna extensión, en parte traducido del latín y en parte reproducción de oraciones de uso cotidiano.

Las Glosas no son el primer intento de escritura en vulgar; para componerlas los anotadores manejaron una especie de diccionario latino-romance, no conservado, por desgracia. La transcripción de los sonidos extraños al latín revela cierta maestría, que exige una costumbre previa: los diptongos *ué, ié (abiesas, nuestro, dueno, ierba)* están certeramente representados. La grafía de las consonantes demuestra que existía un sistema en el cual la *g* (pronunciada *y* ante *e, i)* o la *i* servían para indicar el carácter palatal: *get, siegat, seingnale, punga, eleiso, uergoina,* valían *yet, sieyat, señale, puña, eleŝo, vergoña.* Había gran variedad de transcripciones; muchas diferían de las que estamos habituados a encontrar desde el siglo XIII; pero éstas no fueron invención repentina, pues casi todas arrancan de la época primitiva y se impusieron a las demás tras larga selección. Por ejemplo, la *z* visigótica, trazada con amplio copete, originó un signo que, aplicado a las nuevas sibilantes dentales, dió lugar a la *ç*. No era inusitado escribir en romance, pero faltaba mucho para estabilizar la grafía.

El español primitivo carece de fijeza. Coinciden en el habla formas que representan diversos estados de evolución. En León contendían las latinas *altariu, carraria,* las protorrománicas *autario, autairo, carraira,* las posteriores *auteiro, outeiro, carreira* y las modernas *otero, carrera,* sin que faltaran combinaciones como *oterio, autero, outero, oteiro,* etc. La elección entre unas y otras dependía de la mayor o menor atención y de la cantidad de prejuicios cultos o arcaizantes. Era general la vacilación respecto a las vocales protónica y postónica: unas veces se pronunciaban con el timbre latino *(semitarium-semidariu, cómite-cómide, populato);* otras, con timbre vulgar *(semedario-semedeiro-pobolato);* y en muchas ocasiones desaparecían *(semdeiro-semdero, comde, poblato-poplato-poblado).* Alternaban la conservación y la pérdida de *e* final: frente a los dominantes *honore, salbatore, carrale,* se daban *honor, senior, carral, segar* y hasta *allend, adelant,* que empiezan a cundir en la segunda mitad del siglo XI. Luchaban las consonantes sordas intervocálicas *(labratío, capanna)* con las sonoras *(labradío, cabanna);* en un mismo documento se ven ejemplos contradictorios. De igual modo, en el espacio de pocas líneas, las Glosas Emilianenses ofrecen tres grados distintos de pretérito: el latino *lebantaui,* el intermedio *lebantai* y el romance *trastorné,* con el diptongo final reducido.

En medio de esta coexistencia de normas, al parecer caótica, la evolución lingüística avanza con pasos lentos, pero firmes. Poco a poco se van eliminando arcaísmos y disminuye la anarquía. Así, los diplomas del monasterio de Sahagún, que entre los años 900 y 950 muestran tantos casos de terminaciones *-airo, -eiro* como de *-ero,* no ofrecen ningún *-airo* en el siglo xi; la pugna se limita en adelante a *-eiro* y *-ero;* pero *-eiro* escasea mucho a partir de 1100, mientras se generaliza *-ero* como única solución. Si en el siglo xi abundan *cómide, semedeiro,* en el xii decaen visiblemente y se entabla la lucha entre *comde, semdero* y *conde, sendero,* que habían de triunfar. De este modo se prepara el camino para la fijación de criterios, que llegará como fruto del cultivo literario.

No obstante, las oscilaciones con que se desarrollaban los procesos fonéticos permitieron a veces que una reacción culta los entorpeciera, deteniéndolos o limitándolos. Desde tiempo atrás había empezado a vocalizarse la *l* interior seguida de consonante; en los siglos ix al xi, cuando se daban *sauto, souto* y *soto* < s a l t u, *autairo, outero, otero* < a l - t a r i u, *taupa, taupín* < t a l p a, había también *auto* y *oto* < a l t u, *aubo* y *obo* < a l b u, *pauma* < p a l m a; pero las formas latinas *alto, albo, palma* y otras semejantes prevalecieron desde el siglo xii, y el paso *al* + consonante > *o,* fracasado en muchos casos, no llegó a ser fenomeno general.

A causa de la inseguridad del lenguaje y de la natural aspiración a hablar bien, eran frecuentes los errores de falsa corrección, pues no había idea clara de las formas que debían emplearse. Quienes preferían *límide* a *limde,* solían escribir y pronunciar *cábera* en vez de *cabra,* añadiendo una vocal postónica que no existía en el latín c a p r a. Otros juzgaban que era demasiado vulgar decir *losa,* a la manera castellana, o *chosa, xousa,* a la leonesa, pues recordaban vagamente que el latín tenía un grupo de consonante + *l* al principio de la palabra; pero como no acertaban con el ori-

ginario c l a u s a , usaban *flausa* o *plosa*. La ultracorrección
es fenómeno endémico en esta época de vacilaciones.

En los primeros siglos de la Reconquista, los sonidos
*ch* y *dž* procedentes de *ć* ante *e, i* (véase pág.
91) toma-
ron la articulación dental *ts, ds;* desde fines del siglo ix
se registran ya en el Norte de la Península abundantes
transcripciones como *dizimus, conzedo, zereum, ziuaria,
sizera* (1). Los dialectos mozárabes no debieron de perma-
necer al margen de este cambio, pues los escritores árabes
representan a veces con *s* dental *(sin* o *sad)* la *ts* o *ds* que
oían en el habla romance del Andalus *(serbo* 'ciervo', *sibaira*
'cibera', *sinco, cabesairuela)* (2). No obstante, los árabes
continuaron usando *ch* en las palabras y topónimos que
habían recibido de sus dominados (véase pág. 103).

Las dobles consonantes latinas *ll* y *nn* se transformaron
en los sonidos palatales *ļ* y *ñ:* desde el siglo x hay grafías
indicadoras de que el cambio se hallaba ya en curso. De
todos modos, la *ļ* procedente de *l-l* tuvo que ser diferente
de la originada por *c'l* y *l + yod,* o posterior al cambio de
ésta en *dž, ž*, castellanas o *y* leonesa, pues la *ļ* de *caballo.
castillo* se mantuvo incólume entonces. El paso de *l-l* a *ļ* alcanzó a muchos arabismos (v. pág. 106), y se extendió por
toda la Península, a excepción de Galicia y Portugal. Así
c a b a l-l u , a n-n u dieron *cabaļo, año* en leonés, castellano y aragonés, *cavaļ, any* (= *añ)* en catalán. En territorio mozárabe están atestiguados hacia 1100 *kabalyo, sin-
tilya* ( < s c ĭ n t i l l a ), y hay pruebas de que la *nn* latina sonaba ya como *ñ* (3).

---

(1) Años 875 y 907, Portugaliae Monumenta Historica, Diplo-
mata et Chartae, núms. 5 y 10; año 950, Cartulario de San Vicente
de Oviedo, etc.
(2) Véase Amado Alonso, *Correspondencias arábigo-españolas*
Revista de Filología Hispánica, VIII, 1946.
(3) De una parte el resultado de *ll* latina se representa a veces de manera que no deja lugar a dudas respecto a su carácter palatal (por ejemplo, *ualge* 'valle' en un documento de San Millán de

EL SIGLO XI. INFLUENCIA FRANCESA.
PRIMEROS GALICISMOS.

Con el siglo XI se abre un nuevo período de la Reconquista. Tras la pesadilla de Almanzor, los moros dejan de ser enemigos temibles hasta la venida de los almorávides. Los cristianos, inferiores en cultura y refinamiento, les superan en vitalidad. En los Estados norteños aparecen síntomas de renovación. Reanudada la repoblación, los condes y reyes otorgan exenciones a las villas, para atraer moradores: esos fueros son el principio de las libertades municipales. La dinastía leonesa, tradicionalista, decae, mientras crecen Castilla y Navarra. Y es precisamente el gran rey vascón Sancho el Mayor (1000-1035) quien abre orientaciones transformadoras de las relaciones exteriores hispánicas.

La peregrinación a Santiago resultaba penosa; desde Roncesvalles seguía un camino abrupto, entre montañas. Sancho el Mayor lo desvía, haciendo que atravesara por tierra llana. A partir de entonces afluyen a Compostela innumerables devotos europeos; la abundancia de franceses da a la ruta el nombre de "camino francés". A lo largo

---

la Cogolla, año 1048, o *kabalyo, šintilya,* en manuscritos árabes). De otra parte la grafía *ll* o su equivalente árabe se aplican al fonema procedente de *l* + yod o *c'l (spillu* < s p e c ŭ l u, Gl. Emilianenses, 115; *muller* años 1023 y 1025, San Juan de la Peña; *Gulpellares* < v u l p i c ŭ l a, 1044. Cartulario de San Pedro de Arlanza; *serralla* < s e r r a l i a y *podollaria* < p e d u c u l u en transcripciones árabes). A su vez, la *nn* o su equivalente árabe se usan para representar la *ñ* nacida de *n* + yod, *ng, gn* o *ng'l (kastanna* < c a s t ŭ n ĕ a, *franne* < f r a n g i t, en textos árabes; *Rianno* < R i v i a n g ŭ l u, año 1046; *pennora* < p i g n ŏ r a, 1104); véanse R. MENÉNDEZ PIDAL, *Orígenes del español,* § 4 y 5; F. J. SIMONET, *Glosario de voces ibéricas y latinas usadas entre los mozárabes,* Madrid, 1888, y M. ASÍN, *Glosario de voces romances registradas por un botánico anónimo hispanomusulmán* (siglos XI-XII), Madrid-Granada, 1943.

de ella se establecen colonos que pronto forman en nuestras ciudades barrios enteros "de francos".

A causa del apartamiento geográfico y cultural respecto al resto de la cristiandad, la Iglesia española gozaba de relativa autonomía y tenía caracteres propios, entre los cuales sobresalía la conservación de la liturgia visigóticomozárabe. Sancho el Mayor introdujo la reforma cluniacense en San Juan de la Peña y otros cenobios; pronto cundió en los principales monasterios de España. Los cluniacenses defendían la universalidad romana por encima de los particularismos nacionales y traían usos que eran desconocidos en nuestras prácticas religiosas. Así penetra el culto a las imágenes, contrario a las primitivas costumbres de la Iglesia española. La influencia ultrapirenaica se acentúa durante el reinado de Alfonso VI, casado sucesivamente con tres reinas extranjeras. Las hijas del monarca contraen matrimonio con Raimundo y Enrique de Borgoña. Francés era Bernardo, abad de Sahagún y luego arzobispo de Toledo, así como Jerónimo de Périgord, nombrado por el Cid obispo de Valencia. La inmigración creció: en Toledo, Sahagún, Oviedo, Avilés y otros puntos los "francos" llegaron a tener jueces y merinos especiales.

España sale de su aislamiento, pero con perjuicio de sus tradiciones. El rito visigodo es sustituído por el romano; desaparece la escritura visigoda y en lugar suyo se emplea la carolingia. Al arte mozárabe sigue la arquitectura románica.

En el lenguaje entran muchos términos provenzales y franceses. Los nobles adoptan *homenaje* y *mensaje,* llaman *barnax* a las hazañas, *fonta* al deshonor y *palafré* al caballo de camino. Alborea la vida cortés, que pone de moda *cosiment* 'merced, benevolencia', *deleyt, vergel.* En las catedrales y monasterios se difunden, *pitanza, fraire* > *fraile, monje, deán.* Los peregrinos se albergan en *mesones,* pagan con *argent*, piden *manjares* y *viandas* y las aderezan con *vinagre*. La introducción de galicismos no había de cesar ya en toda la Edad Media. La influencia lingüística de los inmigrantes "francos" favoreció la apócope de la *e* final en casos como *part, mont, allend, cort*, que a mediados del siglo XII habían adquirido extraordinaria difusión (1). A los últimos años del XI corresponde la introducción de la grafía francesa *ch* para el fonema palatal africado sordo que hoy representamos así (2); hasta comienzos del XIII contendió con las transcripciones *g, gg, i, ih*, que venían usándose desde antes y que servían también para la palatal sonora *dž* o *ž* (3). La adopción de la *ch* permitió distinguir en la escritura los dos fonemas.

---

(1) Véanse más adelante, págs. 142-144.
(2) La pronunciación originaria de la *ch* francesa era africada, no fricativa como es hoy.
(3) R. MENÉNDEZ PIDAL, *Orígenes del español*, § 8.

# VII. PRIMITIVOS DIALECTOS PENINSULARES. LA EXPANSION CASTELLANA (1)

REINOS Y DIALECTOS

Los reinos medievales son entidades más claramente definidas que las provincias romanas, conventos jurídicos y obispados. Al principio recordaban en cierto modo la división provincial romana: si León reproducía, ampliándola, la Gallaecia, Navarra quiso llenar el extremo occidental de la Tarraconense. Pero la fisonomía de cada reino se formó, libre de antecedentes tan lejanos, con el espíritu y tradición nacidos de su peculiar desarrollo histórico. Las tendencias que produjeron y mantuvieron el fraccionamiento político hacían que en el lenguaje los rasgos diferenciales prevale-· cieran sobre las notas congregadoras. La comunicación entre reinos independientes no era tan fácil y constante como dentro de uno solo. La vida se encerraba en círculos reducidos, favoreciendo la disparidad. Así, las divergencias que asomaban en el romance de la época visigoda se agrandaron hasta originar dialectos distintos. No es que

---

(1) Para este capítulo, como para el anterior, véase R. MENÉN-DEZ PIDAL, *Orígenes del español*.

se correspondan Estados y dialectos; pero la suerte de éstos guardan innegable relación con la de aquéllos.

Cada uno de los Estados cristianos tiene sus caracteres
propios. Asturias, convertido en el reino leonés desde los
primeros años del siglo x, es al comienzo el principal sos-
tén de la Reconquista. El reino astur-leonés se siente heredero de la tradición visigótica, aspira a la hegemonía sobre
los demás núcleos cristianos, y sus reyes se titulan repetidamente emperadores. Se rige con arreglo a las leyes visigodas del Fuero Juzgo, y los notarios emplean en los
documentos ese latín deformado que fuera de España estaba anticuado ya. El dialecto hablado en el Centro del reino, el leonés, es más bien refractario a innovaciones; además, está influído por el del extremo occidental, el gallego, que es el más conservador entre los dialectos del Norte, y por el de los mozárabes, que en gran número vienen
a establecerse en la cuenca del Duero y aun en Asturias.
En resumen, León mira hacia el pasado, cuya reencarna-
ción pretende ser.

La antigua Cantabria, región constantemente insumisa
durante el período visigótico, fué la cuna de Castilla. El
nombre de *Castella* 'los castillos' parece haber sido dado en
los primeros tiempos de la Reconquista a una pequeña comarca fortificada por Alfonso I y Fruela I al Sur de la
cordillera (1). A finales del siglo ix comienza a extenderse
Castilla por la meseta de Burgos, llegando hasta el Sur
del Duero en la centuria siguiente. La frontera castellana
fué teatro de incesantes luchas con los moros. Castilla es
al principio un conjunto de condados dependientes de
León, pero frecuentemente rebeldes. Unificada por Fernán
González († 970), lucha por conseguir su autonomía, más
tarde su independencia y, por último, la supremacía en la

---

(1) Véase C. Sánchez-Albornoz, *El nombre de Castilla*, Estudios
dedicados a Menéndez Pidal, II, 1951, págs. 629-641.

España cristiana. Fernán González y después Sancho II y el Cid son los principales representantes del antagonismo castellano contra León. En vez de atenerse al Fuero Juzgo, Castilla tiene por leyes sus "albedríos", esto es, sus costumbres. La poesía épica castellana celebraba, ya en los siglos X y XI, las gestas de los condes de Castilla, la trágica leyenda de los siete Infantes de Lara y la muerte alevosa de Sancho II ante los muros de Zamora. El dialecto castellano evoluciona con más rapidez que los otros y, según veremos, se muestra distinto de todos, con poderosa individualidad. Castilla, levantisca y ambiciosa en su política, revolucionaria en el derecho, heroica en su epopeya, fue la región más innovadora en el lenguaje. Y así como su prodigiosa vitalidad la destinaba a ser el eje de las empresas nacionales, su dialecto había de erigirse en lengua de toda la comunidad hispánica.

En el Pirineo, el afán reconquistador es más remiso que en León y Castilla. Los mahometanos, en su primer empuje, habían invadido el Mediodía de Francia, y estaban sólidamente establecidos en el valle del Ebro cuando surgieron los Estados cristianos pirenaicos.

El reino de Navarra comienza a dar señales de vida con el siglo X, reconquistando la Rioja. Cien años después, su rey Sancho el Mayor consigue ser el monarca más poderoso del Norte de España, pero desde su muerte (1035) Navarra queda aislada y su territorio cada vez más reducido. En cambio, Aragón, que empieza a figurar como reino independiente en el siglo XI, se extiende hacia el Sur con las conquistas de Huesca (1096) y Zaragoza (1118), y aun pretende influir en el Centro y Occidente durante el reinado de Alfonso I el Batallador (1104-1134). El dialecto navarro-aragonés se asemeja mucho al de León; pero es más tosco, acaso por la ausencia de una corte refinada como la leonesa, y más enérgico, quizá por el primitivo fondo vasco de la región pirenaica; está menos ligado que el leonés a tradiciones lingüísticas pasadas y más a particularidades locales.

La primitiva Cataluña fué arrebatada a los musulmanes por Ludovico Pío. Al principio es un grupo de señoríos incorporados a Francia; pero esta dependencia se convierte en pura fórmula conforme crece el poderío del condado de Barcelona, que llega a constituir Estado aparte. En tiempos del conde Ramón Berenguer III (1096-1131) empieza Barcelona a intervenir políticamente en el Sur de Francia. Cataluña, sin perder su cohesión con los demás pueblos cristianos de la Península y sin dejar de colaborar en la empresa común de la Reconquista, estuvo ligada a Francia por vínculos políticos y culturales, de los que se fué desprendiendo poco a poco. Situada junto al mar, se preparaba para futuras expansiones mediterráneas. Sobre su lengua, con esencial elemento iberorromano (1), pesó durante varios siglos el influjo de la provenzal.

SEMEJANZAS ENTRE LOS PRIMITIVOS DIALECTOS.

El mayor interés del romance hispánico primitivo estriba en la luz que su estudio arroja para conocer la primaria repartición dialectal de la Península.

Los dialectos eran, al Norte, el gallego-portugués, el leonés, el castellano, el navarro-aragonés y el catalán; al Sur, los dialectos mozárabes, que, aislados de los demás y cohibidos por el uso del árabe como lengua culta, tuvieron una evolución muy lenta en algunos aspectos, por lo que a veces son una preciosa reliquia del romance que se hablaba en los últimos tiempos del reino visigodo. Conservaron, por ejemplo, los diptongos *ai, au (carraira, lauša)*,

---

(1) Véase la bibliografía citada en las págs. 74-75, nota

y, junto a grados ulteriores, la χ de *la χ te, no χ te, ma χ sella*
(v. págs. 93-94). En otros casos, por el contrario, se
mostraron notablemente innovadores, participando en los
cambios g e n e s t a > *cnesta, oricla* > *oredža, -iello*
> *illo,* según iremos viendo en los párrafos que siguen.

Aunque cada región tenía sus particularidades distinti-
vas, todas, a excepción de Castilla, coincidían en una serie
de rasgos que prolongaba la fundamental unidad lingüística peninsular, tal como existía antes de la invasión musulmana (véanse págs. 90-94). Conservaban ante *e, i,* átonas la *ǵ, j* iniciales, con el sonido *y* entre los mozárabes, y
ž o *dž* en el Norte; g e n e s t a, g e r m a n u, *j c n u a -
r i u, >* moz. *yenesta, yenair;* gall.-port. *giesta, janeiro;*
leon. *yermano, ienesta;* arag. *girmano, geitar* ( < *p e c -
t a r e* ); cat. *ginesta, germá, giner* (1). Mantenía la *f* en
principio de palabra: moz. *fauchil,* gall.-port. *fouce, fillo,
filho,* leon. y arag. *farina, fillo,* cat. *falç, farina, fill.* Los
grupos *l* + yod y *c' l* daban *l:* s e r r a l i a, m u l i e -
r e, o c ( ŭ ) l u, c u n i c ( ŭ ) l u > moz. *šarralla, uelyo,
konelyo* (2), gall.-port. *muller, ollo, coenllo* y *coello,* leonés
*muller, uello* (después *muyer, güeyo),* arag. *muller, uello,*
catalán *ull, cunill.* En el grupo *ct* las alteraciones se limitaban al primer elemento, sin modificar la articulación de
la *t:* t r u c t a, l a c t e, f a c t u > moz. *tru χ ta, leite,*
gall.-port. y leon. *leite, feito,* arag. *leite, feito, feto,* cata-

---

(1) Como en portugués ha desaparecido la consonante inicial
de G e l o v i r a > *Elvira,* g e r m a n u > *irmão,* i e q u a r i a >
*iguaria,* Y, MALKIEL (Language, XX, 1944, 119-122) supone que la
pérdida fue originariamente un vulgarismo fonético común a Castilla y al Oeste peninsular; en el Oeste, más conservador, no logró
imponerse como en Castilla. Entre los mozárabes también hay ejemplos de pérdida *(enešta, onolyo* < g e n ŭ c ŭ l u en el *Glosario* de
Asín).

(2) El mantenimiento de la solución *l* no fue general en el habla mozárabe; hay testimonios de que se daba también la pronunciación *dž* en los siglos XI y XII *(oredža, coledža* < c a u l i c ŭ l a,
*adžello* < a l l i u, *midžuelo* < m i l i u). Véase A. ALONSO, Revista
de Filol. Hisp., VIII, 1946, págs. 41-42

lán *llet, fet.* Y *sć, sć* + yod, *st* + yod se resolvían en *š;* c r e s c i t, p i s c e, f a s c i a < moz. *creše, faša,* gall.-port. *creixe, peixe, faixa,* leon. *faxa, fexa,* arag. *crexe, faxa,* catalán *creix, peix, faxa.*

Menos extendida estaba la palatalización de *l* inicial en *l* o *y:* no parece haber ocurrido en el extremo occidental; pero los mozárabes decían *yengua* ( < l ĭ n g u a ), uniendo así por el Sur los astur-leoneses *llabore, llevantare* con los catalanet *llop, llaurar, llengua.*

REPARTICIÓN GEOGRÁFICA DE OTROS FENÓMENOS.

La diptongación de *ĕ, ŏ* acentuadas, iniciada en el período visigótico (véase pág. 92), proseguía en las regiones centrales con la misma inseguridad entre *amariello* y *amariallo, pieça* y *piaça, huerto, huorto* y *huarto.* Diptongaban, fuera de Castilla, las formas verbales ĕ s > *yes,* ĕ s t > *yet, ya,* ĕ r a m > *yera,* así como *ĕ, ŏ* tónicas seguidas de yod: leon. *uey, ué* < h ŏ d i e, arag. *tiengat* < t ĕ - n ĕ a t, *pueyo* < p ŏ d i u, moz. *uelyo* < ŏ c ( ŭ ) l u. Entre los mozárabes había grandes vacilaciones. Toledo y Levante conocían la diptongación, según demuestran los nombres geográficos O p t a > *Huete,* A u r i ŏ l a > Orihuela, M o n t ĕ l l u > *Montiel,* A l p ŏ b r i g a > *Alpuébrega;* en documentos y escritores musulmanes aparecen *dueña, bašcuel, mauchuel, šierra* (1). En Zaragoza, el botánico Ben Buclárix, que floreció hacia el año 1100, al lado de *ı oyuela, kaštañuela, yedra,* da *kalabadžola, kuliantrolo, kardenella;* pero la toponimia ofrece *Buñuel, Estercuel,* y al Sur, *Teruel* < T u r i ŏ l u m. En Andalucía, aunque O n ŭ b a dió *Huelva* y en Córdoba y Sevilla hay citas de *kabesairuela, korriyuela* en el siglo x, una reacción posterior

(1) Las formas con diptongo alternaban con formas que conservaban *é, ó:* junto a *Cardiel, kardielo,* había *kardelo, kantarel;* junto a *bašcuel* se daba *šogro.*

restauró las vocales latinas, únicas en las frases romances de Ben Cuzmán (*bona*, *podo* 'puedo', *morte*). En el extremo Sur de Málaga a Almería, el diptongo no debió de prosperar (*Albuñol*, *Castel de Ferro*, en toponimia); tampoco parece haber tenido fortuna en la antigua Lusitania (E m ĕ - r ĭ t a > *Mérida;* en Portugal *Alportel, Alfornel).* El gallego-portugués mantuvo las vocales *e, o* (*amarelo, ceo, horta, porta),* y el catalán sólo conoció la diptongación ante yod (*cel, porta, pero* f ŏ l i a > * *fuela* > *fulla,* p ŏ - d ĭ u > * *pueyo* > *puig,* l ĕ c t u > * *llieito* > *llit).*

Los dialectos del Sur y los occidentales conservaban los diptongos *ai, au.* La forma primitiva subsistía entre los mozárabes (*febrair, pandair, kerrai* 'querré', *lauša),* aunque no debían faltar los grados *ei, ou* (m a u r u > *mour-cat; Alpandeire, Capileira, Lanteira, Poqueira, Ferreirola* en la toponimia granadina). En gallego-portugués triunfaron *ei, ou,* que duran en la actualidad (*pandeiro, mouro, querrei, cantou).* Cataluña, Aragón y Burgos habían generalizado las reducciones *e, o* (cat. *riera, reclosa;* aragonés *terzero, carnero, amparot;* cast. *pandero, carrera, oro, moro).* El leonés se mostraba intermedio entre el gallego y el castellano : *carrera, otero, coto* se propagaban desde el Este al Centro leonés, a costa de *carreira, outeiro, couto.* Parecida era la repartición de *mb* y *m;* el grupo latino se mantenía en mozárabe (*polombina),* gallego-portugués (*pomba)* y leonés (*palomba),* mientras en Burgos, Aragón y Cataluña se usaba la asimilación *m* (castellano y arag. *amos, camiar, paloma, lomo;* cat. *llom, coloma).*

Novedad del Noroeste peninsular fue la evolución de los grupos iniciales *pl, kl, fl.* La fase primera, consistente en la palatalización de *l* en *ḷ,* llegó hasta Castilla. Posteriormente, en todo el territorio gallego-portugués y en casi todo el leonés, las sordas *p, k, f,* fundidas con la *ḷ,* produjeron los sonidos *ch* o *š* (gallego-port. *chan, chao, chou-*

*sa, chama;* leon. *chano, xano, chosa, xosa, chama, xama).*
Ya en los comienzos del siglo XII se registran en documentos leoneses *xosa, Xainiz* < F l a v i n u . Los dialectos mozárabes, aragonés y catalán no alteraron los grupos latinos (moz. *plantain* 'llantén', arag. y cat. *plan, pla, clamar, flama).*

## FORMACIÓN Y CARACTERES DEL CASTELLANO.

La romanización de Castilla había sido tardía, sin el florecimiento cultural que dió tinte conservador al latín hablado en la Bética. Entre los rudos cántabros y los pobladores de la meseta —donde se asentaron preferentemente los visigodos (véase pág. 84)— debieron encontrar fácil acogida los neologismos. Probablemente, el influjo lingüístico de la corte toledana hubo de llegar muy atenuado durante la época visigoda. Por su posición geográfica era Castilla vértice donde habían de confluir las diversas tendencias del habla peninsular; el territorio que en el siglo X ocupó el condado de Fernán González había estado repartido en tres provincias romanas. La Montaña y los valles del alto Ebro y del alto Pisuerga pertenecieron a la Gallaecia; Alava y la Bureba, hasta Montes de Oca, caían dentro de la Tarraconense; y el convento jurídico de Clunia, con Burgos y Osma, era el extremo septentrional de la Cartaginense (1). El lenguaje de Castilla adoptó las principales innovaciones que venían de las regiones vecinas, dándoles notas propias. Con el Este practicó las asimilaciones *ai* > *e, au* > *o, mb* > *m (carrera, oro, paloma, lomo);* con el Noroeste palatalizó la *l* de los grupos iniciales *pl, kl, fl (pḷanu, kḷave, fḷama),* aunque después siguió evolución distinta, suprimiendo la primera consonante *(llano, llave, llama);* y como el resto del Centro diptongó

---

(1) R. MENÉNDEZ PIDAL, *Documentos lingüísticos del Reino de Castilla,* 1919, págs. 2-4.

ĕ y ŏ tónicas en *ié* y *ué* (*cielo, siete, fuego, puerta*), pero
según otras normas que las que regían en León y Aragón.
Durante la Reconquista el habla castellana estuvo menos sujeta a presiones retardatarias que la de León. Los
elementos gallego y mozárabe, tan importantes en la repoblación leonesa, lo fueron poco en la castellana. Faltan
en el condado castellano iglesias de arquitectura mozárabe,
que abundan en León y en las inmediaciones de Castilla
(Lebeña en el valle de Liébana; San Millán de la Cogolla en la Rioja; San Baudilio de Berlanga en la Extremadura soriana). En cambio, la toponimia, con nombres como
los citados en la página 23 y como *Vizcaínos, Bascuñana,
.Báscones, Basconcillos, Bascuñuelos,* revela que el factor
vasco fue poderoso. No es la primera vez que la Historia
halla juntos a cántabros y vascos; unidos aparecen en re-
beliones contra los monarcas visigodos. Sabemos que núcleos de pobladores o repobladores vascos hablaban su lengua nativa, no sólo en el siglo x, sino hasta muy avanzado el xiii; esto hace suponer que otros estarían muy su-
perficialmente romanizados. Su adaptación a la fonética
latina sería de todos modos imperfecta. Probablemente los
cántabros tenían ya dificultad para articular la *f* labiodental (véase pág. 27), pero los vascos, que aun hoy no
aciertan a pronunciarla, contribuyeron sin duda a que el
castellano reemplazara la *f* por *h* aspirada o la omitiera.

Las circunstancias favorecieron, pues, la constitución
de un dialecto original e independiente. En efecto, el castellano fue en la época primitiva un islote excepcional.
En primer término se apartaba de los demás romances
peninsulares por el especial tratamiento de fonemas y grupos latinos; difería del resto de España en el paso de *f* inicial a *h* aspirada (*hoja, hijo, hoz*) o en la pérdida de la *f*
(f o r m a c e u > *Ormaza,* f ū r n e l l u > *Ornilla);* suprimía *ǵ, j* iniciales ante *e, i* átonas (*enero, hiniesta, her-*

*mano*), y los grupos *sć, sć* + yod, *st* + yod daban *ç* (*haça*, *açada, antuçano*) en vez de *š*, que era la solución dominante en toda la Península. Los diptongos *ué, ié* de *suelo, puerta, piedra, tierra* separaban el castellano del gallego-portugués, catalán y mozárabe de varias regiones; pero la *o* de *noche, poyo, ojo, hoja*, y la *e* de *tengo, sea*, lo distinguían del leonés, aragonés y mozárabe central, pues en castellano la yod impedía la diptongación (véase pág. 92). Y la *ļ* de *llamar, llover, llama, llantén*, contrastaba tanto con los grupos intactos *clamar, ploure, flama, plantain*, del aragonés, catalán y mozárabe, como con los sonidos *ch, š* de los gallego-portugueses y leoneses *chamar, chouvir, chama, xama, chantar, xantar*.

El castellano poseía un dinamismo que le hacía superar los grados en que se detenía la evolución de otros dialectos. Mientras el leonés y el aragonés se estancaban en las formas *castiello, siella, aviéspora, ariesta*, el castellano —acompañado en esto por el mozárabe (1)— emprendía la reducción de *ié* a *i* ante *ļ* y ciertas alveolares: *castillo, silla, avispa, arista*. La *ļ* peninsular nacida de *c'l* y *l* + yod pasó a *dž* en Castilla en época muy temprana (cast. *oreja* < a u r i c ( ŭ ) l a, *viejo, mujer, majuelo* < m a l l ĕ ŏ l u, contra *orella, vello-viello-vell, muller, malluelo-mallol* del resto de España). Y el grupo *ịt* originado por la transformación de *ct, ult*, daba la *ch* castellana (*hecho, leche, mucho*) cuando los otros romances hispánicos decían *feito-fet, leite-llet, muito*.

Por último, el castellano era certero y decidido en la elección, mientras los dialectos colindantes dudaban largamente entre las diversas posibilidades que estaban en concurrencia. Así, desconoce las vacilaciones *puorta, puerta*,

(1) Desde el siglo XI se registran entre los mozárabes *escobilia, carrasquilla, acudžilla, ichitilla, ortiquilla*, etc. Véanse R. MENÉNDEZ PIDAL, *Orígenes del español*, § 27, y ASÍN, *Glosario de voces romances*, págs. 5, 6 y 208.

*puarta, siella, sialla,* propias del leonés y aragonés, escogiendo desde el primer momento *puerta* y *siella.* De León a Cataluña contendían ĭlle e ĭllum para el artículo masculino; el castellano adopta *el* (< ĭlle) y rechaza *lo* (< ĭllum).

La aparición del castellano en la escritura es una lenta revelación. Sólo algunos rasgos se traslucen en documentos del siglo x, cuando el condado pugnaba por desligarse de extrañas tutelas y su lenguaje tropezaba con la influencia de los dialectos vecinos, menos desacostumbrados para oídos cultos. En el monasterio de Silos, en plena tierra burgalesa, corrían entonces glosas en navarro-aragonés, propagado por los monjes riojanos de San Millán de la Cogolla. Los caracteres más distintivos del habla castellana no empiezan a registrarse con alguna normalidad hasta mediados del siglo xi, al tiempo que Castilla va sobreponiéndose a León y Navarra; aumentan entonces los ejemplos de *f* omitida y *h* (*Ormuza-Hormaza, hayuela*), así como los de *-iello* > *illo* (*Celatilla, Tormillos, Formosilla*); y los de *ch* y *dž*, que revisten muchas veces la grafía arcaica *g, gg* (*Cascagare* 'Cascajar' *Fregas* 'Frechas' < fracta), penetran en la Rioja Alta (*peggare* 'pechar' < pactare, *kallega* 'calleja') y en Oriente de León (*Fonte Tega* < Fontetecta 'Fontecha', *Gragar* 'Grajal').

Variedades regionales del castellano.

Dentro del territorio castellano había diferencias comarcales. Cantabria, origen de Castilla, fue el primer foco irradiador del dialecto. Allí debieron incubarse los cambios *f* > *h* y *-iello* > *-illo,* que en los siglos xi y xii aparecen con mayor caudal de testimonios en el Norte de Burgos. Pero el habla de la Castilla cántabra retenía arcaísmos que decaían o habían desaparecido en Burgos; restos de diptongo *ei (Tobeira, Lopeira, luneiro)*; algún caso de *uo (Gontruoda)*; vocal final *u (orejudu, mesquinu)*; vacilación entre *mb* y *m (cambio, palombar, ambos)*, sobre todo en Alava y Campó; *mn* etimológicas en *lumne, nomne. semnar;* ejemplos aislados de artículo *lo* ("de *lu* lombu", "en *lo* soto"'); y preposición fundida con el artículo *la (enna, conna)*. Todo ello sobrevivía con varia intensidad cuando en Burgos dominaban o se usaban ya exclusivamente *-ero, ué, o* final, *camiar, palomar, amos, lumbre, nombre, sembrar,* artículo *el, en la, con la.*

La Rioja, antes navarra, se castellanizó a partir del siglo XI. Muy pronto empezó a sustituir *f* por *h*, sin duda bajo la influencia tan inmediata, de Vasconia. El subdialecto riojano, tal como lo emplea Gonzalo de Berceo, se parece más al de la Castilla norteña que al burgalés, pues decía *nomne, semnar, enna, conna.* La *i* final por *e* era muy corriente *(esti, essi, li, pudi, fizi, salvesti),* como hoy en algunas regiones leonesas. No se alteraba el grupo *mb (palombiella, ambidos < i n v i t u s,* cast. *amidos).* Y la comparación usaba *plus* al lado de *mays, más ("plus* blanco", *"plus* vermeio"). Perduraban además aragonesismos primitivos, sobre todo en la Rioja Baja.

También el lenguaje de la Extremadura castellana (Sur y Este del Duero) ofrecía notables particularidades. En el Poema del Cid, escrito hacia Medinaceli, hay rimas como *Carrión-muert-traydores-sol-noch-fuert;* en ellas, sin duda posible, el diptongo *ué* de *muert, fuert* es un retoque de los copistas; el original tendría *mort, fort,* sin diptongo, o *muort. fuort,* con *uo* desusado en Burgos. La influencia aragonesa fue intensa en tierras de Soria: algún documento del siglo XII está escrito en aragonés; no es de extrañar que en Mio Cid se encuentren orientalismos como *noves* o *nuoves* por 'nubes', *alegreya* 'alegría', *firgades* 'hiráis', etc.

## Transformación del mapa lingüístico de España en los siglos XII y XIII.

Los dialectos mozárabes desaparecieron conforme los reinos cristianos fueron reconquistando las regiones del Sur. Aquellas hablas decadentes no pudieron competir con las que llevaban los conquistadores, más vivas y evolucionadas. La absorción se inició desde la toma de Toledo (1085). El núcleo mozárabe toledano era muy importante; conservaba seis parroquias, tenía jueces propios, y, estando ya bajo el dominio cristiano, siguió empleando el árabe para sus escrituras notariales; sus costumbres públicas y jurídicas continuaron en uso durante mucho tiempo. El castellano se impuso en el reino de Toledo, pero tras lenta asimilación. En textos de los siglos XII y XIII aparecen abundantes restos dialectales: el Fuero de Madrid, anterior a 1202, ofrece *tella* 'teja', *cutollo* 'cuchillo', *geitar* 'echar', "tras *le* palacio", "in *lo* portiello" y otros rasgos no castellanos (1).

A partir del siglo XII, la Reconquista progresa considerablemente. Portugal se extiende hacia el Sur con la incorporación de Lisboa (1147), Beja y Evora (1166). Fernando II y Alfonso IX de León guerrean por Coria, Cáceres y Badajoz, que pasan a formar la Extremadura leonesa. Alfonso VIII de Castilla gana definitivamente a Cuenca (1177). Ramón Berenguer IV expulsa a los moros de la Baja Cataluña, y Alfonso II de Aragón se apodera de Teruel (1170). En el siglo XIII se acentúa el empuje cristiano; en manos de San Fernando caen Jaén, Medellín, Córdoba (1236) y Sevilla (1248); Jaime I conquista Mallorca (1229) y Valencia (1238), y ayuda a Alfonso X a some-

---

(1) Véase mi nota preliminar al Glosario del Fuero en las ediciones hechas por el Archivo de Villa de Madrid, 1932 y 1963.

ter el reino de Murcia (1266). Los musulmanes quedaban reducidos al reino granadino.

Los dialectos del Norte invaden la parte meridional de la Península sin resistencia apreciable, ya que la población mozárabe estaba casi aniquilada por las persecuciones de almorávides y almohades. Sabemos que los mozárabes de Lusitania conservaban *l* y *n* intervocálicas, como indican los nombres de *Mértola, Grândola, Fontanas, Odiana*, localidades todas del Sur de Portugal. Sin embargo, se generalizó la pérdida de ambos sonidos, propia de las gentes de Braga y Porto; el mismo *Lisbona* pasó a *Lisboa*. Los mozárabes de Córdoba, que empleaban *tornato, noχte, requere, kerrai*, los cambiaron por las formas castellanas *tornado, noche, requiere, querré*. Y los de Levante y Baleares, que decían *fornair(o), Corbeira, maura, palomba, colomba*, adoptaron las soluciones *e, o, m* de los correspondientes catalanes y aragoneses *forner(o), Corbera, mora, paloma, coloma*. Cuando los romances hablados por los reconquistadores diferían entre sí, el resultado dependió de las zonas en que predominaban gentes de una u otra procedencia: así los diptongos de los mozár. *šierra, bašcuel* subsistieron en las regiones donde se instalaron principalmente aragoneses (Teruel, Segorbe, interior del reino de Valencia), mientras las formas con *é, ó* prevalecieron en el litoral, ciudad de Valencia e islas Baleares, asiento preferente de catalanes (1).

(1) Véase Alvaro Galmés de Fuentes, *El mozárabe levantino en los Libros de Repartimientos de Mallorca y Valencia*, Nueva Rev. de Filol. Hisp., IV, 1950, 313-346. Por el contrario Ernesto Veres D'Ocon, *La diptongación en el mozárabe levantino*, Rev. Valenciana de Filología, II, 1952, 137-148, se resiste a admitir la existencia de diptongación autóctona de *ĕ* y *ŏ* en el mozárabe levantino y balear; opone reparos, sin excluirla, Manuel Sanchis Guarner, *Introducción a la historia lingüística de Valencia*, [Valencia, 1949], 110-115, y *Els parlars romànics de València i Mallorca anteriors a la Reconquista*, Valencia, 1961, 142-144; no hay muestras de diptongos en los mozarabismos del Vocabulista atribuido a Ramón Martí y estudiados por David A. Griffin (Al. Andalus, XXIII, 1958, y XXV, 1960), muy arcaizantes. En el mozárabe de Valencia y Baleares la diptongación

Entre las regiones que vieron nacer los dialectos triunfantes y aquellas otras donde fueron importados existen diferencias que todavía hoy se advierten; al Norte del Duero y entre el Pirineo y la línea Tamarite-Monzón hay zonas intermedias donde se mezclan caracteres de un dialecto y otro; al Sur, las fronteras, más precisas, coinciden con los antiguos límites de los reinos.

La desaparición de las hablas mozárabes cierra un capítulo de la historia lingüística española. La Península quedó repartida en cinco fajas que se extendían de Norte a Sur. La central, de dialecto castellano, se ensanchaba por Toledo, Plasencia, Cuenca, Andalucía y Murcia, rompiendo el primitivo nexo que unía antes los romances del Oeste con los del Oriente hispánico. La cuña castellana —según la certera expresión de Menéndez Pidal— quebró la originaria continuidad geográfica de las lenguas peninsulares. Pero después el castellano desterró los dialectos leonés y aragonés, mediatizó al gallego y al catalán y procuró de este modo la moderna unidad lingüística española.

hubo de ser vacilante, como en otras regiones de la España musulmana; acaso especialmente insegura o retrasada. SAMUEL GILI GAYA, *Notas sobre el mozárabe en la Baja Cataluña,* VII Congreso Internacional de Lingüística Románica, II, Actas y Memorias, 1955, 483-492, publica datos que apoyan la semejanza entre el catalán y el mozárabe de Lérida y Tortosa.

# VIII. EL ESPAÑOL ARCAICO

Los primeros textos conservados en que se emplea el romance español con propósito literario proceden del Andalus. La convivencia de hispano-godos, moros y judíos en la España musulmana dió lugar al nacimiento de un género de canción lírica, la *muwaššaha*, que, con el texto principal en árabe o en hebreo, insertaba palabras y hasta versos enteros en romance, sobre todo al final de la composición *(jardža)*. Según los preceptistas árabes, la mixtura de extranjerismos constituía uno de los atractivos de esta clase de poemas. Se atribuye la invención de la *muwaššaha* al poeta ciego Ben Mocádem de Cabra (muerto en 912); pero las cincuenta y tantas *jardžas* total o parcialmente romances publicadas hasta ahora pertenecen a *muwaššahas* que datan de época posterior: la más antigua de estas *muwaššahas* parece haber sido compuesta antes de 1042; la mayoría, a fines del siglo xi y durante el xii; tres, en tiempos de Alfonso X y una en el siglo xiv. Estas más tardías deben de ser supervivencias artificiosamente arcaizantes. Veinte son hebreas, y entre sus autores figuran poetas tan célebres como Mošé ben Ezra (h. 1060-h. 1140). Yehudá Haleví (nacido h. 1075) y Abraham ben Ezra (h. 1092-1167?). De texto árabe hay unas treinta y se anuncia la publicación de más. Aparte queda el famoso cancionero del cordobés Ben Cuzmán (h. 1080-1160), abundante en pasajes híbridos. En todas estas producciones los fragmentos o palabras sueltas romances presentan graves dificultades de lectura e interpretación.

El interés mayor de las *muwaššahas* consiste en que sus autores recogieron en las *jadžas* cancioncillas romances preexistentes. Así nos ponen en contacto con la más vieja lírica tradicional de la Península y de la Romania: estribillos de dos a cuatro versos donde las enamoradas cantan sus goces o cuitas, preludiando lo que habían de ser las cantigas de amigo gallego - portuguesas y los villancicos castellanos. Su encanto de flôr nueva se realza con la extrañeza que le dan los abundantes arabismos, el dialecto mozárabe *(filyolu* 'hijuelo', *alyenu, yermanelas, corachón, welyos* u *olyos* 'ojos')* y arcaísmos desconocidos o infrecuentes en la literatura posterior *(mibi* o *mib* 'mí'; futuros *farayo, morrayo* con la *-o* de h a b e o conservada, etc.) (1).

(1) Para el cancionero de Ben Guzmán, véase la edición y estudio de A. R. Nykl, 1933, especialmente las páginas XXVIII, XXIX y 457. Para las *muwaššahas*, véase J. M. Millás, *Sobre los más antiguos versos en lengua castellana*, Sefarad, VI, 1946, 362-371; S. M. Stern, *Les vers finaux en espagnol dans les muwaššahas hispano-hébraiques*, Al-Andalus, XIII, 1948, 299-343; *Un muwaššaha arabe avec terminaison espagnole*, Ibidem, XIV, 1949, 214-218; y *Les chansons mozarabes*, Palermo, 1953; Francisco Cantera, *Versos españoles en las muwaššahas hispano-hebreas*, Sefarad, IX, 1949, 137-234; Dámaso Alonso, *Cantigas de amigos mozárabes*, Revista de Filología Española, XXXIV, 1949, 251 y sigts.; E. García Gómez, *Nuevas observaciones sobre las "jaryas" romances en muwaššahas hebreas*, Al-Andalus, XV, 1950, 157-177; *Veinticuatro jaryas romances*, Ibid., XVII, 1952, 57-127, y *Las jarchas mozárabes de la serie árabe en su marco*, Madrid, 1965 (la mejor edición de estas canciones); R. Menéndez Pidal, *Orígenes del español*, 3.ª ed., 1950; *Cantos románicos andalusíes*, Bol. de la R. Acad. Esp., XXXI, 1951, 187-270, y *La primitiva lírica europea. Estado actual del problema*, Rev. de Filol. Esp., XLIII, 1960, 279-354; Rodolfo A. Borello, *Jaryas andalusíes*, Bahía Blanca, 1959; Klaus Heger, *Die bisher veröffentlichten Harǧas und ihre Deutungen*, Beihefte zur Zeitsch. f. rom. Philol., 101, Tübingen, 1960, etc.

La literatura en la España cristiana.

En los Estados cristianos existía, sin duda, poesía vulgar desde la formación misma de las lenguas romances. En los siglos x y xi los condes castellanos y los Infantes de Lara debían de ser ya objeto de poemas heroicos. No poseemos, sin embargo, ningún texto literario de entonces. Hasta el siglo xii el romance sólo recibió de los letrados la denominación despectiva de "habla rústica" o la más exacta y duradera de "lengua vulgar". Pero hacia 1150 la *Chronica Adefonsi Imperatoris* lo califica ya de "nostra lingua", al tiempo que el Poema latino de Almería pondera el acento viril del hablar castellano comparándolo al son conjunto de trompetas y tambores: "illorum lingua resonat quasi tympano tuba" (1). Este mayor aprecio coincide con menciones de fiestas cortesanas en que intervenían juglares, y con la fecha de los textos literarios más antiguos que se nos han transmitido.

El primero de ellos es el venerable Cantar de Mio Cid, obra maestra de nuestra poesía épica, refundido hacia 1140 en tierras de Medinaceli. Está escrito en castellano con algunas particularidades locales. Castilla, que desde el siglo x venía cantando las hazañas de sus caudillos, imponía su dialecto como lengua de la poesía épica; también lo usaban otras manifestaciones poéticas, como el fragmento teatral del *Auto de los Reyes Magos* (fines del siglo xii) y narraciones de tipo religioso.

La poesía lírica floreció principalmente en Galicia y Portugal, favorecida por el sentimentalismo y suave melancolía del alma gallega. Trovadores y juglares de otras partes de España emplean el gallego como lengua de la poesía lírica. Alfonso X lo usa en sus *Cantigas* de alabanza a la Virgen,

(1) *España Sagrada*, XXI, págs. 334, 359, 362 y 403.

y los cancioneros gallego-portugueses de los siglos XIII y XIV contienen obras de leoneses y castellanos. Lo más valioso y original de la poesía medieval gallega son las llamadas *canciones de amigo* en que las ondas del mar de Vigo, las fuentes o las brumosas arboledas del Noroeste escuchan confidencias de las doncellas enamoradas.

También en Cataluña hubo desde muy pronto poesía lírica; pero los trovadores catalanes no emplearon al principio su propia lengua, sino la provenzal. El texto catalán más antiguo son unos sermones sin finalidad literaria, las *Homilías de Organá* (fines del siglo XII). La *Crónica* de Jaime I inaugura la verdadera literatura catalana, y muy pronto vienen a engrandecerla la obra gigantesca de Raimundo Lulio (1233-1315) y una brillante pléyade de historiadores y didácticos.

INFLUENCIA EXTRANJERA.

Los siglos XI al XIII marcan el apogeo de la inmigración ultrapirenaica en España, favorecida por enlaces matrimoniales entre reyes españoles y princesas de Francia y Occitania. Todas las capas de la sociedad, nobles, guerreros, eclesiásticos y menestrales, experimentaron la influencia de los visitantes y colonos extranjeros. En Navarra y Jaca, las dos principales entradas de la inmigración, hay muchas escrituras y algunos fueros en gascón o provenzal (1). En otras regiones se encuentran documentos aislados como el Fuero de Avilés (hacia 1155) o el de Valfermoso de las Monjas (1189), escritos en un lenguaje extraño que mezcla dialectismos asturianos o alcarreños con rasgos provenzales: sus redactores o copistas eran sin duda ultramontanos que intentaban acomodarse al romance de su nueva residencia, sin lograrlo aún completamente. También el *Auto de*

---

(1) Véase la Advertencia preliminar de MAURICIO MOLHO a su edición crítica del *Fuero de Jaca*, Zaragoza, C.S.I.C., 1964.

— 143 —

*los Reyes Magos,* compuesto en la misma época, muestra en
sus rimas ser obra de un gascón que pretendía escribir en
castellano (1).

El desarrollo de las literaturas peninsulares se vió esti-
mulado por el ejemplo de poetas franceses y provenzales
que acompañaban a los señores extranjeros en sus peregri-
naciones a Compostela o frecuentaban las cortes españolas.
Los reyes Alfonso VII y Alfonso VIII de Castilla, así
como el aragonés Alfonso II, les dispensaron honrosa y
espléndida acogida. Una estrofa del *descort* plurilingüe que
compuso Raimbaut de Vaqueiras está escrita en un dialecto
hispánico —más bien leonés o aragonés que gallego—, y la
única muestra que conocemos de la lírica castellana del siglo xii ha sido transmitida por el trovador Ramón Vidal
de Besalú. El papel de los juglares españoles en su comunicación con los franceses no fué meramente pasivo; si muchos asuntos carolingios pasaron a la epopeya castellana,
la leyenda del rey Rodrigo inspiró la gesta francesa de
*Anseïs de Cartage;* y el poema de *Mainete* o mocedades de
Carlomagno nació en Toledo, al calor de la leyenda que
celebraba los amores de Alfonso VI con la mora Zaida.

De esta época data la introducción de numerosos galicismos y provenzalismos: unos que siguen hoy en uso,
como *ligero, roseñor* (después *ruiseñor), doncel* y *doncella,*
*linaje, preste, peaje, hostal, baxel, salvaje, tacha* y muchos
más; otros que, corrientes entonces, han desaparecido, como
*sen* 'sentido', *follía* 'locura', *sage* 'sabio, prudente', *paraje*
'nobleza', *calonge* 'canónigo', *sojornar* 'detenerse o perma-
necer en un lugar', *trobar* 'encontrar', *de volonter* 'por gusto', etc. (2).

(1) Véase R. Lapesa, *Asturiano y provenzal en el Fuero de Avilés,* Acta Salmanticensia, II, 1948, y *Sobre el Auto de los R. M.: sus
rimas anómalas y el posible origen de su autor,* Homenaje a Fritz
Krüger, II, 1954, 591-99.

(2) Véase J. B. de Forest, *Old French borrowed words in the*

El prestigio de los "francos" en el ambiente señorial y eclesiástico hizo que los extranjerismos con final consonántico duro lo conservasen frecuentemente en español arcaico *(ardiment* 'atrevimiento', *arlot* 'vagabundo, pícaro', *duc, franc, tost* 'en seguida'). Además, incrementó en voces españolas la apócope de *e* final tras consonantes y grupos donde apenas se perdía antes (véanse págs. 116 y 121) y donde más tarde ha vuelto a ser de regla la vocal *(noch* 'noche', *dix* 'dije', *recib* 'recibe', *mont, part, allend, huest, aduxist).* La acción espontánea de la fonética sintáctica, que tendía a apocopar los pronombres enclíticos *me, te, se, le* (véase pág. 149) o reducía *todo* a *tod, tot,* también encontró apoyo en el ejemplo del provenzal.

En los primeros decenios del siglo XIII, formas como *fuent, part, nom* 'no me', *tot* dominaban de tal modo en la lengua escrita, que a juzgar por el testimonio de los documentos notariales y de la literatura parecería que la contienda estaba decidida. Pero la incorporación de los inmigrantes extranjeros a la sociedad española se consumó a las dos o tres generaciones, salvo casos excepcionales como el de Navarra. Y esta acomodación tuvo por resultado un creciente abandono de sus tendencias lingüísticas originarias. Por otra parte, la excesiva influencia social de los "francos" despertó una reacción nacional que se hizo ver con creciente intensidad. En la épica, un personaje carolingio fue transformado por los juglares españoles en Bernardo del Carpio, supuesto vencedor de los franceses en Roncesvalles. Durante el reinado de Fernando III disminuye grandemente el número de obispos ultramontanos en Castilla y León. Todo ello concurre a que entre 1225 y 1252 se advierta algún decrecimiento de la apócope (1).

*Old Spanish of the twelfth and thirteenth centuries,* Romanic Review, 1916, VII, págs. 369-413, y reseña de A. CASTRO, Rev. de Filol Esp., VI, 1919, 329-331.

(1) Véase R. LAPESA, *La apócope de la vocal en castellano an-*

DIALECTALISMO.

En los textos arcaicos destaca la vitalidad de las hablas locales, incluso en territorios de un mismo dialecto; dentro de Castilla el Cantar de Mio Cid presenta caracteres especiales de la Extremadura soriana (véase pág. 134); el Auto de los Reyes Magos ofrece el diptongo *uo* (mal transcrito, unas veces, *pusto*, otras *morto)* y *clamar* en vez de *llamar*, probablemente por reflejo del habla toledana; en la *Disputa del alma y el cuerpo*, compuesta en la parte septentrional de Burgos, hay *huemne* por 'hombre', conjunción *ĕt* diptongada *ie*, y otras particularidades extrañas; y en los poemas de Berceo son muy abundantes los riojanismos. No se había llegado a la unificación del castellano literario.

Sin embargo, el castellano se iba generalizando como lengua poética del Centro a costa del leonés y aragonés. En la *Razón de amor*, delicado poema juglaresco de hacia 1205, el conjunto del lenguaje es aragonés, pero con los castellanismos *ojos, orejas, bermeja, mucho.* En la *Vida de Santa María Egipçiaca* y el *Libre dels tres Reys d'Orient*, algo posteriores, abundan grafías y rasgos fonéticos aragoneses *(peyor, seya, aqueixa, aparellada,* etc.), pero el fondo es casi castellano; más aún en el *Apolonio.* Los dos manuscritos más completos del *Libro de Alexandre* son fuertemente dialectales, leonés uno, aragonés el otro; pero ambos emplean a menudo formas castellanas como *semejar, fijo, fecho, trecho,* en lugar de *semellar, fillo, feito, treito.* Para el *Apolonio* y el *Alexandre* se ha pensado que los originales fuesen castellanos (1); pero aun así el hecho

---

tiguo. *Intento de explicación histórica*, Estudios dedicados a Menéndez Pidal, II, 1951, 185-226.

(1) Véanse C. C. MARDEN, *Libro de Apolonio*, II, 1922, 19-23; E. MÜLLER, *Sprachliche und Textkritische Untersuchungen zum altspanischen L. de Alexandre*, 1910, y E. ALARCOS LLORACH, *Investigaciones sobre el Libro de Alexandre*, 1948.

— 146 —

de que los copistas no generalizasen el dialectismo muestra cómo la recitación de poemas épicos, ya secular entonces, había afirmado el predominio del castellano sobre sus vecinos laterales, que desde el primer momento evitan manifestarse plenamente en la literatura.

PRONUNCIACIÓN ANTIGUA (1).

El español distinguió hasta el siglo XVI fonemas que después se han confundido, y en algunos casos han sido sustituídos por otros nuevos.

La *x* de *ximio, baxo, exido, axuar* sonaba como en el asturiano *Xuan,* el gallego *peixe* o los catalanes *mateix, xic;* era, pues, una fricativa prepalatal sorda *(š)* semejante a la *sc* del italiano *pesce* o a la *sh* inglesa. Con *g* o *j* y también con *i* (*gentil, mugier, jamás, consejo* o *conseio, oreja* u *oreia)* se transcribía un fonema prepalatal sonoro ordinariamente africado *(dž),* análogo al italiano de *peggio* o al inglés de *gentle, jury;* es probable que en ciertos casos, sobre todo entre vocales, se hiciera fricativo *(ž),* articulándose entonces como hoy en el portugués *vejo* o en el catalán *ajudar.*

La sibilante *c* (ante *e, i)* o *ç* se pronunciaba *ts* (*cerca = tserca, braço = bratso),* como la *z* italiana de *forza.* En cambio, la *z* del español antiguo equivalía a *ds* con *s*

---

(1) Véanse RUFINO JOSÉ CUERVO, *Disquisiciones sobre la antigua ortografía y pronunciación castellana,* Revue Hispanique, II, 1895, y V, 1898, así como la nota 1 a la Gramática de Bello: J. D. M. FORD, *The Old Spanish Sibilants,* Studies and Notes in Philology, II, 1900; H. GAVEL, *Essai sur l'evolution de la prononciation du castillan dépuis le XIVᵉ siècle,* Paris, 1920; R. MENÉNDEZ PIDAL, *Manual de Gramática histórica española,* 6.ª edición, 1941, § 35 bis, y AMADO ALONSO, *Examen de las noticias de Nebrija sobre antigua pronunciación española,* Nueva Rev. de Filol. Hisp., III, 1949, págs. 1-82, y *De la pronunciación medieval a la moderna en español,* I, 1955. Véase, además, pág. 245, nota.

sonora, como en los italianos *mezzo, razzo* (ant. *jazer* = *jadser, vezino* = *vedsino*).

Entre vocales, la *s* era sonora, como la catalana de *roser, presó;* así se distinguía de la *ss,* que era sorda, como la nuestra actual de *casa, piso, viniese.*

La articulación de la *b* difería de la de *v:* la *b* se pronunciaba oclusiva, con cierre completo de los labios *(cabeça, embiar, lobo),* mientras que la *v,* escrita también *u (cavallo* o *cauallo, aver* o *auer),* era fricativa. En Castilla y regiones del Norte, sobre todo en las zonas lindantes con el País Vasco, la *v* debía de articularse bilabial, pues se confundía frecuentemente con la *b* (1). En comarcas del Sur, parece haber sido labiodental, y más firme su distinción respecto de la *b.*

En resumen: el sistema consonántico medieval poseía cuatro fonemas *(š, ž, ts* y *ds)* desconocidos en el moderno; otros cuatro sonidos *(s* sorda y sonora, *b* fricativa y oclusiva) existen hoy, pero los componentes de cada pareja han perdido su individualidad fonemática, convirtiéndose en meras variantes de un solo fonema. Aunque la evolución fonética había hecho que diversos sonidos y grupos latinos coincidieran en un mismo resultado, la oposición entre *lexos* y *ceja, creçer* y *dezir, rosa* y *espesso, saber* y *aver,* respondían a la diferencia etimológica entre l a *x* u s y c i - l i a , c r e s c e r e y d i c e r e , r o s a y s p i *s* s u , s a - p e r e y h a b e r e . Desde el siglo XVI, más desligado de la etimología, el español articula igual la *j* de *lejos* y la de *ceja,* la *c* de *crecer* y de *decir,* la *s* de *rosa* y de *espeso,* la *b* de *saber* y la de *haber* o la de *lavar.* La herencia latina era más fuerte en la fonología medieval que en la nuestra.

---

(1) En los manuscritos de Berceo aparecen *sauidor, saue, baie, licba* (Milagros, 94, 304, 310). En escrituras de Campó, Alava, Burgos y Valladolid figuran entre 1388 y 1432 *bieren, varrio, Bitoria, labrada, labrar, abedes, debisa, Salbador* (MENÉNDEZ PIDAL, *Docs. Lingüísticos,* 35º, 146º, 207º y 233º). Véanse pág. 28 y Adiciones a ella.

INSEGURIDAD FONÉTICA.

El español de los siglos XII y XIII es una lengua sin fijeza, abandonada a tendencias espontáneas que, desarrollándose sin trabas, se entrecruzan y contienden. A las variedades geográficas se añaden las vacilaciones que, dentro de cada dialecto, hay entre diversos usos fonéticos, morfológicos y sintácticos (1).

Aunque Berceo empleó todavía *vendegar* ( < v ĭ n - d ĭ c a r e ) por *vengar*, y hay algunos ejemplos similares más tardíos (2), es raro encontrar ya casos de vocal protónica o postónica conservada, fuera de los que han durado hasta hoy; pero estaba aún reciente el recuerdo de la vocal perdida, lo que impedía el ajuste de las consonantes. Se decía *limde* o *limbde, comde, semdero, semnadura, vertad, setmana, judgar* o *jutgar, plazdo,* al lado de *linde, conde, sendero, sembradura, verdad, semana, juzgar, plazo.* Se admitían, pues, como finales de sílaba sonidos que más tarde no han podido serlo, salvo en cultismos: las dentales de *setmana, judgar,* la *m* de *comde,* o las labiales de *riepto, cobdo.*

Igual ocurría en final de palabra. Por una parte, el lenguaje del siglo XII ofrece, aunque muy en decadencia, mantenimiento de la *e* latina en casos donde más tarde había de ser forzosa la pérdida, esto es, tras *r, s, l, n, z* y *d (pendrare, Madride* . Pero al mismo tiempo la caída de la vocal final se propagó con extraordinaria virulencia después de otras consonantes y grupos (véase pág. 144). Podían así coincidir en un mismo texto el criterio más conservador y el más neológico: el Auto de los Reyes Magos usa *pace* y

(1) Véase R. MENÉNDEZ PIDAL, *Cantar de Mio Cid, Texto, Gramática y Vocabulario,* Madrid, 1908-1911, y las Adiciones insertas en la segunda edición, tomo III, 1946.

(2) Aparecen *Uereçosa* 'Berzosa', 1259; *otórigo, otorigamos,* 1285; *comperar* 'comprar', 1293 (*Documentos Lingüísticos del Reino de Castilla,* publicado por R. MENÉNDEZ PIDAL, 33°, 67° y 331°).

*biene* 'bien' ( < b ĕ n e ) junto a *achest*. Desde principios del siglo XIII son rarísimos los ejemplos de *e* tras alveolares, *z* y *d*, y formas como *verament, omnipotent, fuert, fizist* quedan entonces menos en desacuerdo con la evolución natural de la lengua.

La relajación de la sílaba final no se limita a la vocal, pues solía ensordecer la consonante que la precedía o cambiar su articulación. La *v* final se hacía *f: nube > nuf, nueve > nuef, nave > naf, ove > of* 'hube'. La *ž* pasaba a *š: homenaje > omenax*. La *g* aparece transformada en *k: Rodrigo > Rodric, Diago > Diac*. Y la *d* tomaba un sonido probablemente asibilado que ora se escribía con *d (poridad, verdad, sabed)*, ora con *t (poridat, verdat, sabet)*. Menos consistencia que esta dental final romance mostraba la *t* final latina, aunque durante el siglo XII abunda todavía como *t* o como *d* en la tercera persona del verbo *(serat, fágat, veniet, serviot, éxid, vénid, diod, vernad, tornarad, pidiodle, levantodse,* junto a *seía, quiso, iudgó,* etc.).

El timbre de las vocales átonas estaba sujeto a todas las vacilaciones producidas por la acción de otros sonidos. La pronunciación fluctuaba entre *mejor* y *mijor, menguar* y *minguar, Sebastián* y *Sabastián, soltura* y *sultura, forçudo* y *furçudo, trobado* y *trubado, cobdicia* y *cubdicia, voluntad* y *veluntad, dizir* y *dezir,* etc. Otro tanto ocurría en las consonantes: *çerviçio, lleño, llaño* o *laño* se daban junto a *servicio, llono* y *llano.*

Las alteraciones fonéticas rebasaban los límites de los vocablos y alcanzaban a la frase. Los pronombres enclíticos *me, te, se, le* se apocopaban apoyados en participios, gerundios, pronombres y sustantivos ("venídom es deliçio", "éstot lidiaré", "alabándos ivan", "una ferídal dava") aparte de los casos más generales *diot, quem, nol, ques,* donde la apócope tenía notable regularidad. Los sonidos de distintas voces en contacto se fundían o entremezclaban en conglomera-

dos: además de *gelo* (<ĭllī ĭllum) (1) y de *vedallo*
'vedarlo', *aoralo* 'adorarlo', *adobasse* 'adobarse', *dalde* 'dadle', que han tenido larga duración, había deformaciones
fortuitas como *nimbla* 'ni me la', *tóveldo* 'túvetelo', *yollo*
'yo te lo', *vo'lo digo* 'vos lo digo' *sio* 'si yo', *sin* 'si me',
*fústed* 'fuístete', *dandos* 'dadnos'. La forma de ciertas palabras variaba de manera normal según los sonidos iniciales
de la voz siguiente: el título *doña* elidía su *a* ante vocal ("*don* Elvira *e doña* Sol"); multum daba *much* ante
vocal ("*much* extraña") y *muy* ante consonante ("*muy*
fuert"); igual alternancia presentaban las formas *el* y *la*
del artículo femenino (*el* espada, *el* ondra, *el* una, frente a
*la* cibdad, *la* puerta) (2). Los nombres propios masculinos
solían apocoparse cuando les seguía el patronímico: *Marti-
no, Ferrando* pasaban a *Martín Antolínez, Ferrand Gon-
çalez.*

IRREGULARIDAD Y CONCURRENCIA DE FORMAS.

El extraordinario desarrollo de la evolución fonética
impedía la regularización del sistema morfológico. Aparte
de los contrastes que ofrece nuestra conjugación actual
(*morimos-muero-muramos, tengo-tienes, visto-vestir, digo-
dices,* quiero-*quise*), la lengua antigua conservaba otros
(*tango-tañes* o *tanzes, vine-veno*), en especial los produ-
cidos por el mantenimiento de abundantes pretéritos y participios fuertes, por ejemplo, *sove, crove, mise, tanxe, conuve, cinxe, cinto, repiso, erecho,* para los verbos *seer, creer,
meter, tañer, conoçer, ceñir, repentirse, erzer.*

(1) Esta aglutinación pronominal equivalía a nuestro *se lo* no
reflexivo de "se lo di". Su evolución fonética había sido: ĭllī-
ĭllum > *elielo > *eželo > želo = *gelo.*
(2) El artículo ĭlla dio *ela,* que se reducía a *el* ante cualquier
vocal (hoy sólo ante *a* acentuada, *el* alma, *el* águila, *el* hambre) y
pasó a *la* ante consonante.

La flexión heredada del latín convivía con formas analógicas. Junto a *mise* ( < m i s i ) había *metí; cinxe, conuve* o *escriso* ( <c i n x i , c o g n o v i , s c r i p s i t ) contendían con *ceñí, conocí, escribió*. Añádase el gran número de duplicidades a que daba lugar la inseguridad fonética *(valeval, dixe-dix, amasse-amás; dizía-dizíe-dizí-dizié; comeré-combré, feriré-ferré)*; las procedentes de dobletes latinovulgares ( f ŭ s t i > *foste*, f u i s t i > *fueste;* d o r m ī - m u s > *dormimos*, d o r m ī ĭ m u s > *durmiemos);* las confluencias de formas que habían sido independientes en latín, como *cantaro, pudiero* ( - a v ĕ r o , p o t u e r o ) y *cantare, pudiere* ( - a v ĕ r i m , p o t u e r i m ) ; las bifurcaciones e intervenciones anómalas de la analogía *(perdudo-perdido, guarir-guarecer; andide-andude-andove);* y así podremos tener una idea del estado caótico en que se hallaba la flexión arcaica. Valga como ejemplo la segunda persona del pretérito: era dable elegir entre *feziste, fiziste, fizieste, fezist, fizist, fiziest, fezieste* y *feziest;* en total, ocho formas. Igual anarquía dominaba en el nombre y pronombre: concurrían *aqueste* y *este,* con sus correspondientes apócopes *aquest, est* y con los regionalismos *aquesti, esti.*

SINTAXIS.

También se daban a un tiempo usos sintácticos contradictorios. Los verbos intransitivos se auxiliaban de ordinario con *ser*: "un strela *es nacida*", *son idos, exidos somos, son entrados*. Pero aparecía ya *aver*: "a Valencia *an entrado*" "*arribado an* las naves". Igual ocurría con los verbos reflexivos: "de nuestros casamientos, agora *somos vengados*", "se *era alçado*", frente a "asaz te *as* bien *escusado*".

En los tiempos compuestos con *aver*, el participio concuerda por lo general con el complemento directo: *"la ave-mos veída* e b i [ e ] n e *percibida"*, *"no la* avemos usada" (Auto de los Reyes Magos); "estas *apreciaduras* mio Çid *presas* las ha", *"çercados nos* han". Sin embargo, desde los primeros textos se da también el uso moderno con partici-pio invariable: "tal *batalla* avemos *arrancado"*, *"esta alber-gada* los de mio Cid luego la an *robado"*.

Sea por latinismo, por conservación arcaizante o por galicismo, el participio activo tiene bastante uso en algunos textos: "un sábado *esient,* domingo *amanezient,* vi una visión en mio leio *dormient"* (Disputa del alma y el cuerpo); "todos *eran creyentes* que era transida" (Apolonio). En Berceo es especial la abundancia: *"murmurantes* estamos" "todos sus *conoscientes"*, *"merezientes* érades de seer en-forcados", *"entrante* de la iglesia enna somera grada". Muy en boga está la perífrasis con adjetivo verbal de agen-te: "tembrar querié la tierra dond *eran movedores"* 'de donde partían', "arrancar moros del campo e *seer seguda-dor"* 'perseguirlos' (Mio Cid); "Elisabet su fembra li *fué otorgador,* de todo *fué* el fijo después *confirmador"* (Ber-ceo).

La negación se refuerza con términos concretos y pin-torescos, sobre todo en expresiones peyorativas que hoy tienen semejantes en el habla, pero no en la literatura. Muy corriente es "non lo preçio *un figo"*, "todo esto non vale *un figo".* En Berceo es notable la profusión y varie-dad de estas expresiones: "no lo preciaba todo quanto *tres cherevías"*, "non valién *sendos rabos de malos gavilanes"*, "non li valió todo *una nuez 'foradada".* De este origen es el indefinido *nemigaja* 'nada', usado hasta en las obras di-dácticas de Alfonso el Sabio.

Indeterminación de funciones.

La distribución de funciones gramaticales era menos rigurosa que en el español moderno. No había distinción completa entre *qual* y *el cual*: "Dios a *qual* solo non se encubre nada"; ni entre *cual* y *cualquiera que*: "en *qual* logar lo podredes fallar, yo lo iré adorar". El adjetivo confundía su función con la del adverbio, modificando globalmente al verbo y al sujeto: "sonrisós el rey, tan *vellido* fabló", "violos el rey, *fermoso* sonrisava".

Los modos y tiempos verbales tenían ya, en su mayoría, los significados fundamentales que hoy subsisten, pero con límites muy desdibujados. En el mandato, al lado del imperativo, podían usarse el presente o el imperfecto de subjuntivo: "por Raquel e Vidas *vayádesme* privado", "*de-* *.rássedes* vos, Cid, de aquesta razón". En oraciones subordinadas que hoy exigen subjuntivo aparece a veces el futuro de indicativo: "cuando los gallos *cantarán*", junto a "quando *fuere* la lid". La acción perfecta se expresaba, ora con la forma simple *llegastes,* ora con los compuestos *sodes llegado, avedes llegado;* lo mismo ocurría en el pluscuamperfecto: "assil *dieran* la fe e ge lo *avién jurado*".

Las conjunciones ofrecen abundantes ejemplos de plurivalencia. *Cuando* tomaba amplio sentido causal; "*quando* las non queriedes... ¿a qué las sacávades de Valencia?" ('puesto que no las queríais'). La modal *como* se empleaba en oraciones finales: "adúgamelos a vistas... *commo* aya derecho" (= 'a fin de que obtenga satisfacción'); o con mero valor anunciativo: "mandaré *commo* i vayan" (= 'que vayan allí'). La partícula *que* asumía los más varios empleos: anunciativa: "dixo *que* vernie"; causal: "partir se quieren, *que* entrada es la noch"; final: "un sombrero tien en la tiesta *que* nol fiziese mal la siesta" (= 'para que'); concesiva: *"que* clamemos merced, oydos non seremos" (= 'aunque'); restrictiva: "soltariemos la ganancia *que* nos diesse el cabdal" (= 'con sólo que'). Es cierto que el sistema conjuntivo era pobre, pero el uso múltiple de *que* no parece obedecer a falta de otros recursos. Existían *ca, porque, maguer,* y, sin embargo, las encontramos sustituídas muchas veces por el simple *que.* No se sentía necesidad de precisar por medio de conjunciones especiales los distintos matices de subordinación cuando se deducían fácilmente de la situación o del contexto.

ORDEN DE PALABRAS.

Domina ya el orden en que el regente precede al régimen: "tornava la cabeça", "vió puertas abiertas", "si oviese buen señor"; pero en el Cantar de Mio Cid abundan los restos de la construcción inversa; "vagar non se dan", "el agua nos han vedada", "pues que a fazer lo avemos". Poco a poco, los ejemplos de régimen antepuesto van haciéndose menos frecuentes.

El pronombre átono, esencialmente enclítico entonces, no podía colocarse ante el verbo después de pausa, ni cuando precedieran sólo las conjunciones *e* o *mas:* "partió*s* de la puerta", "acógen*sele* omnes de todas partes", "e mandó*lo* recabdar" (1). Norma semejante seguían *aver* y *ser* con participio o atributo: "dexado *ha* heredades", "nacido *es* Dios", "alto *es* el poyo". Ya en Berceo aparece el auxiliar encabezando frase: *"aviolo* el diablo puesto en grand logar". En cambio, la resistencia a que el pronom-

(1) Es raro encontrar ejemplos de pronombre antepuesto, como "iré, *lo aoraré*" del Auto de los Reyes Magos. Precedido de *e, y,* la anteposición era frecuente en cláusulas enlazadas con otra introducida por una conjunción subordinativa o por un pronombre relativo: "porque salí de la tierra sin so grado *ym* troxe ell aver"; "los quel mataron *yl* cativaron" (Crónica General, 42, *b,* y 282, *b*).

bre átono rompiera pausa se ha prolongado durante muchos siglos.

No había la separación actual entre las incongruencias del habla y la exactitud de la escritura. El español arcaico se contentaba con dar a entender, sin puntualizar; el oyente o lector ponía algo de su parte para comprender. Como frecuentemente ocurre en el lenguaje coloquial, la entonación sustituía a los recursos verbales (1). Destaca la supresión de nexos: "nós imos otrosí sil podremos falar" = 'nosotros vamos también [para ver] si podemos hallarlo' (Auto de los Reyes Magos); "tan gran sabor de mí avia, sol fablar non me podía" = 'tan gran placer tenía conmigo [que] ni siquiera me podría hablar'. (Razón de amor). A fuerza de emplearse sin partícula correlativa, *tanto* y *tan* llegaron a ser equivalentes de *mucho* y *muy:* "sano lo dexé e con *tan* gran rictad" = 'con muy gran riqueza'. Se omite con frecuencia el verbo *decir* ante su oración subordinada: "el mandado llegava que presa es Valencia" = '[diciendo] que ha sido tomada Valencia'; y no son raras las supresiones como "el que quisiere comer; e qui no cavalgue" = 'el que quisiere comer, [coma], y quien no, cabalgue'. Tampoco faltan alusiones a sustantivos inexpresos cuya idea se sobrentiende en otra palabra: "tienes por *desondrado*, más *la vuestra* es mayor" 'se considera deshonrado, pero vuestra deshonra es mayor'.

Las palabras se desplazan según impulsos imaginativos o sentimentales. Los ponderativos *tanto* y *mucho* se colocan a la cabeza de la frase, separándose de los nombres o adjetivos a que modifican: "*tanto* avién *el dolor*", "sospiró Mio Çid ca *mucho* avié *grandes cuidados*". "*Much* era *bien andant* Eneas". De igual modo se escinden el sustantivo y sus complementos, el nombre y el adjetivo, el adverbio y

---

(1) Véase A. BADÍA, *Els origens de la frase catalana*, Anuari del Institut d'Estudis Catalans, 1952, y Adiciones.

el adjetivo: *"yra* a *de rey"*, *"gentes* se le allegan *grandes"*, *"bien* era *cerrada"*.

En lugar del orden rectilíneo, domina la frase quebrada y viva, llena de repeticiones y cambios de construcción: "a *los de mio Çid* ya *les* tuellen el agua"; *"todas essas tierras, todas* las preava"; *"el moro,* quando lo sopo, plógol' de coraçón". Había la costumbre de repetir o anunciar la oración subordinada por medio de un pronombre neutro: "Bi[e]ne *lo* veo sines escarno, qué uno omne es nacido de carne"; "Por dar a Dios servicio, por *esso* lo fizieron"; *"Esto* gradesco yo al Criador, quando me las demandan de Navarra e de Aragón". Así se forman perífrasis conjuntivas como *"por esso* vos la do *que* la bien curiedes", *"por tal* fago aquesto *que* sirvan a so señor" = 'para que la cuidéis bien', 'para que sirvan a su señor'.

Miembros de la oración subordinada pasan a la principal: "Entendió *las palabras* que vinién por razón" = 'entendió que las palabras eran juiciosas' (Apolonio); "verán *las moradas* cómmo se fazen" (Cid); "paresce *de silençio* que non sodes usado" = 'parece que no estáis acostumbrados al silencio' (Berceo). La frase no da la impresión de una sucesión meditada, sino de un conjunto expresivo constituído por unidades móviles y entrecortadas:

> "Dios lo quiera e lo mande, que de tod el mundo es señor,
> d'aqueste casamiento, ques' grade el Campeador."
>
> "Una piel vermeja, morisca e ondrada,
> Cid, beso vuestra mano, en don que la yo aya."
>
> (Mio Cid, 2684-5, 178-9.)

La frase ganaría ciertamente rigor diciendo "Dios, que de todo el mundo es señor, quiera y mande que el Campeador tenga motivo de alegría con este casamiento", "Cid, os pido obtener en don una piel encarnada, morisca y valiosa". Pero la lengua antigua prefería la vivacidad espontánea y desordenada.

Vocabulario.

Es interesante observar que en español antiguo existían muchos términos, hoy desaparecidos, que han tenido mejor fortuna en otros idiomas románicos. Al lado de *cabeça, pierna, mañana, tomar, salir, rodilla, quedar,* vivían sus sinónimos *tiesta, camba* o *cama, matino, prender, exir, inojo, rastar* o *remanir,* correspondientes a los vocablos franceses *tête, jambe, matin, prendre, trouver, genou, rester;* italianos *testa, mattino, trovare, uscire, ginocchio, restare;* catalanes *cama, matí, pendre, trobar, genoll, romanir.* La alternancia de unos y otros demuestra que el léxico castellano no había acabado de escoger sus palabras más características (1). Tal vez la fuerte influencia extranjera contribuyese a mantener la indecisión.

No faltan latinismos desde los textos más antiguos. En Mio Cid hay *laudar, mirra, tus* 'incienso', *vigilia, vocación, voluntad, monumento* 'sepulcro', *oraçión;* en el Auto de los Reyes Magos, *escriptura, çelestial, encenso, retóricos.* Semicultismos como *tránsido, omecidio, gramatgos, vertud,* eran muy frecuentes.

El lenguaje épico.

Los poemas heroicos se proponían evocar, engrandeciéndolos, hechos pasados, reales o ficticios, ante el auditorio de los castillos y las plazas, encariñado con sus leyendas. La narración discurría llena de expresiones cristalizadas por la tradición y repetidas como fórmulas rituales. En el Cantar de Mio Cid, el nombre del héroe va acompañado de

---

(1) Véase H. Corbató, *La sinonimia y la unidad del Poema del Cid,* Hispanic Review, IX, 1941.

la frase *el que en buen hora nació* o *el que en buen ora ciñó espada;* los caballeros valerosos reciben el epíteto de *ardidas lanzas,* y su máxima proeza en el combate consiste en que la sangre enemiga les gotee hasta el codo después de haber teñido la espada, *por el cobdo ayuso la sangre destellando;* la meditación se indica siempre con el verso *una grant hora pensó e comidió;* y el dolor de la separación, con una comparación afortunada, *asís parten unos de otros como la uña de la carne.* Había, pues, una fraseología consagrada, grata a los juglares y al público.

La épica conserva usos lingüísticos arcaizantes, que daban sabor de antigüedad al lenguaje, a tono con la deseada exaltación del pasado, y que a la vez servían para encontrar asonancias. Por eso nuestros poemas mantenían en las rimas la *e* final de *laudare, male, trinidade, señore,* y añadían esta *e* a palabras que originariamente no la tenían: *sone* 'son', *vane* 'van', *diráde* 'dirá', *consejárade* 'aconsejará', *alláe* 'allá' (1). Destinada a un público señorial, la epopeya evita las palabras que pudieran ser demasiado vulgares: el Cantar de Mio Cid prefiere *siniestro* y *can* a *izquierdo* y *perro,* considerados, sin duda, como voces plebeyas.

Las juglares extremaban la libertad sintáctica, empleando giros especiales como las aposiciones *Atiença las torres, Burgos la casa, Burgos essa villa, París essa ciudad,* en vez de usar *de,* 'las torres de Atienza', 'la ciudad de París'. Aprovechaban construcciones usadas en el lenguaje coloquial, pero nunca tan frecuentes en la literatura como en los textos épicos. Así llegó hasta el Romancero la profusión de demostrativos, que acentuaba el poder evocativo del relato ("Sobre todas lo lloraba / *aquesa* Urraca Hernando; / ¡y cuán bien que la consuela / *ese* viejo Arias Gon-

---

(1) R. MENÉNDEZ PIDAL, *La forma épica en España y en Francia,* en Revista de Filología Española, XX, 1933.

zalo"). También la perífrasis *querer* + infinitivo con el sentido de 'ir a', 'estar a punto de' ("Media noche era por filo, los gallos *querían cantar*"). En las enumeraciones es típico el empleo de *tanto,* más expresivo, en lugar de *mucho:*

> "Veriedes *tantas* lanças premer e alçar
> *tanta* adáraga foradar e passar,
> *tanta* loriga falssar e desmanchar,
> *tantos* pendones blancos salir vermejos en sangre,
> *tantos* buenos cavallos sin sus dueños andar..."

(Mio Cid, 727-31.)

> "Vieron mil moros mancebos — *tanto* albornoz colorado,
> vieron *tanta* yegua overa, — *tanto* caballo alazano,
> *tanta* lanza con dos fierros, — *tanto* del fierro acerado,
> *tantos* pendones azules — y de lunas plateados..."

(Romance del obispo don Gonzalo.)

El uso de los tiempos verbales era particularmente anárquico. El narrador saltaba fácilmente de un punto de vista a otro; tan pronto enunciaba los hechos colocándolos en su lejana objetividad (pretérito indefinido), como los acompañaba en su realización, describiéndoles (imperfecto). Hasta el pretérito anterior o el pluscuamperfecto perdían su valor fundamental de prioridad relativa para tomar el de simples pasados. De pronto la acción se acercaba al plano de lo inmediatamente ocurrido (perfecto), o disfrazada de actualidad presente, discurría más real —como si dijéramos, visible— ante la imaginación de los oyentes:

> "*Partiós* de la puerta, por Burgos *aguijava*
> *llegó* a Sancta María, luego *descavalga,*
> *fincó* los inojos, de coraçon *rogava*..."

> "al rey Fáriz tres colpes *le avié dado*
> los dos le *fallan* y el unol *ha tomado*...
> *bolvió* la rienda por írsele del campo.
> Por aquel colpe *rancado* es el fonssado."

"Martín Antolínez, el burgalés complido,
a mio Cid e a los sos *abástales* de pan e de vino,
non lo *compra*, ca el se lo avié consigo;
de todo conducho bien los *ovo bastidos.*
*Pagós* mio Cid, el Campeador complido,
e todos los otros que *van* a so çervicio.
*Fabló* mio Cid, odredes lo que *a dicho.*"

La rapidez de esta transición y la expresiva espontaneidad de la sintaxis hacen que la marcha del Cantar esté llena de viveza. A evitar el hieratismo contribuye también la frecuencia con que el juglar pasa, sin previo anuncio, al discurso directo, dramatizando la narración con el diálogo (1).

El tono es vigoroso; hay versos cuya energía varonil parece un eco del fragor del combate:

"Abraçan los escudos delant los coraçones
abaxan las lanças abueltas con los pendones,
enclinavan las caras sobre los arzones,
batién los cavallos con los espolones..."

(Mio Cid, 3615-7.)

Pero también, con sobria dignidad, hablan en el Poema del Cid sentimientos más suaves: el amor conyugal, "commo a la mie alma yo tanto vos quería"; la profundidad íntima del dolor, "¿a quém descubriestes las telas del coraçón?"; la incertidumbre del futuro, "agora nos partimos, Dios sabe el ajuntar"; la admiración ante la hermosura de la naturaleza, "ixié el sol ¡Dios, qué fermoso apuntava!". Son escapes de fuerza concentrada; su eficacia consiste en que el juglar prefiere la emoción contenida a la blandura

(1) Véanse EWALD KULLMANN, *Die dichterische und sprachliche Gestalt des "Cantar de Mio Cid"*, Romanische Forschungen, XLV, 1931; DÁMASO ALONSO, *Estilo y creación en el Poema del Cid*, en *Escorial*, 1941, págs. 333-372, y AMÉRICO CASTRO, *España en su Historia*, 1948, págs. 253-272 y 488-490. Para el lenguaje del Romancero, véase L. SPITZER, *Stilistisch-Syntaktisches aus den spanisch-portugiesischen Romanzen*, Zeitsch. f. r. Ph., XXXV, 1911.

de las efusiones. Una repetición de versos basta para subrayar los momentos de mayor exaltación o patetismo. Con un rasgo certero queda sorprendida una actitud, retratado un personaje, insinuada una situación:

> "El conde es muy follón, e dixo una vanidat..."

> "Asur Gonçalez entrava por el palacio,
> manto armiño e un brial rastrando,
> bermejo viene, ca era almorzado."

Nada tan completo y sintético como el insulto que Pero Vermúdez arroja a uno de los infantes de Carrión:

> "¡E eres fermoso, mas mal varragán!
> Lengua sin manos, ¿quómo osas fablar?"

Igual que su héroe, el poeta de Medinaceli sabía encontrar la expresión justa y comedida; como el Cid, "fablaba bien e tan mesurado". En su obra el idioma presentaba ya sus caracteres más permanentes: aliento viril y movilidad afectiva. Su ulterior elaboración literaria le había de prestar flexibilidad y justeza.

EL MESTER DE CLERECÍA.

Hacia 1230 comienzan a aparecer poemas narrativos de tipo muy distinto al juglaresco. La "nueva maestría", sencilla y candorosa en Berceo, muestra en el *Apolonio*, y sobre todo en el *Alexandre*, un sentimiento de superioridad. Es la primera escuela de escritores sabios.

Los poetas del mester de clerecía, aunque componían sus obras en *román paladino* para que las entendiera el público no letrado, eran hombres doctos, con saber suficiente para tomar de textos latinos los asuntos de sus poemas, ya fueran leyendas piadosas o narraciones relativas a la anti-

11

güedad pagana. Es natural que en sus escritos se refleje el conocimiento del latín en abundantes cultismos: Berceo usa el superlativo *dulcíssimo*, y, además, *abysso*, 'abismo', *convivio, exaudido, exilio, illeso, leticia, flumen, honorificencia*, entre otros muchos; el Apolonio, *condición, conturbado, lapidar, malicia, ocasión, unción, ídolo, vicario;* el Alexandre, *prólogo, tributario, silogismo, licencia, versificar, elemento, qualidad, femenino*, etc.

Por otra parte, aunque en la épica castellana lo heroico no se desprendió nunca de una base histórica o de la inmediatez a la realidad, los juglares trataban de elevar los hechos que narraban, y para conseguirlo se esforzaban por infundir dignidad a la expresión. Los poetas de clerecía tenían una actitud muy distinta: sus producciones versaban sobre asuntos que poseían el prestigio de la religión o pertenecían al mundo antiguo, remoto o desconocido para los oyentes; se imponía, pues, un acercamiento del autor a la mentalidad del público, y el lenguaje, aunque más latinizante que el de la épica, era menos escogido; desciende a menudo hasta la vulgaridad, y emplea, por tanto, muchas palabras desdeñadas por la literatura del siglo XII.

La variedad de temas, que no se limitaban ya al relato de hazañas guerreras, favorecía el uso de un léxico más amplio que el de los juglares épicos. Las descripciones sorprenden escenas vivas y concretas de la realidad: gentes que al toque de vísperas acuden a la iglesia "con pannos festivales, sus cabezas lavadas, / los varones delante e après las tocadas", mientras una mujer prefiere "fer su massa, delgazar e premir, / ir con ella al forno, su voluntat complir" (Berceo, Sto. Dom. 588-9); en la primavera "cantan las donzelletas, son muchas, a convientos, / fazen unas a otras buenos pronunciamientos", mientras los chiquillos, "los monagones", luchan "en bragas, sen vestidos" (Alexandre). Hasta en el anuncio del Juicio final aparece el detalle nimio

y pintoresco: "non fincará conejo en cabo nin en mata"
(Berceo). Este realismo ingenuo no se contenta con enun-
ciar una idea; necesita concretarla en una serie de aspectos
parciales: Berceo, refiriéndose al ayuno observado por el
Bautista, dice que "abrenunció el vino, xidra, carne e pez".
Si se cuenta que por intercesión de Santo Domingo sana-
ron muchos enfermos, viene en seguida la especificación:
"los unos de los piedes, los otros de las manos".

Abundan las comparaciones y metáforas, escasas en la
épica: el autor del Alexandre, anunciando la cercana muerte de su protagonista, dice:

> "Tal es la tu ventura e el tu principado
> *como la flor del lilio que se seca privado.*"

y Berceo expresa en una serie de símiles la creciente virtud de Santo Domingo de Silos:

> "*Tal era como plata* moço quatrogradero,
> *la plata tornó oro* quando fué epistolero,
> *el oro margarita* en evangelistero;
> quando subió en preste *semejó al luzero.*"

Aunque el estilo tiene muchos resabios de escuela, derivados algunos de la estrofa invariablemente usada, la expresión cobra muchas veces acento personal. A Berceo le
"sale afuera la luz del coraçon" en la riqueza de diminutivos, de intimidad afectiva unos ("tanto *la mi almiella* sufría
cuita mayor"), despectivos otros ("algún *maliello* que valía
*poquillejo*") y llenos los demás de expresividad pintoresca
("la oración que reza el preste *callandiello*"). Los santos
de que habla le son familiares, y llama *pastorciello* a Santo
Domingo de Silos, o *serraniella* a Santa Oria, que en la
niñez "con ambos sus *labriellos* apretava sus dientes / que
non saliessen dende palabras desconvenientes"; Dios pro-
tege la virtud de San Millán "como guarda omne a su *ni-*

*ñita*", a las niñas de los ojos (1). En Berceo y en el *Alexandre* no son raras las notas de ironía socarrona, y el *Apolonio* acierta a dar suaves sensaciones de melancolía.

Así como en los poemas del mester de clerecía se revela el dominio técnico de la versificación regular, "a sílabas cuntadas", así también la base gramatical que el latín había proporcionado a sus autores da más precisión y fijeza al lenguaje; pero son obras prolijas, lentas. Antonio Machado las ha definido exactamente: "monótonas hileras / de chopos invernales, en donde nada brilla, / renglones como surcos de pardas sementeras". El rigor métrico y el relativo orden sintáctico cuestan un sacrificio: el de la soltura y sabrosa vivacidad del Cantar de Mio Cid.

---

(1) Véase Fernando González Ollé, *Los sufijos diminutivos en castellano medieval*, Madrid, C.S.I.C., 1962, 17-26.

# IX. LA ÉPOCA ALFONSÍ Y EL SIGLO XIV

CREACIÓN DE LA PROSA ROMANCE:
ALFONSO EL SABIO.

Mientras la poesía romance del Centro peninsular conseguía un cultivo cada vez más amplio, las primeras manifestaciones de la prosa carecen de finalidad literaria: son fueros y documentos en que el romance se mezcla con el latín, algunos lacónicos anales, algún cronicón, un manual para confesores. Bien es verdad que desde los días del arzobispo toledano don Raimundo existía una práctica que, sin dejar por el momento huella escrita en lengua vulgar, fue para ésta un eficaz ejercicio de exposición didáctica: en las traducciones de obras árabes o hebreas colaboraban un judío, que hacía una versión oral romance, y un cristiano, que trasladaba esta versión romance al latín. Tal procedimiento llevaba ya un siglo de uso en tiempo de Fernando III († 1252), cuando aparecieron catecismos político-morales y colecciones novelísticas como el *Calila y Dimna* (1251) en traducciones castellanas cuya sintaxis trasluce fuertemente la de los textos árabes originarios. La construcción se reduce casi a una sucesión de oraciones simples enlazadas por la conjunción copulativa: "entendet estas palabras, e cuidat en ellas, e guiatvos por el fecho de Dios en todas vuestras cosas; e sea vuestro aguazil uno, e metedlo en conseio..." (Poridat de poridades, catecismo político-moral traducido del árabe). A mediados del siglo XIII la frase va haciéndose más variada, augurando el próximo florecimiento de la prosa (1).

El Calila fue trasladado por orden del entonces infante don Alfonso, que al año siguiente heredaba el trono de Castilla y León. Su reinado (1252-1284) es un período de intensa actividad científica y literaria dirigida por el mismo rey. En torno a Alfonso X se congregan juglares y trovadores, jurisconsultos, historiadores y hombres de ciencia. Prosigue la costumbre de que en las versiones de lenguas orientales trabajen emparejados judíos y cristianos, y fruto de su labor conjunta son varias traducciones latinas; pero es más frecuente que la obra quede en romance y que el cristiano ponga en castellano más literario la versión oral de su compañero. Esta preferencia por un texto romance, absteniéndose de pasarlo al latín, respondía a los afanes del monarca en punto a difusión de la cultura; pero es indudable que obedeció también a la intervención de los judíos, poco amigos de la lengua litúrgica cristiana (2). La conse-

(1) Para otros arabismos estilísticos y sintácticos de la prosa arcaica, véanse G. DIETRICH, Syntaktisches su Kalila wa Dimna, Beiträge zur arabisch-spanischen Uebersetzung Kunst, 1937; J. OLIVER ASÍN. Historia de la Lengua Española, 6.ª ed., 1941, pág 60. y A. GALMÉS DE FUENTES. Influencias lingüísticas del árabe en la prosa medieval castellana. 1956.

(2) Véanse A. G. SOLALINDE, Intervención de Alfonso X en la redacción de sus obras, Rev. de Filol. Esp., II. 1915. 283-288: F. S PROCTER. The Scientific Activities of the Court of Alfonso X of Castile: The King and his Collaborators. Modern Lang. Rev., XL. 1945. 12-19: GONZALO MENÉNDEZ PIDAL, Cómo trabajaron las escuelas alfonsíes. Nueva Rev. de Filol. Hisp, V. 1951. 363-380: AMÉRICO CASTRO. España en su historia. 1948. 478-486. La realidad histórica de España, 1954, 451-468: G. HILTY. prólogo a El libro conhlido en los iudizios de las estrellas de Aly Aben Ragel, 1954; y GALMÉS, Influencias, 2-9.

cuencia fué la creación de la prosa castellana. El esfuerzo aunado de la corte alfonsí dió como resultado una ingente producción: las *Cantigas,* el más copioso cancionero dedicado a la Virgen; obras jurídicas que culminan en el admirable código de las *Siete Partidas;* una historia de España, la *Primera Crónica General,* y otra universal, la *General Estoria;* tratados de astronomía, mineralogía y astrología (*Saber de Astronomía, Lapidario, Libro de las Cruces);* obras relativas a juegos y entretenimientos (*Libro de Ajedrez),* y una serie de traducciones y adaptaciones que, si no proceden todas directamente del Rey Sabio, fueron hechas siguiendo su ejemplo, en la corte o fuera de ella. Muerto Alfonso X, continuó la labor iniciada por él, y algunas de sus obras se acabaron durante los reinados de sus sucesores.

En producción tan extensa y en que intervenían tantos colaboradores, no es exigible la absoluta uniformidad de criterio lingüístico: unos tratados del *Saber de Astronomía,* ofrecen ciertos caracteres leoneses: en otros hay provenzalismos o catalanismos como *crepúscol, ponent* o *perpendicle.* Los primeros capítulos de la *Crónica General,* compuestos hacia 1270, tienen arcaísmos que no aparecen, con tanta intensidad por lo menos, en los capítulos restantes, escritos más tarde. La diferencia entre unos y otros nos ilustra acerca de la fijación interna de la lengua a lo largo del reinado de Alfonso X. La parte más vieja de la Crónica presenta, como los textos del siglo XII o principios del XIII, gran intensidad en la pérdida de la *e* final (*trist, quebrantest, recib, adux* 'aduie', *pued),* que es muy general en los pronombres enclíticos (*dim* 'dime', *tomét* 'te tomé', *quet la dará, quem lo faze),* y amalgamas fonéticas de palabras distintas (*quemblo* 'que me lo', igual al *nimbla* 'ni me la' de Mio Cid, *mayuntasse* 'me ayuntase', *té perdudo* 'te he perdido', *marid e mugier, poc a poco, tod esto)*. En la parte más reciente la lengua de la Crónica posee mayor fijeza. Disminuye ostensiblemente la pérdida de *e* final, y sin llegar a una regularidad completa (queda todavía alguna alternancia entre *mont* y *monte, pris* y *prise,* etcétera), domina el mantenimiento de la vocal en las palabras que hoy la conservan; desaparecen las formas reducidas, *m, t* por *me, te* enclíticos y amengua *s* por *se,* quedando sólo como normal el uso de *l* en lugar de *le.* De igual modo tienden a eliminarse las alteraciones producidas por el contacto fortuito de unas palabras con otras: no es tan frecuente ya encontrar *tod esto* o casos similares, y faltan en absoluto los conglomerados como *quemblo.*

En este cambio fue decisiva la intervención del rey, que no se contentó con tener *emendadores* del lenguaje, sino que actuó personalmente en la corrección. Desde las primeras obras que salen de su corte se advierte que los prólogos reales no participan en algunos rasgos —como la apócope extrema de *e*— que abundan en los textos prologados. Pero en 1276 el monarca dió un paso más: descontento con la versión que sus colaboradores habían hecho años atrás del *Libro de la Ochava Esfera,* resolvió darle él la forma definitiva, para lo cual "tolló las razones que entendió eran sobejanas et dobladas et que non eran en castellano drecho, et puso las otras que entendió que complían; et cuanto en el lenguaje, endreçólo él por sise": Alfonso X, por sí mismo, suprimió las repeticiones y enmendó la expresión hasta conseguir la corrección pretendida.

El "castellano drecho" era refractario a la apócope extranjerizante, y respondía en general al gusto de Burgos, pero con ciertas concesiones al lenguaje de Toledo y León. Algunos rasgos burgaleses demasiado regionales, como el paso de *f* a *h* (*fijo-hijo*) o la reducción de *-iello* a *-illo* (*castiello-castillo*), quedaron todavía fuera de la lengua literaria, deslizándose en ella subrepticiamente. En cambio se incrementó la interposición de palabras entre el pronombre y el verbo *(que me non den; se de mí partió; que me tú diziés)*, menos desarrollada antes en Castilla y característica de León, Galicia y Portugal. Toledo, donde con más frecuencia se hallaba la corte, había eliminado ya los rasgos más salientes de su anterior dialecto mozárabe. El habla toledana, castellanizada, pero sin los exclusivismos de la de Burgos o la Bureba, sirvió de modelo en la nivelación lingüística del reino. Según tradición persistentemente atestiguada siglos más tarde, Alfonso X ordenó que en los usos jurídicos el sentido de las palabras ambiguas o regionales se determinase de acuerdo con el lenguaje de Toledo (1).

La grafía quedó sólidamente establecida; puede decirse que hasta el siglo XVI la transcripción de los sonidos españoles se atiene a normas fijadas por la cancillería y los escritos alfonsíes.

La labor de Alfonso X capacitó al idioma para la exposición didáctica. Tuvieron que ser abordados dos problemas fundamentales, referentes a la sintaxis y al léxico.

Se requería disponer de una frase más amplia y variada que la usual hasta entonces. La prosa de las *Partidas* supone un esfuerzo extraordinario y fructífero. El pensamiento discurre en ella con arreglo a un plan riguroso, de irreprochable lógica aristotélica, con perfecta trabazón entre los miembros del período. Valga como ejemplo un fragmento de la segunda Partida:

> Cómo el rey debe amar, et honrar et guardar a su muger.—Amar debe el rey a la reina su muger por tres razones: la primera porque él et ella por casamiento segund nuestra ley son como una cosa, de manera que se non pueden partir sinon por muerte o por otras cosas ciertas, segunt manda santa Eglesia; la segunda porque ella solamente debe ser segunt derecho su compaña en los sabores

---

(1) Véase AMADO ALONSO, *Castellano, español, idioma nacional*, 2.ª ed., 1943, págs. 66-67.

et en los placeres, et otrosí ella ha de seer su aparcera en los pesares et en los cuidados; la tercera porque el linage que de ella ha o espera haber, que finque en su lugar después de su muerte.

Honrarla debe otrosí por tres razones: la primera porque, pues ella es una cosa con él, cuanto más honrada fuere, tanto es él más honrado por ella; la segunda...

Observemos que al encabezamiento, exposición de una idea general, sucede el estudio de los aspectos parciales, y dentro de cada uno, la enumeración de los fundamentos lógicos, las razones que apoyan la afirmación inicial. La frase se alarga, complicada en oraciones incidentales, sin que flaquee la solidez del razonamiento ni se pierda el hilo de la idea directriz.

Esta frase, relativamente tan compleja, necesitaba conjunciones especiales para cada tipo de relación entre las oraciones, y echa mano de *para que, comoquier que, siquier, aunque,* desconocidas o no corrientes en tiempos del Cantar de Mio Cid. Así la sintaxis ganaba flexibilidad y riqueza de matices. Quedan, no obstante, muchos rasgos de inmadurez. La conjunción *que* se repite cuando un inciso interrumpe el curso de la frase: "dixo el rey Salomón... *que* el que hobiese sabor de facer bien, *que* se acompañase con los buenos". Como en los más antiguos textos en prosa, la repetición de *et* es excesiva: "*Et* amistad de natura es la que ha el padre *et* la madre a sus fijos, *et* el marido a la muger; *et* esta non tan solamiente la han los homes". Reiteración tan monótona se da sobre todo en enumeraciones, textos históricos y pasajes descriptivos.

El problema del vocabulario consistía en la necesidad de hallar expresión romance para conceptos científicos o pertenecientes al pasado histórico, que hasta entonces sólo habían aparecido en lenguas más elaboradas, como el latín o el árabe. Alfonso X aprovecha las disponibilidades del castellano y las incrementa forjando derivados sobre la base de palabras ya existentes, como *ladeza* 'anchura, latitud', *longueza* 'longitud', *asmanza* 'opinión, creencia', *eñadimien-to* 'aumento', *paladinar* 'publicar', procedentes de *lado* 'ancho', *luengo, asmar* 'creer', *eñader* 'añadir', *paladino*. Cuando se trata de ideas referentes al mundo antiguo, sustituye en unos casos la palabra latina por otra romance que indique algo similar de la actualidad medieval, a veces con una explicación aclaratoria: las Euménides o Furias son en la Crónica General "las *endicheras* (1) *dell infierno,* a que llaman los gentiles deessas raviosas porque fazen los coraçones de los homnes raviar de duelo". Más frecuente es citar el vocablo latino o griego acompañándolo una vez de su definición castellana, para después poderlo emplear como término ya conocido: "fizieron los príncipes de Roma un corral grand redondo a que llamaban en latín *teatro*"; "dizen en latín *tribus* por linage"; "tanto quiere seer *dictador* cuemo mandador, et *dictadura* tanto cuemo mandado"; "*tirano* tanto quiere dezir como señor cruel, que es apoderado en algún regno o tierra por fuerça, o por engaño, o por traición" (2). Los tecnicismos insustituibles, como *septentrión, horizón* 'horizonte', *equinoctial,* precisos en los tratados de astronomía, se incorporan decididamente al castellano, y lo mismo acontece con voces latinas de fácil comprensión: *húmido* 'húmedo', *diversificar, deidat.* Alfonso el Sabio, a pesar de haber introducido abundantísimos cultismos, no se salió de la línea trazada por la posibilidad de comprensión de sus lectores, y por ello casi todas sus innovaciones lograron arraigo.

La prosa castellana quedaba definitivamente creada. La enorme gimnasia que supone la obra alfonsí la había convertido en el vehículo de la cultura, cumpliendo así el generoso afán de divulgación expuesto en el prólogo del *Lapi-*

---

(1) Hechiceras o plañideras.
(2) Véase H. A. VAN SCOY, *Alfonso X as a lexicographer,* Hispanic Review VIII, 1940, 277-284.

*dario*: "mandólo trasladar de arabigo en lenguaje castellano porque los homnes lo entendiesen mejor et se sopiesen dél más aprovechar".

Si en las *Cantigas* y otras poesías siguió el Rey Sabio la costumbre de usar el gallego como lengua lírica, su vasta producción en prosa favoreció extraordinariamente la propagación del castellano, elevado al rango de lengua oficial en los documentos reales. Este nuevo impulso se deja ver en las comarcas dialectales de León: hacia 1260, en los comienzos del reinado de Alfonso X, se tradujo el Fuero Juzgo en una versión fuertemente leonesa; por entonces los notarios de Salamanca y Occidente de Asturias empleaban un leonés muy influído por el gallego. Pero después, hacia 1275, cuando ya se había difundido el ejemplo de las leyes y documentos alfonsíes, un cambio radical de orientación sustituyó la influencia gallega por la castellana (1). De todos modos, continuó el uso de una mezcla de leonés y castellano tanto en documentos como en textos literarios, según muestra, entre otros, el poema juglaresco de *Elena y María*.

## EL SIGLO XIV.

La prosa de Alfonso X se continúa y perfecciona en la obra de don Juan Manuel, que le da acento más personal y reflexivo. Don Juan Manuel es el primer autor preocupado por la fiel transmisión de sus escritos, que corrige de su propia mano, dejándolos en un monasterio para que no le sean imputables los errores de copia. Es también el primero en tener conciencia de sus procedimientos estilísticos: "Sabed que todas las razones son dichas por *muy buenas palabras*

---

(1) Para los documentos salmantinos, véase R. MENÉNDEZ PIDAL, *Orígenes del español*, § 50.

*et por los más fermosos latines* (1) que yo nunca oí decir en
libro que fuese fecho en romance; et poniendo declarada-
mente complida la razón que quiere decir, *pónelo en las
menos palabras que pueden seer"*. El estilo de don Juan
Manuel, basado en la expresión selecta y concisa, era el
que convenía a su espíritu de grave moralista. Su frase es
densa, cargada de intención, precisa. Pero tal justeza no
evita repeticiones debidas a la insistencia en el encadena-
miento lógico: "et *porque* cada homne *aprende* mejor aquello de que se más *paga, por ende* el que alguna cosa quiere
*mostrar* a otro, débegelo *mostrar* en la manera que enten-
diese *que será más pagado* el que lo ha de *aprender"* (2).

Otro gran estilista, de temperamento opuesto al de don
Juan Manuel, es Juan Ruiz, Arcipreste de Hita. Su lenguaje efusivo y verboso trasluce un espíritu lleno de apetencias vitales y de inagotable humorismo. Escribe para el
pueblo, y al pueblo deja su *Libro de Buen Amor,* con libertad para añadir o amputar estrofas. Extraordinario ob-
servador de la vida y la realidad, las plasma en escenas
animadas y pintorescas enumeraciones. No se detiene en
seleccionar la expresión: acumula frases y palabras equivalentes, todas jugosas y espontáneas. Prodiga los diminutivos reveladores de afecto, ironía o regodeo sensual:

> Los labrios de la boca tiémbranle un *poquillo,*
> El color se le muda bermejo e amarillo,
> El coraçon le salta asi a *menudillo,*
> Apriétame mis dedos en sus manos *quedillo.*

---

(1) "Expresiones elegantes". Véase A. G. SOLALINDE, *La expresión "nuestro latín" en la General Estoria de Alfonso el Sabio,* Home-
natge a Antoni Rubió i Lluch, I, 1936, 133-140.

(2) Véanse F. DONNE, *Syntaktische Bemerkungen zu Don Manuel's Schriften,* Jena, 1891; J. VALLEJO, *Sobre un aspecto estilístico
de don Juan Manuel,* Homenaje a Menéndez Pidal, II, 1925, páginas 63 y siguientes, y MARÍA ROSA LIDA DE MALKIEL, *Tres notas
sobre don J. M.,* Romance Philology, IV, 1950-1. 155-194.

Y su vocabulario inagotable, concreto y realista, es provechoso ejemplo para el lector moderno, acostumbrado a la expresión intelectual y abstracta. El Arcipreste de Hita inicia el empleo de modismos y refranes *(pastrañas, fablillas)*, que habían de tener gran cabida en obras culminantes de nuestra literatura (1).

El *Libro de Buen Amor,* aunque en gran parte fuese narrativo y conservara la tradicional estrofa del mester de clerecía, contenía abundantes fragmentos líricos —oraciones, cantigas varias, canciones de serrana— en otras formas de versificación, especialmente el *zéjel* o villancico, de vieja raigambre hispano-arábiga. Otro tanto ocurre con el *Rimado de Palacio* del Canciller Ayala, donde hay algunas canciones religiosas. El castellano invade el terreno reservado al gallego: Alfonso XI escribe en castellano una linda poesía trovadoresca (2), y a fines del siglo xiv, aunque algunos de los poetas más antiguos del Cancionero de Baena prefieran todavía el gallego en sus obras de amores, la mayoría de la total producción lírica está en castellano. Además el gallego usado es muy impuro; a veces se trata realmente de una lengua híbrida, con un ligero barniz gallego (3). De todos modos, el influjo de la lírica gallega-portuguesa dejó huellas lingüísticas en castellano: así *coita, coitado* se usaron durante algún tiempo junto a *cueita* > *cueta, cuita, cuitado,* originariamente leoneses o aragoneses. Como derivados de l a e t u s habían contendido en el Centro de España el castellano *liedo* y el gallego-portugués

(1) Véanse F. WEISSER, *Sprachliche Kunstmittel des Erzpriesters von Hita,* Volkstum und Kultur der Romanen, 1934, VII; MARÍA ROSA LIDA, prólogo a su selección del *Libro del Buen Amor,* Buenos Aires, 1941, y AMÉRICO CASTRO, *La realidad histórica de España,* 1954, 378-442.
(2) Cancionero de la Vaticana, 209º. Los abundantes galleguismos parecen ser, en gran parte, de copia sólo.
(3) Véase mi artículo *La lengua de la poesía lírica desde Macías hasta Villasandino,* Romance Philology, VII, 1953, págs. 51-59.

*ledo;* desde el siglo XIV sólo se registra *ledo.* A fines de la misma centuria se incrementa en Castilla el empleo de *alguién, alguien,* bajo la acción del portugués *alguem* (1).

El dialecto leonés se mezcla con el castellano en cierto número de producciones literarias. No sabemos si la primitiva versión, hoy perdida, de la *Demanda del Santo Grial,* sería leonesa pura o ya mediatizada: los textos conservados guardan muchos occidentalismos (2), igual que la *Estoria del rey Guillelme* y otros relatos. El *Poema de Alfonso Onceno* pretende estar "en lenguaje castellano", aunque se escapen muchos rasgos leoneses (3); también abundan éstos en el *Libro de Miseria de omne,* copiado, al parecer, en tierra montañesa. El aragonés tiene mayor florecimiento autónomo, sobre todo en traducciones y obras históricas, cuyo principal propulsor es Juan Fernández de Heredia (1310?-1396). La independencia política de Aragón respecto a Castilla, y su unión con Cataluña, explican esta mayor resistencia del dialecto aragonés, así como el influjo catalán que en él se observa; sin embargo, también hay castellanismos *(fecho, mucho, hoy, hermano),* aunque preponderan las formas regionales (4).

En el transcurso del siglo XIV la lengua liquida alguna de sus más importantes vacilaciones, desecha anteriores prejuicios respecto a fenómenos típicos de la fonética castellana y camina hacia su regularización.

---

(1) Véase Y. MALKIEL, *Hispanic "algu[i]en" and related formations,* Univ. of California Publications in Linguistic, 1948.

(2) K. PIETSCH, Modern Philology, XIII, 1915-16, y *Spanish Grail Fragments,* Chicago, 1924-25.

(3) Véase DIEGO CATALÁN MENÉNDEZ-PIDAL, *Poema de Alfonso XI,* Madrid, 1953, págs. 33-49.

(4) Véanse A. BADÍA MARGARIT, *Algunas notas sobre la lengua de Juan Fernández de Heredia,* Revista de Filología Española, XXVIII, 1944, 177-189, así como los estudios de LUIS LÓPEZ MOLINA y REGINA AF GEIJERSTAM en sus respectivas ediciones del *Tucídides romanceado* (Madrid, 1960) y de los libros I y II de la *Grant Crónica de Espanya* (Uppsala, 1964).

La apócope extrema de la -e, tan intensa desde fines del siglo XI hasta la época alfonsí, está ahora en plena decadencia. Las zonas del Norte donde parece tener aún cierto arraigo son Alava y Soria, sin duda influídas por la vecindad del navarro-aragonés, cuyas soluciones habituales eran *suficient, muert, nueit* 'noche'. En el reino de Toledo el lenguaje del Arcipreste de Hita conserva como arcaísmo popular algo de lo que antes había sido preferencia de señores y clérigos, y así usa todavía *nief* 'nieve', *trax, dix, conbit, promed* 'promete', *yot,* 'yo te' "que*d* muestre' 'que te muestre', *dam* 'dame', *págan* 'págame', etc.; las reducciones y deformaciones de *me* y *te* se dan con especial insistencia en boca de las serranas, como caracterizando su rusticismo. También en Andalucía se encuentran ejemplos como "corporal *ment*" hasta 1370. Finalmente, el habla de los judíos, representada por los textos aljamiados de don Sem Tob (1) y las *Coplas de Yocef,* emplean "ke*m* fizo", "no*t* fartas", *princep, sab.* Pero todas éstas son supervivencias excepcionales que se extinguen antes de acabar el siglo XIV; en 1390 ó 1400 era ya absoluto el restablecimiento de la -e, salvo, como hoy, cuando quedaban como finales las consonantes *d, l, n, r, s* o *z* no agrupadas *(bondad, sol, pan, señor, mes, luz).* Aun dentro de este límite, la apócope nunca había sido general en la conjugación: aunque la regularidad fonética apoyaba *pid, pud, val, vin, vien, tien, quier, pudier, quis, pus, fiz, aduz* y similares, la regularidad morfológica favorecía las correspondientes formas con -e; desde la segunda mitad del siglo XIV la tendencia general prefiere claramente *pide, pude, vine, quise, puse, aduze,* y la alternancia se restringe a *vien-viene, tien-tiene, diz-dize, faz-faze, fiz-fize, quier-quiere,* y algún

(1) Para don Sem Tob, véase E. ALARCOS LLORACH, *La lengua de los "Proverbios morales" de don S. T.,* Rev. de Filol. Esp., XXXVI, 1951, 249-309.

raro caso más. En los pronombres enclíticos *se, le,* las formas apocopadas ("no*s* me parte", "dixo*l*", "que*l*") contienden con las formas plenas, a cuyo favor se inclina la balanza.

El diminutivo *-illo,* arraigado en Castilla desde tiempos remotos, pero rehusado por la lengua literaria, que prefería la forma arcaizante *-iello,* se generaliza ahora. En dos manuscritos del *Libro de Buen Amor* es ya la solución habitual, con casos asegurados por la rima (1); y desde el último tercio del siglo XIV apenas aparece *-iello* en textos castellanos (2). Sin éxito tan grande, se propaga también el paso de *f* inicial a *h,* que aparece ya en documentos oficiales; pero en la literatura sigue dominando la *f, fazer, ferir,* aunque en el *Libro de Buen Amor* aparezcan *hato, hadeduro, Henares, heda* 'fea' y algún otro ejemplo.

Los imperfectos y condicionales *sabiés, tenié, robariedes,* frecuentes aún en el Arcipreste de Hita, son reemplazados en la mayoría de los escritores por los terminados en *-ía, entendía, veía, quería, fazía;* la desaparición de las formas con *-ie* no fue completa, y en épocas posteriores surgen casos sueltos en la lengua escrita. Comienza a omitirse la *d* en las desinencias verbales *-des;* en el *Libro de Miseria de omne* hay *enfiés, entendés,* junto a *avedes, olvidedes,* y en la *Danza de la muerte* (hacia 1400) menudean *soes, bayaes, yrés, abrés, esteys, darés, tenés.* Y aumentan los ejemplos, muy raros antes, de *nos otros, vos otros,* junto

---

(1) Por ejemplo, en la estrofa 1240 consuenan *quadrilla, silla* y *cortilla* con *villa,* que nunca tuvo *-ie-.*

(2) En el retablo donado por el Canciller Ayala al monasterio de Quejana en 1396 (hoy en el museo de Chicago) se lee "esta *capiella*". El cancionero de Baena conserva *siella* y *Castiella,* junto a varios *Castilla* en un poema de Ruy Páez de Ribera, compuesto en 1407 (número 289). En el mismo Cancionero, una composición del leonés Fray Diego de Valencia (núm. 227) pone en rima *bellas, rodillas* y *querellas,* donde es evidente la modernización de un original *rodiellas.* Los últimos ejemplos castellanos que conozco se dan en el habla rústica de los pastores de la *Vita Christi* de Frey Iñigo de Mendoza, hacia 1465.

a *nos* y *vos;* en un principio las formas compuestas ponían de relieve el contraste con otra persona o pluralidad: "Si pesa a *vos otros,* bien tanto pesa a mí" (Juan Ruiz). "¿Qué nos mandades a *nosotros* fazer?" (Ayala) (1).

Por último, los latinismos, que durante el período alfonsí habían mantenido relativamente pura su forma originaria, vuelven después a alterarla, extendiéndose las incorrecciones procedentes de la difusión oral descuidada, como *astralabio, entinción,* por *astrolabio, intención.* Esta costumbre arrecia en la segunda mitad del siglo. Los manuscritos de Fernández de Heredia usan *soplenidades* 'solemnidades', *divigno* 'divino', *abtupno* 'otoño', latín a u t u m n u s ; los de Ayala, *rebto* 'recto'; en una poesía de Imperial inserta en el Cancionero de Baena, *defirencia* 'diferencia', etcétera (2).

_____

(1) *Crónica del rey don Pedro,* año XVII, cap. IV. El ejemplo más antiguo que conozco es uno del *Alexandre* (ed. R. S. Willis, estr. 1823): "non serién tan crueles los príncipes seglares / nin veriemos *nos otros* tantos malos pesares". Véanse S. GILI GAYA, Rev. de Filol. Esp., XXX, 1946, y L. SPITZER, Ibíd., XXXI, 1947.
(2) Véase AMÉRICO CASTRO, *Glosarios latino-españoles de la Edad Media,* 1936, pág. LXVII.

# X. TRANSICION DEL ESPAÑOL MEDIEVAL AL CLASICO

Los ALBORES DEL HUMANISMO (1400-1474).

En los últimos años del siglo XIV y primeros del XV se empiezan a observar síntomas de un nuevo rumbo cultural. Se introduce en España la poesía alegórica, cuyos modelos son la *Divina Comedia* de Dante y los *Triunfos* de Petrarca; el Canciller Ayala traduce las *Caídas de Príncipes*, de Boccaccio. Los tres grandes autores italianos fueron muy leídos e imitados. Con la ya secular influencia francesa, mantenida por el incremento de las costumbres cortesanas y caballerescas, comenzaba a competir la de la Italia renacentista. La conquista de Nápoles por Alfonso V de Aragón (1443) intensificó las relaciones literarias con Italia. En Castilla, los paladines de la nueva orientación son el Marqués de Santillana y Juan de Mena.

Al mismo tiempo despertaba el interés por el mundo grecolatino. Discursos de Tucídides habían aparecido en una versión aragonesa patrocinada por Fernández de Heredia; Boecio y Tito Livio son traducidos por Ayala. Después, don Enrique de Villena, Juan de Mena y otros trasladan al castellano, más o menos directamente, obras de Virgilio, Homero, Séneca y Platón.

La antigüedad no es para los hombres del siglo xv simple materia de conocimiento, sino ideal superior que admiran ciegamente y pretenden resucitar, mientras desdeñan la Edad Media en que viven todavía y que se les antoja bárbara en comparación con el mundo clásico. Alfonso V concierta una paz a cambio de un manuscrito de Tito Livio. Juan de Mena siente por la *Ilíada* una veneración religiosa, llamando al poema homérico "sancta e seráphica obra". Cuando la atención se ahincaba en las lenguas griega y latina, aureoladas de todas las perfecciones, el romance parecía "rudo y desierto", según lo califica el mismo Juan de Mena (1).

Resultado de tanta admiración fue el intento de trasplantar al romance usos sintácticos latinos sin dilucidar antes si encajaban o no dentro del sistema lingüístico del español (2). Se pretende, por ejemplo, remedar el hipérbaton, dislocando violentamente el adjetivo del sustantivo: "pocos hallo que *de las mías* se paguen *obras*" ('a quienes gusten mis obras'); "*a la moderna* volviéndome *rueda*"; "*las potencias del* ánima *tres*" (3). Se adopta el participio de presente en lugar de la oración de relativo, del gerundio o de otros giros, como en estos versos de Santillana: "¡Oh vos, *dubitantes*, creed las estorias!"; "quería ser *demandante, / guardante* su cirimonia, / si el puerco de Calidonia / se mostró tan *admirante*". Se emplea mucho el infinitivo dependiente de otro verbo, a la manera latina: "ho-

---

(1) Otros juicios análogos han sido recogidos por J. AMADOR DE LOS RÍOS, *Hist. crit. de la Lit. esp.*, VII, 48 y 216, y E. BUCETA, *Rev. de Filol. Esp.*, XIX, 1932, pág. 390.

(2) Para el lenguaje y estilo literarios del siglo xv es fundamental el libro de MARÍA ROSA LIDA DE MALKIEL, *Juan de Mena, poeta del prerrenacimiento español*, México, 1950, págs. 125-332. Véanse también las págs. 160-174 y 257-260 de mi estudio *La obra literaria del Marqués de Santillana*, Madrid, 1957.

(3) Ejemplos de don Enrique de Villena, Juan de Mena y Arcipreste de Talavera.

nestidad e contenencia non es dubda *ser* muy grandes e escogidas virtudes". Corriente es también la colocación del verbo al final de la frase: "¿Pues qué le aprovechó al triste... si su amor *cumpliere,* e aún el universo mundo por suyo *ganare,* que la su pobre de ánima por ello después en la otra vida perdurable detrimento o tormento *padezca?"* (1). La adjetivación, hasta entonces parca, empieza a prodigarse, con frecuente anteposición al sustantivo: "los *heroicos* cantares del *vaticinante* poeta Omero" (Mena); "los *fructíferos* huertos abundan e dan *convinientes* fructos" (Santillana). No siempre hay diferencia de función entre los calificativos antepuestos y los pospuestos, como puede verse en otros ejemplos del Marqués: "la eloquençia *dulçe* e *fermosa* fabla"; "nunca... se fallaron si non en los ánimos *gentiles* e *elevados* espíritus".

La prosa busca amplitud y magnificencia, desarrollando las ideas de manera reposada y profusa, y repitiéndolas a veces con términos equivalentes: "*Cómmo,* pues o *por quál manera,* señor muy virtuoso, estas sciencias hayan primeramente venido en mano de los *romancistas* o *vulgares,* creo sería *difícil inquisición* e una *trabajosa pesquisa*" (2). "Pero si aver quisiere su *amor* e *querençia,* conviene que al *huego* e *vivas llamas* ponga el libro que compuse" (3). El pensamiento se distribuye en cláusulas simétricas o contrapuestas: "...Así como en el *comienço* se pone alguna fabla primera *que prólogo llaman,* que quiere dezir *primera palabra,* non era sinrazón en el *fin* poner otra que *ultílogo llamen,* que quiera dezir *postrimera palabra.* E commo *el prólogo abre la puerta* para entrar a *lo que quiere fablar,* así el *ultílogo la cierre sobre lo que ya es fablado*" (4). El paralelismo entre los miembros del período se subraya fre-

(1) Pasajes del *Corbacho,* del Arcipreste de Talavera.
(2) Santillana, *Prohemio al Condestable de Portugal.*
(3) Arcipreste de Talavera, *Corbacho.*
(4) Del *Oraçional* de Alonso de Cartagena.

cuentemente con semejanzas de sonidos o formas gramaticales al final de cada cláusula, dando al estilo carácter cercano a la prosa rimada: "Así la *muger* piensa que no hay otro bien en el mundo sinon *aver, tener* e *guardar* e *poseer,* con solícita guarda *condesar,* lo ageno francamente *despendiendo* e lo suyo con mucha industria *guardando*" (1).

Es grande la influencia de los tratados retóricos, tanto clásicos como medievales. Igual conjunción hay en los modelos de la prosa, que ora imita el período ciceroniano, ora reproduce los artificios practicados por San Ildefonso en la época visigoda (2).

El latinismo alcanza todavía con más intensidad al vocabulario (3). Avidos de mostrarse a la altura de las nuevas maneras italianas, refinadas y sabias, los escritores introducen sin medida enorme cantidad de palabras cultas. En sólo una estrofa de Santillana encontramos *exhortar, disolver, geno* ('género', 'raza', latín g e n u s ), *subsidio, colegir, describir, servar,* 'conservar', *estilo;* y en otra de Juan de Mena, *mestrua* ('mensual', latín m e n s t r u u s ), *obtuso, fuscado* 'oscuro', *rubicundo, ígneo, turbulento, repunar* 'repugnar'. Muchos de los cultismos citados y de los abundantísimos que saltan a la vista en cuanto tomamos un fragmento literario de la época no resultan hoy extraños porque llegaron a arraigar, ya en el lenguaje elevado, ya también en el habla llana; pero el aluvión latinista del siglo xv rebasaba las posibilidades de absorción del idioma; muchos neologismos no consiguieron sedimentarse y fueron olvidados pronto, como sucedió con *geno, ultriz,* 'ven-

(1) Arcipreste de Talavera, *Corbacho.*
(2) Véanse E. von Richthofen, *Alfonso Martínez de Toledo, und sein Arcipreste de Talavera,* Zeitsch. f. r. Philol., LXI, 1941; María Rosa Lida, Rev. de Filol. Hisp., VII, 1945, págs. 380 y siguientes; F. López Estrada, *La retórica en las "Generaciones y Semblanzas" de Fernán Pérez de Guzmán,* Rev. de Filol. Esp., XXX, 1946, páginas 310-352.

gadora', *sciente* 'sabio', *fruir* 'gozar', *punir* 'castigar' y otros
semejantes. Si unimos a lo antedicho la constante alusión
a mitos y episodios históricos de Grecia y Roma, nos for-
maremos idea del alarde culto que domina en los escritos
del siglo xv.

Las ambiciones de estos primeros humanistas contrastan con su escaso respeto a la forma de los latinismos que
introducen : *inorar, cirimonia, absuluto, noturno, perfeción*
demuestran que la enseñanza del latín seguía adoleciendo
de los defectos de la transmisión oral y era insuficiente
para mantener las formas *ignorar, ceremonia, absoluto, noc-
turno, perfección.* Por otra parte, las galas cultistas resultaban postizas cuando faltaba aún preparación para ves-
tirlas.

No todos los neologismos importados en esta época son
latinos. La vida señorial seguía nutriéndose de costumbres
francesas, a las que responde la introducción de galicismos
como *dama* (que acarreó la depreciación de *dueña), paje,
galán, gala, corcel* (o *cosser)* y muchos otros ; menos frecuentes son *reguardar* 'mirar', *esguarde* 'consideración, benevolencia', *visaje* 'rostro', etc. Unas coplas satíricas de entonces presentan al Marqués de Santillana "con fabla casi
extranjera, / vestido como francés". Ya en épocas anteriores habían entrado algunos italianismos, en su mayoría referentes a la navegación *(galea, avería, corsario)*; ahora
entran en gran número *(tramontana, bonanza, piloto, gú-
mena, mesana, orza),* acompañados de otros que pertenecen
a distintos órdenes de la vida *(atacar, escaramuza; amba-
xada, embaxada; lonja, florín; belleza, soneto, novelar,* etcétera). Hubo italianismos de uso pasajero, como *uxel* 'pájaro' (it. *ucello), donna* 'dama, mujer' y otros (1).

_____

(1) Véase J. TERLINGEN, *Los italianismos en español desde la
formación del idioma hasta principios del siglo XVII,* Amsterdam,
1943, y reseña de J. GILLET, *Romance Philology,* II, 1948-1949, páginas 246 y sigts.

A pesar de la poderosa corriente de refinamiento, no fue olvidado el lenguaje popular. De una parte lo reclamaba así la creciente intervención del pueblo en la vida nacional (1); de otra parte, los hombres cultos del Renacimiento empezaban a interesarse por los productos más espontáneos y naturales. Santillana, que pule y ennoblece las tradicionales serranillas, reúne la primera colección de "refranes que dicen las viejas tras el fuego", aunque todavía califique de "ínfima poesía" los cantares y romances "de que la gente baxa e de servil condición se alegran". El Arcipreste de Talavera, continuando el camino iniciado en el siglo xiv por el otro Arcipreste, Juan Ruiz, se complace en aprovechar la vena del habla cotidiana en largos párrafos llenos de viveza, pero desmedidos en su locuacidad:

> "Piénsase Marimenga que ella se lo meresce; aquella, aquella es amada e bien amada, que non yo triste, cuytada. Todo ge lo dió Fulano, por cierto que es amada. ¡Ay, triste de mí, que amo e non só amada! ¡O desventurada! Non nascen todas con dicha. Yo, mal vestida, peor calçada, sola, sin compañía, que una moça nunca pude con este falso alcançar, en dos años anda que nunca fice alforza nueva; un año ha pasado que traygo este pedaço; ¿por qué, mesquina, cuytada, o sobre qué? Lloraré mi ventura, maldeziré mi fado, triste, desconsolada, de todas cosas menguada..."

En la primera mitad del siglo xv pervivían en la lengua muchas inseguridades: no se había llegado a la elección definitiva entre las distintas soluciones que en muchos casos contendían. Así alternaban indiferentemente la *t* y *d* finales, *edat, voluntat* y *edad, voluntad;* la *f* inicial de *fazer, folgar, fuego,* preferida por la literatura, luchaba con la *h* de *hacer, holgar, huego,* dominantes en el habla; en Castilla la Vieja se extendía la omisión de esta *h* aspirada (*ebrero* 'febrero'). Se vacilaba entre *dubda* y *duda, ome* y *hombre, judgar* y *juzgar*. Las vocales inacentuadas altera-

---

(1) Véase AMÉRICO CASTRO, *Lo hispánico y el erasmismo.* Revista de Filología Hispánica, IV, 1942, págs. 26 y sigts.

ban con frecuencia su timbre: *sofrir, vevir, robí* 'rubí'.
Seguían en vigor formas verbales como *andude,* 'anduve',
*prise* 'prendí', tomé, *conquiso* 'conquistó', *fuxo* 'huyó', *se-
yendo, veyendo* 'siendo, viendo'; escasos en la lengua escrita, se ven, sin embargo, *serién* y hasta *serín* 'serían', *po-
drié* 'podría', *deviedes* 'debíais'. Y aún quedaban, aunque
raros, algunos restos de la antigua pérdida de *e* final, como
*fiz* 'hice', *nol, sil* 'no le', 'si le', incluso durante el reinado
de Enrique IV (1).

A estos arcaísmos hay que añadir duplicidades que hasta poco antes no habían existido, como la contienda entre
*vengades, demandades, tenedes, venides, sodes* y *vengás* o
*vengáis, tenés* o *tenéis, venís, sos* o *sois;* y las derivadas
del restablecimiento de la forma latina de las palabras, como
*flama* junto a *llama, planto,* frente a *llanto.*

El castellano se emplea sin resistencia en la poesía lírica. El Marqués de Santillana recordaba la reciente boga
del gallego y escribió una composición en esta lengua, aunque ya con rasgos portugueses *(coraçaon).* Más corriente es
que gallegos como Juan Rodríguez del Padrón poeticen en
castellano, usado también por el Condestable de Portugal
en la prosa y verso de su *Sátira de felice e infelice vida.*
En Aragón, la entronización de la dinastía castellana con
Fernando I (1412) y la intervención aragonesa en las luchas políticas de Castilla aceleran el abandono del dialecto
regional por los poetas cortesanos: el Cancionero de Stú-
ñiga, reunido en la corte de Alfonso V, tiene muy pocos
dialectalismos. Sólo un trovador de los más antiguos, Pe-

---

(1) Los pastores de las *Coplas de Mingo Revulgo* usan *"unol
pela, otrol* quita". Por la misma época, el poeta cortesano Cartagena
escribe: "si *nol* va mejor que suele / con consuelo que*l* consuele"
*(Cancionero General* de Hernando del Castillo, composición 149) y
Rodrigo Cota, en unas coplas satíricas, "lo que *s'* da", *supiés, vien,
"yol vi" (Canc. Castellano del siglo XV,* Nueva Bib. Aut. Esp., XXII,
número 967).

dro de Santafé, escribe *res 'nada'*, *cort, pensant, veye, creye, forte*, etc., aunque rehuye otros aragonesismos salientes. Hasta Cataluña llega la expansión del castellano, apareciendo ya poetas bilingües como Torrellas (Pere Torroella), a pesar de ser el siglo xv período de máximo esplendor de la literatura catalana.

EL ESPAÑOL PRECLÁSICO (1474-1525) (1).

La penetración de la cultura clásica se extiende e intensifica durante la época de los Reyes Católicos. A la admiración extremosa —a veces superficial— por el mundo grecolatino sucede el afán de conocimiento verdadero. La misma reina, bajo la dirección de doña Beatriz Galindo, aprende con sus damas el latín, y logra que tanto el príncipe don Juan como las infantas lleguen a dominarlo. Estimulada por tan insigne ejemplo, la nobleza se entrega con avidez al estudio. En la corte regia o en los palacios de los grandes enseñan hombres de letras venidos de Italia, como Pedro Mártir de Anglería, Lucio Marineo Sículo y los hermanos Geraldino. Muy eficaz también es la acción de los humanistas hispanos: tras los esfuerzos de Alonso de Palencia, surge el gran renovador Antonio de Nebrija (1442-1522), que emprende la reforma de la didáctica universitaria, desterrando métodos anquilosados e introduciendo los que, formulados por Lorenzo Valla, habían contribuído al resurgimiento de la latinidad en Italia. Él y el portugués Arias Barbosa implantan en España los estudios helénicos, cultivados con éxito por su inmediato seguidor Hernán Núñez, el Comendador Griego. Se multiplican las traducciones de libros clásicos, y la imprenta, que empieza entonces a propagarse, hace que la difusión

---

(1) Véase R. MENÉNDEZ PIDAL, *La lengua en tiempo de los Reyes Católicos. (Del retoricismo al humanismo.)* Cuadernos Hispanoamericanos, V, 1950, págs. 9-24.

sea más extensa y fiel. Al comenzar el siglo XVI se recogen ya los primeros frutos: Cisneros encuentra a su disposición un plantel de hombres sabios con los cuales funda la Universidad de Alcalá, nueva en fecha y espíritu, y les encomienda la elaboración de la Biblia Poliglota.

Conforme gana intensidad y hondura, el movimiento renacentista se despoja de las demasías formales que habían acompañado a su iniciación. Los escritores de la época de los Reyes Católicos, más conscientes que Santillana o Mena del valor del propio idioma, no pretenden forzarlo en aras de la imitación latina, que abandona estridencias y adquiere solidez. La extrema afectación de antes se convierte en elegancia culta. Isabel la Católica era muy aficionada a la expresión "buen gusto", que, aplicada al lenguaje literario, resume la corriente que se abría paso.

La prosa revela notable facilidad en el arte del período extenso y complejo, repartido con excesiva simetría o demasiado abundoso de sinónimos innecesarios, pero desarrollado con armonía y habilidad: "Si te plaze matarme, por *voluntad* obra lo que *por justicia* no tienes por qué; la muerte que tú me dieres, aunque *por causa de temor la rehuso, por razón de obedecer la consiento,* aviendo por mejor *morir en tu obediencia* que *vivir en tu desamor".* (Diego de San Pedro, *Cárcel de Amor.)* "Cuando bien conmigo *pienso,* muy esclarecida Reina, i *pongo delante los ojos* el antigüedad de todas las cosas que para nuestra *recordación* i *memoria* quedaron escriptas, una cosa *hallo* y *saco* por conclusión mui cierta" (Nebrija, prólogo a la *Gramática).*

En la *Celestina,* obra maestra de esta prosa, confluyen, templadas, la tendencia sabia de los humanistas y la popular del *Corbacho.* Los párrafos elocuentes, donde se busca el estilo elevado, ofrecen bastante amaneramiento. Domina en ellos la colocación del verbo al final de las oraciones:

"en dar poder a natura que de tan perfeta hermosura te *dotasse*, e fazer a mi inmérito tanta merced que verte *alcançase*, e en tan conveniente lugar que mi secreto dolor manifestarte *pudiesse*"; aunque raras, no faltan consonancias como las de *natura-hermosura, dotasse-alcançasse* del párrafo citado; abundan las amplificaciones: "¿Quién te podría contar, señora, sus daños, sus inconvenientes, sus fatigas, sus cuidados, sus enfermedades, su frío, su calor, su descontentamiento, su rencilla, su pesadumbre, aquel arrugar de cara, aquel mudar de cabellos, aquel poco oír, aquel debilitado ver...?"; el léxico, rico y expresivo, está salpicado de latinismos como *inmérito, fluctuoso, cliéntula, sulfúreo, litigioso, diminuto;* y en la sintaxis resaltan construcciones latinas de infinitivo o participio de presente; "no creo *ir* conmigo el que contigo queda"; "tanto es más noble el *dante* que el *recibiente*". Pero todos estos rasgos cultos no se prodigan con tanta cargazón pedantesca como en los prosistas de la época anterior, y el hipérbaton no existe casi. Junto al período amplio aparece la frase cortada, ya hilvanando refranes, ya engastando máximas, paralelo humanista de la sabiduría vulgar: "Aquel es rico que está bien con Dios; más segura cosa es ser menospreciado que temido... Mi amigo no será simulado y el del rico sí; yo soy querida por mi persona, el rico por su hacienda..." El lenguaje llano incurre, como el del Arcipreste de Talavera, en verbosidad prolija, pero las necesidades del diálogo le imprimen dramatismo y variedad. La charla de Celestina, tesoro de dichos populares, se entretiene en digresiones, pero no pierde el hilo sinuoso con que su malicia la conduce al fin propuesto (1).

---

(1) Véanse CARMELO SAMONÀ, *Aspetti del Retoricismo nella "Celestina"*, Roma, 1953; M. CRIADO DE VAL, *Indice verbal de "La Celestina"*, Madrid, 1957; STEPHEN GILMAN, *The Art of La Celestina*, Madison, Wisconsin, 1956, 17-55; y MARÍA ROSA LIDA DE MALKIEL, *La originalidad artística de "La Celestina"*, Buenos Aires, 1962.

En la poesía decae la moda alegórico-mitológica, aunque Juan de Mena era considerado como el supremo poeta español y su ejemplo influía en autores como Padilla el Cartujano, que compite con el maestro en el número de alusiones librescas y latinismos (*comoto* 'conmovido', *latitante* 'oculto' *mesto* 'triste'). Lo general es ahorrar estos recursos; Jorge Manrique se deshace de ellos y expresa con lisura y sinceridad su dolor ante la vanidad de las cosas. La lírica amatoria persigue, más que los atavíos clásicos, la sutileza del concepto, como en la célebre canción del Comendador Escrivá:

> Ven, muerte, tan escondida
> que no te sienta conmigo,
> porque el gozo de contigo
> no me torne a dar la vida.

La novedad mayor consiste en la acogida que se dispensa a la inspiración popular. Los poetas cortesanos de la época de los Reyes Católicos cultivan la imitación y glosa del Romancero y de las canciones tradicionales, contagiándose a menudo de su facilidad y candorosa frescura. Juan del Encina en lo profano y fray Ambrosio Montesino en la poesía religiosa, son los representantes más destacados de esta nueva tendencia.

El idioma continúa despojándose del lastre medieval. Desaparece la alternancia de *t*, *d* finales, y apenas se ven sino formas con *d*, *antigüedad*, *voluntad*, *merced*. La literatura conserva abundantes restos de *f* inicial, *fallar*, *fasta*, *fablar*, *fermosura*, pero es muy general la *h*, *hazañas*, *holgar*, *herir;* en Castilla la Vieja esta *h* no se aspiraba ya. Había vacilaciones de vocalismo (*sofrir*, *deferir*, *joventud*, *mochacho*, *cevil*) que penetraron hasta muy avanzado el período clásico. En los cultismos se consolida la adaptación de la fonética latina a los hábitos de la pronunciación vulgar, reduciendo los grupos de consonantes: e x e m p-

tus, excedere, perfectus, dignus, secta
corrían en las formas *esento, eceder, perjeto, dino, seta.*
En la morfología contendían *darvos* y *daros, os despierta* y
*vos han envidia.* Las antiguas formas en *-ades, -edes, -ides*
habían sido reemplazadas por *deseáis, esperás, tenéis, ga-*
*naréis, sojuzgarés, pornés* 'pondréis' ,*dormís.* Fuera del habla popular escasea el uso del artículo con el adjetivo posesivo : *la tu torre, la tu rabiosa ansia* son raros en relación con los ya normales *mi gloria, tu suavísimo amor.*
Perduraban formas antiguas como *all alma, ell espada,* por
'al alma' 'la espada'; *só, vó, estó,* junto a *soy, voy, estoy;*
*imos, ides,* 'vamos', 'vais'; *juemos, juestes; sei* 'sé' imperativo de *ser; seído,* 'sido', *veyendo* 'viendo', etc.
   La unidad lingüística del centro de la Península estaba
casi consumada. El dialecto leonés vivía solamente en el
habla rústica; como rusticismo lo emplean los pastores de
Juan del Encina y Lucas Fernández, y así pasó al teatro
del Siglo de Oro, convertido en el convencional "lenguaje
villanesco". En cuanto al aragonés, eran patentes al principio de esta época sus diferencias con el habla de Castilla: la
hierba *hinojo* sirvió de símbolo a la unión de los dos reinos,
porque, al decir de un poeta, "llámala Castilla *inojo,* / que
es su letra de *I*sabel; *llámala* Aragón *finojo,* / que es su
letra de *F*ernando". Pero el aragonés, muy influído ya por
el castellano, desapareció pronto de la literatura (1). En
1531 Jaime de Huete se disculpa todavía de los aragonesismos insertos en su *Comedia Tesorina,* pero años antes
Ximénez de Urrea, que escribía en la aldea zaragozana de
Trasmoz, no muestra rasgos dialectales.
   Claro es que esta esencial unificación no excluía las mo-

---

   (1) Sobre la castellanización del aragonés, véanse F. Lázaro, *For-*
*mas castellanas en documentos zaragozanos de los siglos XV y XVI,* en
"Argensola", Rev. del Inst. de Estudios Oscenses, II, 1951, 43-47, y
B. Pottier, *L'évolution de la langue aragonaise à la fin du Moyen-Aae.*
Bull. Hisp., LIV, 1952, 184-199.

dalidades regionales. Ya se ha dicho que el habla de Castilla
no pronunciaba la *h* aspirada y confundía *b* y *v;* desde tiempo atrás había empezado a ensordecer las sonoras *z, -s-* y *g,*
*j,* haciéndolas coincidir con *ç, -ss-* y *x* (1). En Aragón este
ensordecimiento y la confusión de *b* y *v* estaban muy avan-
zados (2). Por otra parte, en Sevilla e inmediaciones las
africadas *ç, z,* se habían aflojado y las fricativas dentales
resultantes de ellas empezaban a confundirse con las *ss* y *s*
sorda y sonora, respectivamente *(diesmo,* 1419; *Andrez,*
*Blaz,* 1487; *sirios* 'cirios', *fiçieçe* 'fiziesse, hiciese', 1488-92,
etcétera) (3). El habla toledana, estimada como modelo de
buena dicción, se mantenía al margen de unas y otras innovaciones.

La difusión del castellano como lengua literaria se intensifica en las regiones catalanas: en Valencia abundan
los poetas bilingües y algunos emplean exclusivamente el
castellano; Narciso Viñoles, traductor de un *Suplemento de*
*todas las crónicas del mundo* (Valencia, 1510), declara que
"osó alargar la mano suya para ponerla en esta limpia, elegante y graciosa lengua castellana, la cual puede muy bien,
entre muchas bárbaras y salvajes de aquesta nuestra España, latina sonante y elegantísima ser llamada". En el *Jardi-*
*net d'Orats,* cancionero barcelonés acabado en 1486, hay

(1) Un escriba montañés torpe e inculto ofrece en 1410 *façen, raçon,*
*façer, rayçes, vsso* junto a *vso* (MENÉNDEZ PIDAL, *Docs. Lingüísticos,*
11º). Confusiones parecidas abundan en escritos más cuidados, como el
códice *S* del *Libro de Buen Amor,* copiado por el salmantino don Alonso
de Paradinas hacia 1418. Más tarde el *Arnálte y Lucenda* de Diego de
San Pedro, impreso en Burgos en 1492, da *nueba, fabor, rresceuid,*
*descabalgar, lebantado, tubo* y *eso, necesidad, diese, sobrase, pasión,* etc.
(2) Así lo demuestran las transcripciones *despoxado, antoxa, me-*
*xor, adolezer, nazer, fermossa, cossa, acavarse, bida,* etc. *(Cancionero*
*de Palacio,* ed. Francisca Vendrell de Millás, 1945, passim.)
(3) Vide AMADO ALONSO, *Hist. del ceceo y del seseo españoles,*
Thesaurus, VII, 1951, 111-200; R. LAPESA, *Sobre el ceceo y el seseo*
*andaluces,* en *Estructuralismo e Historia,* Miscelánea Homenaje a
André Martinet, I, 1957, 67-94, y DIEGO CATALÁN, *El çeçeo-zezeo al*
*comenzar la expansión atlántica de Castilla,* Boletim de Filologia, XVI
(1956-7), 305-334.

veinte poesías castellanas en un total de ochenta y cuatro composiciones. En la misma obra figura la descripción de unas justas en que intervienen caballeros de la alta sociedad barcelonesa: los motes que sacan son coplas castellanas con más o menos mezcla de catalán. El poeta rosellonés Pedro Moner escribe en castellano la mayoría de sus composiciones. Otro tanto ocurre en Portugal: el Cancionero de Resende contiene obras castellanas de autores portugueses, al contrario de lo que había ocurrido hasta el siglo xiv, cuando el gallego-portugués era la lengua de la poesía lírica. Antes de visitar por primera vez España, Colón, residente en tierras portuguesas, escoge como idioma de cultura el castellano, siquiera en sus escritos abunden incorrecciones, debidas casi siempre a lusismo (1).

El proceso lingüístico de unificación y expansión coincidía con el afortunado momento histórico en que las energías hasta entonces dispersas se congregaban para fructificar en grandiosas empresas nacionales. En agosto de 1492, meses después de la rendición de Granada y estando en viaje las naves de Colón, salía de la imprenta la *Gramática* castellana de Antonio de Nebrija. El concepto de "artificio" o "arte", esto es, regulación gramatical, estaba reservado a la enseñanza de las lenguas cultas, esto es, latín y griego: era una novedad aplicarlo a la lengua vulgar, pues se creía que, aprendida de los labios maternos, bastaban la práctica y el buen sentido para hablarla debidamente. Es cierto que —limitándonos a las lenguas romances— había habido *Donatos* provenzales, y que desde fines del siglo xiii el uso del francés en la corte inglesa había hecho necesario el empleo de manuales para que los anglosajones aprendieran algo de la pronunciación, grafía, elementos gramaticales y léxico

---

(1) Véanse MENÉNDEZ PELAYO, *Antología de poetas líricos castellanos,* VII; MARTÍN DE RIQUER, *Juan Boscán y su cancionero barcelonés,* 1945, págs. 31-34, y R. MENÉNDEZ PIDAL, *La lengua de Cristóbal Colón,* Bulletin Hispanique, XLII, 1940, págs. 5-28.

franceses. Pero estos tratados rudimentarios no se pueden comparar con el de Nebrija, infinitamente superior a ellos en valor científico y alteza de miras. Pertrechado de sólidos conocimientos humanísticos, Nebrija los aprovecha para desentrañar el funcionamiento de nuestro idioma; su clarividencia le hace observar los rasgos en que el castellano difiere del latín, y así son pocas las ocasiones en que le aplica clasificaciones o accidentes inadecuados. Reprueba el latinismo forzado, y su comedimiento es parejo de su agudeza. Acierto singular es el de unir el estudio gramatical con el de la métrica y las figuras retóricas, como si entreviera la indisoluble unidad, predicada por la actual estilística, del lenguaje y la creación literaria. En cuanto a los propósitos de Nebrija, expuestos en el memorable prólogo que dirigió a la reina, fue el primero fijar normas para dar consistencia al idioma, a fin de que "lo que agora i de aquí adelante en él se escriviere, pueda quedar en un tenor i entenderse por toda la duración de los tiempos que están por venir, como vemos que se ha hecho en la lengua griega y latina, las cuales por aver estado debaxo de arte, aunque sobre ellas han pasado muchos siglos, todavía quedan en una uniformidad": afán de perpetuidad, netamente renacentista. En segundo lugar, el saber gramatical de la lengua vulgar facilitaría el aprendizaje del latín. Fiualmente, la exaltación nacional que ardía en aquel momento supremo convenció a Nebrija de que "siempre la lengua fue compañera del imperio" (1), y añade: "El tercero provecho deste mi trabajo puede ser aquel que, cuando en Salamanca dí la muestra de aquesta obra a vuestra real Majestad e me preguntó que para qué podía aprovechar, el mui reverendo padre Obispo de Avila me

(1) Véase EUGENIO ASENSIO, *La lengua compañera del imperio. Historia de una idea de Nebrija en España y Portugal,* Rev. de Filol. Esp., XLIII, 1960, 399-413.

arrebató la respuesta; e respondiendo por mí, dixo que después que vuestra Alteça metiesse debaxo de su iugo muchos pueblos bárbaros e naciones de peregrinas lenguas, e con el vencimiento aquéllos tenían necessidad de reçebir las leies quel vencedor pone al vencido, e con ellas nuestra lengua, entonces por esta mi Arte podrían venir en el conocimiento della, como agora nosotros deprendemos el arte de la gramática latina para deprender el latín". Estos presentimientos se convirtieron pronto en realidad: el descubrimiento de América abrió mundos inmensos para la extensión de la lengua castellana. Un Diccionario hispano-latino (que superó al que, poco antes, había compuesto Alonso de Palencia) y una Ortografía completan la obra romance de Nebrija (1). Error suyo fué creer que el español se encontraba tanto en la cumbre, que más se puede temer el descendimiento que esperar la subida". La espléndida floración literaria del Siglo de Oro se encargó de desmentirlo.

---

(1) Véanse las ediciones de la *Gramática* hechas por E. Walberg (1909), I. G. González Llubera (1926) y P. Galindo y L. Ortiz (1946), así como el estudio de Amado Alonso, *Examen de las noticias de Nebrija sobre antigua pronunciación española.* Nueva Revista de Filología Hispánica, III, 1949.

## XI. EL ESPAÑOL DEL SIGLO DE ORO. LA EXPANSION IMPERIAL. EL CLASICISMO

ESPAÑA Y SU LENGUA EN EUROPA.

Durante la Edad Media, España había defendido la suerte de la civilización occidental, librándola, al rescatar su propio suelo, de la amenaza musulmana; pero absorbida por la Reconquista y fraccionada en varios Estados, apenas había podido llevar su iniciativa a la política europea. Sólo Cataluña y Aragón, cuya misión en la contienda peninsular estaba cumplida a fines del siglo XIII, pudieron entonces intervenir en Sicilia, Cerdeña y Oriente, culminando sus empresas mediteráneas en la conquista de Nápoles por Alfonso V. Elevada por los Reyes Católicos al rango de gran potencia, España se lanza con Carlos V a regir los destinos de Europa. Brazo de la causa imperial, se empeña en la defensa del catolicismo frente a protestantes y turcos, pone su esfuerzo al servicio de un ideal ecuménico, la unidad cristiana, y propaga en América la fe consoladora.

La expectación del mundo civilizado estuvo pendiente de la irrupción española. Cada éxito militar añadía prestigio a las cualidades de nuestros mayores, reconocidas aún por

dominados y enemigos. Fue una aleccionadora afirmación
de dignidad y hombría que no sólo ganaba tierras, sino
que actuó sobre las costumbres, el concepto del honor, la
literatura y el lenguaje de toda Europa. En Italia, la influencia hispánica, irradiada desde Nápoles y Milán, tuvo
extraordinaria intensidad. El valor caballeresco, la sutileza
de ingenio, la agilidad en el trato y la majestuosa gravedad
de los españoles encarnaban el arquetipo social del Renacimiento, la perfecta cortesanía. Ceremonias y fiestas españolas arraigaban en las fastuosas cortes italianas. En Francia,
tras una constante infiltración a lo largo del siglo XVI, el
reinado de Luis XIII y la minoridad de Luis XIV señalan
el momento de más profunda hispanización.

Traducidos a varios idiomas, el *Amadís,* la *Cárcel de
Amor* y la *Celestina* inauguraron los triunfos de nuestras
letras en el extranjero. Después, el *Marco Aurelio* de Guevara, el *Lazarillo,* la *Diana* de Montemayor, fray Luis de
Granada, Santa Teresa y San Juan de la Cruz, Cervantes,
el teatro del siglo XVII, la novela picaresca, pedagogos como
Huarte, políticos como Saavedra Fajardo y moralistas como
Gracián, fueron objeto de la admiración de toda Europa,
que los tradujo, imitó o recogió sus enseñanzas. El estilo
de Guevara influyó en Inglaterra lo bastante para que se le
haya considerado estímulo del euphuísmo. Los dramas y
comedias de Lope, en versiones directas o refundidos, co-
secharon aplausos en los más diversos escenarios. "En Italia y Francia los representantes de comedias, para aumentar la ganancia, ponen en los carteles que van a representar
una obra de Lope de Vega, y sólo con esto les falta coliseo
para tanta gente y caja para tanto dinero": así se expresaba en 1636 el italiano Fabio Franchi (1). Los clásicos franceses, desde Rotrou y Corneille hasta La Rochefoucauld y

(1) R. MENÉNDEZ PIDAL, *Lope de Vega. El Arte nuevo y la nueva
biografía.* Revista de Filología Española, XXII, 1935, pág. 374.

Lesage, pasando por Scarron, Molière y otros, se inspi-
raron con avidez en fuentes españolas. Las imprentas de
Venecia, Milán, Amberes, Bruselas, París y Lyon publica-
ban constantemente obras de nuestros autores y en nuestro
idioma.

La lengua española alcanzó entonces extraordinaria difusión. En Italia, según Valdés, "así entre damas como entre cavalleros se tiene por gentileza y galanía saber hablar
castellano". Otro tanto ocurría en Francia. En Flandes,
incluso en los días en que el luteranismo y el deseo de independencia atizaban la rebelión, eran muchos los que
aprendían nuesra lengua "por la necesidad que tienen della,
ansí para las cosas públicas como para la contratación".
Arias Montano, a quien pertenece la frase transcrita, pro-
yectaba con el Duque de Alba, en 1570, la fundación de
estudios de español en Lovaina, a fin de que la familiaridad
con el idioma coadyuvase a la unificación espiritual (1). En
la Inglaterra de Isabel y Jacobo I la rivalidad servía de aci-
cate para fomentar el interés hacia el temible enemigo (2).
Respondiendo a la apetencia general, fueron muchos los
diccionarios y gramáticas españoles que aparecieron en el
extranjero durante los siglos XVI y XVII.

Resultado de esta influencia en todos los órdenes de
la vida fue la introducción de numerosos hispanismos en
otras lenguas, sobre todo en italiano y francés (3). Algunos

(1) L. MORALES OLIVER, *Arias Montano*. Madrid, 1927, pág. 171.
(2) Véase DÁMASO ALONSO, Revista de Filología Española, XVIII,
1931, págs. 15-23.
(3) Véanse R. MENÉNDEZ PIDAL, *El lenguaje del siglo XVI*, Cruz
y Raya, 1933, núm. 6; BENEDETTO CROCE, *España en la vida italiana
durante el Renacimiento*, págs. 137-151; E. ZACCARIA, *L'elemento iberi-
co nella lingua toscana*, Bologna, 1927; E. GAMILLSCHEG, *Etymologisches Wörterbuch der französischen Sprache*; R. RUPPERT, *Die spanischen Lehn- und Fremdwörter in der französischen Schriftsprache*,
München, 1915, y W. FRITZ SCHMIDT, *Die spanischen Elemente im
franz. Wortschatz*, Beiheft Z. f. r. Ph., Halle, 1914. Los hispanismos del inglés aquí citados figuran en el Diccionario de Oxford con
fecha de ingreso correspondiente a los siglos XVI y XVII. Para los del

son valiosas muestras del concepto en que se tenía a nuestros compatriotas: así los italianos *sforzato, sforzo, sussiego, grandioso, disinvolura,* o los franceses *brave, bravoure, désinvolte, grandiose;* no falta la apreciación irónica que revelan, por ejemplo, los franceses *fanfarron, matamore* y *hâbler* 'hablar con jactancia'. La aplicación metafórica de *gusto* para indicar el acierto en la elección, usada ya por Isabel la Católica, era considerada a principios del siglo XVIII como una innovación española; ya entonces contaba largo empleo en Italia *(buon, miglior gusto),* había pasado al francés *goût,* había originado la adopción del extranjerismo *gusto* en inglés y había sido calcada por el alemán *Geschmack.* La sociedad cortesana adoptó *crianza* y *cumplimiento* > it. *creanza, complimento,* fr. *compliment:* Castiglione usa *primor, accertare, avventurare;* en el siglo XVII francés se registran *menino* (que el español había tomado del portugués) y *grandesse,* 'condición de grande del reino', que también aparece en inglés, si bien como crudo extranjerismo *(grandeza),* al tiempo que entraba *grande-grandio-grandee.* De distintos aspectos de la vida española hablan el it. *piccaro,* los ingl. *picaro, picaroon, desperado* 'desesperado', *siesta,* fr. *sieste,* y los alemanes *Siesta, Galan.* Danzas como la *chacona* y la *zarabanda* tuvieron larga fortuna y merecieron que los más exquisitos músicos franceses, italianos y alemanes elaboraran artísticamente sus ritmos (it. *ciaccona, sarabanda,* fr. *chaconne, sarabande); guitare, castagnette, passacaille* en francés, *passacaglia* y *passagaglio* en italiano, *guitar* en inglés y *Gitarre* en alemán, revelan también el poder expansivo de la música española. Otros préstamos se re-

alemán, véanse F. KLUGE, *Etymologisches Wörterbuch der deutschen Sprache,* 1915; P. SCHEID, *Studien zum spanischen Sprachgut im Deutschen,* Greifswald, 1934, y E. OHMANN, *Zum spanischen Einfluss auf die deutsche Sprache,* Neuphilologische Mitteilungen, XLI, 1940, 35-42.

fieren a la vida militar (it. *morione,* fr. *morion* 'morrión', fr. *adjudant,* it. *rancio* 'rancho'); a la guerra y tráfico marítimos (ing. *armada-armado, flota, embargo, supracargo, supercargo* 'sobrecargo'; fr. *embargo, falouque* o *felouque;* y alemanes *Karavelle, Schaluppe, Feluke, Superkargo);* al vestido (it. *gorra,* fr. *basquine, ropille,* inglés *sombrero,* al. *Mantilla)* a la vivienda (fr. *alcôve,* inglés *alcove,* al. *Alkoven);* a relaciones sociales y domésticas (fr. *camarade,* it. *aio, creato);* al juego (fr. *hombre, manille* 'malilla', *matador, quinola);* a productos naturales o elaborados (it. *manteca, zucchero,* fr. *mancenille, liquidambar),* etc. De la ortografía española procede el signo ç y con él el vocablo francés *cédille.* Y de nuestros místicos, las expresiones *oraison de quiétude, la folle du logis* 'la loca de la casa', 'la imaginación', *recueillement* y otras. A través de España llegaron a Europa multitud de americanismos; con ellos entraron en francés *nègre, créole, mulâtre* y una nueva acepción de *métis;* en inglés, *negro, mestizo, mulatto,* y en alemán, *Neger, Mestize, Mulatte.*

EL ESPAÑOL, LENGUA UNIVERSAL.

La creciente estimación de nuestra lengua ofrece un ejemplo altamente representativo, cuyo protagonista fue el mismo emperador. Al venir a España rodeado de consejeros flamencos, Carlos V desconocía por igual el carácter y el idioma de los súbditos a quienes había de gobernar. Pero si España le proporcionó sus mejores soldados y le prestó abnegado apoyo, el César supo agradecerlo, y acabó por identificarse con el espíritu hispano: habló español, vistió con austeridad española y eligió un rincón de Extremadura para retirarse a bien morir. Su aprecio por la lengua española le inspiró un juicio encomiástico, del que nos han

llegado distintas versiones; según una de ellas, para dirigirse a las damas prefería el italiano; para tratar con hombres, el francés; pero para hablar con Dios, el español (1).
Otros dicen que consideraba el francés como instrumento adecuado para los negocios políticos. Pero sabemos que en momentos trascendentales se sentía halagado si le hablaban en español. Y cuando, en presencia del Papa, cardenales y diplomáticos, desafió solemnemente a Francisco I (17 de abril de 1536), la lengua escogida fue el español, no el francés ni el latín (2). Brantôme cuenta que el obispo de Mâcon, embajador de Francia, se quejó de no comprender el discurso de Carlos V y que éste le replicó: "Señor obispo, entiéndame si quiere, y no espere de mí otras palabras que de mi lengua española, la cual es tan noble que merece ser sabida y entendida de toda la gente cristiana". De este modo el español quedaba proclamado lengua internacional; y probablemente se habría consolidado como tal si con la abdicación de Carlos V no se hubieran separado las coronas y cancillerías de España y de Alemania.

Pero si el campo de la diplomacia quedó cerrado, el imperialismo lingüístico, unido, como en Nebrija, al político, halló otros horizontes de universalidad. En 1580, reciente la exaltación triunfal de Lepanto, escribía Francisco de Medina: "veremos estenderse la magestad del lenguage Español, adornada de nueva i admirable pompa, hasta las últimas provincias donde vitoriosamente penetraron las vanderas de nuestros exércitos". Y, en efecto, consumada la conquista de Indias, Felipe II, como dice su historiador Cabrera de Córdoba, logró ver nuestra lengua "general y conocida en todo lo que alumbra el sol, llevada por las

(1) Véase E. BUCETA, El juicio de Carlos V acerca del español. Revista de Filología Española, XXIV, 1937, págs. 11-23.
(2) Véase R. MENÉNDEZ PIDAL, El lenguaje del siglo XVI, y A. MOREL FATIO, Etudes sur l'Espagne, 4.ª serie, págs. 189-219.

banderas españolas vencedoras con envidia de la griega y latina, que no se extendieron tanto" (1).

## El castellano, lengua española.

En el siglo xvi se completa la unificación de la lengua literaria. Con el auge del castellano coincide el descenso vertical de la literatura catalana, tan rica en las centurias precedentes. La unidad política nacional, la necesidad de comunicación con las demás regiones y el extranjero, donde sólo tenía curso el castellano, y el uso de éste en la corte, que atraía a la nobleza de toda España, acabaron por recluir al catalán en los límites del habla familiar. No quedó apenas otra literatura que la escrita en lengua castellana; y a su florecimiento contribuyeron catalanes como Boscán, compañero de Garcilaso en la renovación de nuestra poesía; aragoneses como los Argensola y Gracián; valencianos como Timoneda, Gil Polo, Guillén de Castro, Moncada y multitud de autores secundarios. En Portugal, cuyos vínculos con España se mantenían firmes, no era extranjero el castellano: el desarrollo de la literatura vernácula no impidió que los más relevantes clásicos lusitanos, Gil Vicente (2), Sá de Miranda, Camões, Rodrigues Lobo y Melo, practicaran el bilingüismo; otros, Montemayor, por ejemplo, pertenecen casi íntegramente a la literatura castellana; y algunos elogian el castellano como lengua más universal que el portugués (3).

---

(1) Prólogo a las *Obras de Garci Lasso de la Vega con anotaciones de Fernando de Herrera*. Sevilla, 1580.

(2) Para el castellano de Gil Vicente, véase el excelente estudio de Dámaso Alonso en su edición anotada de la *Tragicomedia de Don Duardos*. Madrid, 1942.

(3) Así Pedro Nunes en su *Libro de Algebra* (1567, antes de la anexión) y Manuel das Povoas en su *Vita Christi* (1614); véase Eugenio Asensio, *España en la épica filipina*, Rev. de Filol. Esp., XXXIII, 1949, 79-80.

La comunidad hispánica tenía su idioma. "La lengua castellana —decía Juan de Valdés en 1535— se habla no solamente por toda Castilla, pero en el reino de Aragón, en el de Murcia con toda el Andaluzía y en Galizia, Asturias y Navarra; y esto aun hasta entre gente vulgar, porque entre la gente noble tanto bien se habla en todo el resto de Spaña". Esta afirmación de Valdés respondía a un hecho innegable: el castellano se había convertido en idioma nacional. Y el nombre de *lengua española,* empleado en la Edad Media con antonomasia demasiado exclusivista entonces, tiene desde el siglo XVI absoluta justificación y se sobrepone al de *lengua castellana* (1).


CONTIENDA CON EL LATÍN E ILUSTRACIÓN
DEL ROMANCE.

La mayoridad de las lenguas modernas coincidía con la plenitud del Renacimiento, que incrementaba el uso del latín entre los doctos. De una parte la tradición medieval mantenía el empleo del latín en las obras doctrinales, como lengua común del mundo civilizado; por otra, los humanistas aspiraban a resucitar el latín elegante de Cicerón. El mismo Nebrija, que inició el estudio de nuestro idioma; Luis Vives, García Matamoros, exaltador del saber hispánico; Fox Morcillo, Arias Montano, Luis de León y otros muchos, compusieron en latín algunas de sus obras o todas ellas. Sólo se concedía sin disputa a la lengua nativa el campo de la literatura novelística y de amores, desdeñada por los espíritus graves.

De todos modos, la exaltación nacionalista que acompañó a la creación de los Estados modernos, no podía menos

---

(1) Véase AMADO ALONSO, *Castellano, español, idioma nacional,* Buenos Aires, 1938.

de reflejarse en un mayor aprecio de las lenguas nacionales. La mayor conciencia lingüística hizo preguntarse por el origen de las nuevas lenguas, que se explicó generalmente como "corrupción" del latín a causa de las mezclas de pueblos (1). Un aspecto curioso de esta nueva actitud consistió en subrayar la semejanza entre el romance materno y el latín: aquél sería tanto más ilustre cuanto más cercano a la lengua de Cicerón. Ya en 1498, Garcilaso de la Vega, padre del insigne poeta, había pronunciado en Roma, siendo embajador de los Reyes Católicos, un discurso que pretendía ser a la vez latino y castellano. Igual intento emprendió Fernán Pérez de Oliva en un diálogo que precede al *Tratado de Aritmética* del Cardenal Silíceo, y todavía en el siglo xvii surgen composiciones hispano-latinas (2). Juan de Valdés estimaba que el castellano era la lengua más rica en vocablos latinos, siquiera estuviesen "corrompidos".

Pero el Renacimiento no se limitaba al retorno hacia la antigüedad. Una de sus más profundas corrientes era la exaltación de la Naturaleza en sus productos más inmediatos y espontáneos; por eso rehabilitó el cultivo de las lenguas vulgares. El problema caía tan de lleno dentro de las preocupaciones renacentistas, que en los distintos países surgieron apologías de las lenguas respectivas: en Italia, las *Prose della volgar lingua*, de Pietro Bembo (1525); en Francia, la *Défence et illustration de la langue françoise*, de Du-Bellay (1549); en España, el *Diálogo de la lengua*, de Juan de Valdés (1535), seguido de numerosos alegatos que

---

(1) Véanse H. BAHNER, *Beitrag zum Sprachbewusstsein in der Spanischen Literatur des 16. und 17 Jahrhunderts*, Berlín, 1956, y LORE TERRACINI, *Appunti sulla "coscienza linguistica" nella Spagna del Rinascimento e del Secolo d'Oro*, Boll. dell'Istit. di Filol. Rom. della Univ. di Roma, XIX, 1959.
(2) Véase E. BUCETA, *La tendencia a identificar el español con el latín*, Homenaje a Menéndez Pidal, 1926, I, 85-108, y *Composiciones hispano-latinas en el siglo XVII*, Rev. de Filol. Española, XIX, 1932.

señalan las excelencias de nuestro idioma (1) y recaban para él materias reservadas de ordinario al latín: "Pues la lengua castellana no tiene, si bien se considera, por qué reconozca ventaja a otra ninguna, no sé por qué no osaremos en ella tomar las invenciones que en las otras, y tractar materias grandes, como los ytalianos y otras naciones lo hacen en las suyas" (Pero Mexía, *Silva de varia lección*). Los defensores del español en el siglo XVI suelen dolerse del poco cuidado que se concedía a la elaboración de los escritos. Cristóbal de Villalón proclama que "la lengua que Dios y naturaleza nos ha dado no nos deve ser menos apazible ni menos estimada que la latina, griega y hebrea, a las cuales creo no fuesse nuestra lengua algo inferior, si nosotros la ensalçássemos y guardássemos y puliéssemos con aquella elegancia y ornamento que los griegos y los otros hazen en la suya. Harto enemigo es de sí quien estima más la lengua del otro que la suya propia" (2). Pedro Simón Abril propuso a Felipe II la conveniencia de que las enseñanzas se dieran en lengua vulgar y de que los niños aprendieran la gramática española antes que la latina.

Había que "enriquecer e ilustrar" la lengua, empleándola en asuntos dignos y cuidando el estilo. No otra cosa habían hecho los antiguos con el latín y el griego. La emulación de la literatura italiana acuciaba al mejoramiento del español. Mientras aquélla contaba con Petrarca y Boccaccio por modelos, Valdés observaba que "la lengua castellana nunca ha tenido quien escriva en ella con tanto cuidado y

---

(1) Reunidos en *Las apologías de la lengua castellana en el Siglo de Oro* (Selección y estudio de José F. Pastor, volumen VIII de la colección "Clásicos olvidados", Madrid, 1929) y en la *Antología de elogios de la lengua española*, selección de Germán Bleiberg, Madrid, 1951; estudiados por Amado Alonso, *Castellano, español, idioma nacional*, antes citado, y por Lore Terracini, *Tradizione illustre e lingua letteraria nella Spagna del Rinascimento*, Roma, [1964].

(2) Sobre este pasaje véase Rita Hamilton, *Villalón et Castiglione*, Bulletin Hispanique, LIV, 1952.

miramiento quanto sería menester para que hombre, quiriendo, o dar cuenta de lo que scrive diferente de los otros, o reformar los abusos que ay oy en ella, se pudiesse aprovechar de su autoridad". El español, recién salido entonces de su evolución medieval, más trabajosa que la del italiano, carecía de textos que satisficiesen las apetencias de perfección formal. Garcilaso hacía tabla rasa de la literatura anterior: "No sé qué desventura ha sido siempre la nuestra que apenas ha nadie escripto en nuestra lengua sino lo que se pudiera muy bien escusar".

Con Garcilaso y Valdés empezaba a forjarse nuestra lengua clásica. Las vicisitudes de su desarrollo obedecen a las distintas interpretaciones dadas según las épocas a la ilustración del idioma. En casi todo el siglo xvi domina el criterio de *naturalidad* y *selección;* la literatura barroca del xvii se basa en el de *ornato* y *artificio* (1).

EL ESTILO LITERARIO EN LA ÉPOCA
DE CARLOS V (2).

Culminaba la tendencia a eliminar el amaneramiento latinizante, iniciada ya en tiempos de los Reyes Católicos. La norma general del lenguaje era la expresión llana, libre de afectación, pero depurada según los gustos del habla cortesana.

Boscán y Garcilaso introducen la versificación italiana, y con ella un nuevo sentido de la poesía. La serena lentitud del endecasílabo se impone al vivaz ritmo octosilábico y sus abundantes rimas; a la improvisación ingeniosa y conceptista de los cancioneros sucede un arte más reflexivo y selecto, pero de suma simplicidad. Los versos de Garcilaso

(1) Véase R. MENÉNDEZ PIDAL, *El lenguaje del siglo XVI.* Cruz y Raya, septiembre de 1933.
(2) Véase MANUEL GARCÍA BLANCO, *La lengua española en la época de Carlos V*, Santander, 1958.

no deslumbran con alardes cultos ni imágenes atrevidas: se deslizan suaves, utilizando palabras corrientes, comparaciones fáciles y metáforas consagradas por la tradición literaria; pero funden estos elementos en armonía perfecta, diluyéndolos en suaves sensaciones musicales. El arte inimitable de Garcilaso consiste en transformar las palabras en "manso ruido", en "susurro de abejas". El secreto de su perennidad se encierra en la más tersa y elegante sencillez. El lenguaje poético de Garcilaso sirvió de modelo a toda la poesía española del Siglo de Oro: imágenes, epítetos, esquemas distributivos de la materia poética en el verso, se repiten profusamente en la lírica posterior, cuyos más altos representantes, incluso los más innovadores, acuden siempre al hontanar garcilasiano.

La visión platónica de una naturaleza perfecta invitaba a destacar por medio de epítetos aquellas cualidades con las que seres y cosas respondían mejor a sus arquetipos: "agua *corriente y clara*", "*robusta y verde* encina", "*el blanco* lirio *y colorada* rosa". El influjo conjunto de la poesía garcilasiana y de la prosa de Sannazaro había de reflejarse en la novela pastoril de la segunda mitad del siglo. En la *Diana* de Montemayor, por ejemplo, abundan pasajes como el siguiente: "la *hermosa* pastora Selvagia, por la cuesta que de la aldea baxava al *espesso* bosque, venía trayendo delante de sí sus *mansas* ovejuelas, y después de avellas metido entre los árboles *baxos* y *espesos...*, se fue derecha a la fuente de los alisos".

Continuaba la moda de los libros de caballería, pero el estilo enrevesado de un Feliciano de Silva no contagió a los demás géneros de la prosa. El escritor tachado de más artificioso, Antonio de Guevara, se limita a emplear, atenuados, usos generales de fines del siglo XV: frases simétricas y contrapuestas, como las de la *Cárcel de amor,* enumeraciones abundosas y finales en consonancia, semejantes a los del *Corbacho* y la *Celestina:* "Los tristes hados lo *permitiendo,* y nuestros sañudos dioses nos *desamparando,* fué tal nuestra *desdicha,* y mostróse a vosotros tan favorable *ventura,* que los superbos capitanes de Roma tomaron por fuerza de armas a nuestra tierra de Germania"; "era muy grande el ejercicio que en su palacio había, así de los filósofos en *enseñar,* como de los médicos en *disputar"* (1).

La mayoría de los prosistas se atiene a la arquitectura ciceroniana de la frase, repartiéndola en miembros contrapesados. La marcha pausada del período los lleva, como antes a Santillana o Nebrija, a remansar el pensamiento, desdoblándolo en frecuentes parejas de vocablos: "Empero, unos tienen este deseo de saber mayor que otros, a causa de haber juntado *industria* y *arte* a la inclinación natural; y estos tales alcanzan muy mejor los *secretos* y *causas* de las cosas que naturaleza obra; aunque la verdad, por *agudos* y *curiosos* que son, no pueden llegar con su *ingenio* y *proprio entendimiento* a las obras maravillosas que la sabiduría divina misteriosamente hizo" (López de Gómara, *Historia General de las Indias).* Semejante es la prosa de Pérez de Oliva, Zárate, Pero Mexía o Cabeza de Vaca. los didácticos e historiadores más característicos de entonces.

La doctrina estilística de la época se enclerra en la conocida frase de Juan de Valdés: "el estilo que tengo me es natural y *sin afetación ninguna escrivo como hablo;* solamente tengo cuidado de usar de vocablos que sinifiquen bien lo que quiero dezir, y *dígolo quanto más llanamente*

---

(1) Véanse A. Castro, introducción a *El Villano del Danubio y otros fragmentos* de Guevara, Princeton, 1945; María Rosa Lida, *Fray A. de G.,* Rev. de Filol. Hisp., VII, 1945, y Juan Marichal, *La originalidad renacentista en el estilo de Guevara,* en *La voluntad de estilo,* Barcelona, 1957.

*me es possible,* porque a mi parecer, *en ninguna lengua stá bien el afetación".* Como antaño don Juan Manuel, pensaba Valdés que "todo el bien hablar castellano consiste en que digáis lo que queréis con las menos palabras que pudiéredes". La naturalidad de Valdés no estaba reñida con los "primores" a que dedica su *Diálogo de la lengua:* criterios definidos en cuanto a oscilaciones de la pronunciación y el régimen, selección de las palabras y distinción de matices significativos. Así, el *Diálogo* ofrece un tipo de prosa cuidada, dueña de sí, a la que el sosiego y la ponderación no quitan fluidez y gracia; sin afeites artificiosos, pero con sencillez compuesta, que descubre la distinción natural, responde al criterio estético formulado en *El Cortesano* de Castiglione.

La llaneza espontánea, incongruente a veces, aparece en *El lazarillo de Tormes,* donde laten inquietudes de crítica social revestidas de afilada ironía. La novela moderna, que nacía en las páginas del *Lazarillo,* encontraba el lenguaje apropiado a la narración realista, lleno de trazos intencionados y sobrios (1). Al mediar el siglo, Lope de Rueda ponía en boca de los lacayos, bobos y aldeanos de su teatro el caudal sabroso del habla popular (2).

La actitud respecto al cultismo es de prudente reserva. Garcilaso, a pesar de inspirarse en Virgilio, Horacio u Ovidio, no gusta de "términos nuevos". Valdés, después de examinar la conveniencia y valor significativo de vocablos como *paradoxa, tiranizar, idiota, ortografía, ambición, dócil, insolencia, persuadir, ecepción,* ya entonces "medio usados", aboga por su adopción definitiva, que el tiempo ha corroborado. En el caso de *ecepción,* un interlocutor ob-

(1) Véase G. SIEBENMANN, *Uber Sprache und Stil im Lazarillo de Tormes,* Berna, 1953, y SALVADOR AGUADO-ANDREUT, *Algunas observaciones sobre el Lazarillo de Tormes,* Guatemala, 1965.
(2) Véase E. VERES D'OCÓN, *Juegos idiomáticos en las obras de L. de Rueda,* Rev. de Filol. Esp., XXXIV, 1950.

jeta que no lo entiende, y Valdés se justifica con no haber encontrado sustitutivo castellano: "pues me hazéis hablar en esta materia en que no he visto cómo otros castellanos han hablado, es menester que sufráis me aproveche de los vocablos que más a propósito me parecerán, obligándome yo a declararos los que no entendiéredes". Otros escritores practicaban la misma solución, que venía a coincidir con la de Alfonso el Sabio. Así Agustín de Zárate pone junto al neologismo *amnistía* su equivalente vulgar: "entendió que sus hechos eran más dignos de la *ley de olvido*, que los atenienses llamaban *amnistía*, que no de memoria ni perpetuidad".

ÉPOCA DE LOS MÍSTICOS Y HERRERA.

La poesía de Garcilaso, los didácticos humanistas y el *Lazarillo* encarnan las diversas corrientes del pleno Renacimiento. En cambio, la segunda mitad del siglo XVI, impregnada del espíritu de la Contrarreforma, se caracteriza por el esplendor que alcanza la literatura religiosa.

Sobresale, en primer lugar, la fulgurante explosión del fervor místico. Los escritores místicos nos hablan del proceso del alma que, despojada de todo apego a lo terrenal y concreto, se encierra en sí para lanzarse en busca de Dios, alentada por el amor y sin más guía que la fe. Refieren, directamente o en forma doctrinal, la experiencia penosa y deslumbradora del amor divino, el lento ascender del espíritu desnudo hasta fundirse en íntima unión con el Amado. Al abismarse en lo más recóndito de la conciencia, a caza de la presencia de Dios, el alma atraviesa páramos ilimitados de soledad, entre padecer incomportable y goce sobrenatural. La meta suprema de la vida mística, el "subido sentir de la divinal esencia", excede a todo conocimiento y

14

es, en sí misma, inefable. En la pugna por expresar lo inexpresable, los místicos se valen de símbolos, alegorías, metáforas y comparaciones, aplican al amor de Dios el lenguaje más ardiente del amor humano, y acuden a sublimes contrasentidos: "entender no entendiendo", "glorioso desatino", "divinal locura", "rayo de tiniebla". Adentrados en el alma para la apercepción de sus experiencias, forjan el instrumental léxico del análisis psicológico; y las palabras amplían sus dimensiones conceptuales para abarcar la infinitud vivida. Tal es el horizonte cimero que nos descubren Santa Teresa y San Juan de la Cruz.

Santa Teresa escribe por mandato de sus confesores: "casi hurtando el tiempo y con pena, porque me estorbo de hilar". Cuando promete "escribirlo he todo lo mijor que pueda", es para "no ser conocida" y evitar descubrirse como agraciada por las mercedes divinas. Le importa declarar bien las cosas del espíritu; pero el cuidado de la forma le parece tentación de vanidad, y emplea el lenguaje corriente en el habla hidalga de Castilla la Vieja, sin atenerse al gusto cortesano ni buscar galas cultas; antes al contrario, busca deliberadamente la expresión menos estimada o rústica (1). Esta humildad teresiana está ajena a la fijación del idioma por la literatura; conserva formas anticuadas o en trance de arrinconarse: *entramos* 'ambos', *sabién* 'sabían', *mijor, siguir, dispusición, enclinar, mormurar;* vulgarismos *an* 'aun', *anque, relisión, ilesia, naide, cuantimás, train* 'traen'; y deformaciones literarias de voces latinas, *teulogía, iproquesía, primitir, intrevalo.* La firme consecuencia de las ideas no obliga al desarrollo lógico

(1) Véanse R. MENÉNDEZ PIDAL, *El estilo de Santa Teresa,* en *La lengua de Cristóbal Colón,* Colección Austral, Madrid, 1942; H. HATZFELD, *Estudios literarios sobre mística española,* Madrid, 1955; y HANS FLASCHE, *Syntaktische Untersuchungen zu Santa Teresa de Jesús,* Spanische Forschungen der Görresgesellschaft. Gesammelte Aufsätze zur Kulturgeschichte Spaniens, XV, 1960, 151-174.

de la frase, que, como en el habla descuidada, se pierde en cambios repentinos de construcción, alusiones a términos no enunciados, concordancias mentales y abandono de lo que se ha comenzado a decir. El estilo no fluye canalizado en las normas usuales del discurso literario, sino como manantial que surte en la intimidad del alma.

Pero, sin pretenderlo, este lenguaje es eminentemente artístico; todas las grandes construcciones teóricas de Santa Teresa están basadas en imágenes constitutivas de magistrales alegorías, como el vergel místico en el *Libro de su Vida* o el castillo interior y la mariposa en *Las Moradas*. Gracias a las imágenes se resuelven arduas dificultades de exposición y se expresan con acierto finas diferencias conceptuales. "Ni sé entender qué es mente ni qué diferencia tenga del alma u espíritu tampoco. Todo me parece una cosa, bien que el alma alguna vez sale de sí mesma a manera de un fuego que está ardiendo y echo llama, y algunas veces crece este fuego con ympetu; esta llama sube muy arriba del fuego, mas no por eso es cosa diferente, sino la mesma llama que está en el fuego." La unión del alma con Dios se define "como si dos velas de cera se juntasen tan en extremo que toda la luz fuese una, u que el pabilo y la luz y la cera es todo uno; más después bien se puede apartar la una vela de la otra, y quedan en dos velas, u el pabilo de la cera'". La expresión sobrecoge unas veces por su fuerza impresionante: "una *pena tal delgada y penetrativa*"; "*un recio martirio sabroso*"; "*es como uno que está con la candela en la mano*, que le falta poco para morir muerte que la desea". Otras veces, la feminidad afectiva de la autora se explaya en deliciosos diminutivos: "esta *encarceladita* de esta pobre alma"; "como *avecita* que tiene pelo malo, cansa y queda"; "esta *motita* de poca umildad". Y constantemente surgen rasgos certeros y plásticos: "an de mirar que sea tal el maestro que no... se contente con que se muestre el alma a sólo *caçar lagartijas"*; "no se negocia bien con Dios a *fuerça de braços"*. Los escritos teresianos, inspirados por el amor y rebosantes de emoción, obtenían como añadidura la suprema belleza literaria.

Los tratados de San Juan de la Cruz aspiran también a transformar en teoría objetiva la experiencia personal El hombre de letras se revela en el rigor de la exposición y en la busca de la palabra justa, acudiendo frecuentemente al cultismo técnico. Pero como no opera sobre conceptos abstractos, sino sobre un drama vivido con intensidad inigualable, a cada paso emplea giros o comparaciones fuertemente expresivos; en ellos se dignitican el afectivismo, la nota popular y hasta la que en otros casos sería trivial: "así se gozan en el cielo *de que ya saque Dios a esta alma de pañales"*; la purificación actúa sobre el alma *"como el jabón y la fuerte lejía"*. Si hay "suma ciencia", saber trascendente, es porque ha habido "subido sentir" de la Esencia divina; los tratados de San Juan consisten en comentarios de poemas previamente escritos, nacidos en la inmediatez del estado místico, que constituyen el más sublime intento de expresar con el lenguaje humano las experiencias de la vida sobrenatural. Unas veces son afirmaciones de fe, como único asidero del alma sobre el abismo abierto por las renuncias a todo lo que no sea pensar en el Ser divino ("Que bien sé yo la fonte que mana y corre, aunque es de noche"); otras veces, el grito de victoria lanzado tras venturoso vuelo de espiritual altanería ("Subí tan alto, tan alto / que le di a la caza alcance"); o el dulce abandono de la unión lograda ("Cesó todo y déjeme..."). Siempre en primera persona, como desahogo espontáneo de la sacudida emocional. Exentos de dependencia o correla-

ción respecto a los conceptos, los términos metafóricos son
símbolos ricos en resonancias emotivas y vagos de contor-
nos: imágenes de la noche y el cauterio, que hablan de la
dolorosa purificación del alma hasta que la iluminan las
lámparas de fuego encendidas por el Amado. Después, en
el alborear de la vida deificada, las imágenes no aluden ya
a las cavernas del espíritu, sino a la belleza de las criaturas, descubierta ahora, más pura y delicada, en la contemplación de Dios. Entonces "los valles solitarios nemoro-
sos", "la soledad sonora", "el soto y su donaire" o "el
canto de la dulce Filomena", dádivas del Señor, superan la
gracia de los boscajes terrenales y las melodías del ruiseñor virgiliano. San Juan de la Cruz conoce y aprovecha el
legado poético de Garcilaso y. el de los villancicos y glosas
a la manera tradicional castellana; pero transfigura el sentimiento de la naturaleza y del amor al elevarlo a las regiones donde sopla el divino "aire de la almena" y donde,
entre azucenas celestiales, se olvidan los cuidados. En las
poesías de San Juan, como en los mejores momentos de
Santa Teresa, se convertía en realidad la frase de Carlos V: el español era la lengua para hablar con Dios (1).

La Contrarreforma reconocía el valor de muchas conquistas del Renacimiento que quiso aprovechar con fines
religiosos. No rechazó el amor a las letras antiguas: inten-
taba hermanarlo con el cristianismo. El arte de la palabra
era por sí mismo deseable. Y, además, servía para contra-
rrestar la influencia de los libros profanos. No bastaba el
estilo genial y desaliñado de Santa Teresa, pues había que
emplear las mismas armas literarias del enemigo. Ésta es la

---

(1) Véanse J. Baruzi, *Saint Jean de la Croix et le problème
de l'experience mystique*, París, 1924; Dámaso Alonso, *La poesía de
S. J. de la C.*, Madrid, 1942, y M. García Blanco, *S. J. de la C. y el
lenguaje del siglo XVI*, en "Castilla", II, 1941-43, págs. 139-160.

dirección que inicia fray Luis de Granada, quien descubre en las doctrinas platónicas "la principal parte de la filosofía cristiana"; la sigue y perfecciona fray Luis de León, el excelso poeta que escuchaba, como los pitagóricos, la armonía estelar, y cuyos anhelos de conocimiento se fundían con el ansia de la vida celeste; y la practican otros estilistas como Ribadeneyra, Malón de Chaide y el padre Sigüenza.

Fray Luis de Granada se esfuerza por lograr solemnidad y grandilocuencia, alargando el período y aplicando a temas sagrados las elegancias retóricas de Cicerón. Es, ante todo, orador, y sus tratados más parecen compuestos con vista a la predicación que para la lectura, atentos principalmente a la magnificencia de la forma y al amplio desarrollo de los pensamientos (1). Pero hay calor emotivo, patetismo sincero. Y al buscar las huellas del Creador, observa minuciosamente, con cariño, la belleza de las criaturas; famosas son sus descripciones del mar, plantas y animales; en ellas el tono oratorio se dulcifica, suavizado por encantadora sencillez espiritual.

Luis de León es el artista exquisito que somete el lenguaje a minuciosa selección: "Piensan que hablar romance es hablar como se habla en el vulgo, y no conocen que el bien hablar no es común, sino negocio de particular juicio...; y negocio que de las palabras que todos hablan elige las que convienen, y mira el sonido dellas y aun cuenta a veces las letras, y las pesa, y las mide, y las compone para que no solamente digan con claridad lo que se pretende decir, sino también con armonía y dulzura". Su innovación, por él mismo advertida, consiste en "poner número" en la prosa, esto es, dotarla de musicalidad mediante la há-

---

(1) Véanse Azorín, *Los dos Luises,* 1920; *De Granada a Castelar,* 1922, y Rebecca Switzer, *The Ciceronian Style in Fray L. de G.,* New York, 1927.

bil disposición de ritmos y melodías tonales. La prosa de *Los Nombres de Cristo* o de *La Perfecta Casada* es hondamente poética; a cada paso surge en ella la contemplación entusiasta de la naturaleza, el más exaltado sentimiento de la hermosura: "Algunos hay a quien la vista del campo los enmudece, y deve ser condición propia de espíritus de entendimiento profundo; mas yo, como los páxaros, en viendo lo verde, desseo o cantar o hablar". "Nasce la fuente de la cuesta que tiene la casa a las espaldas, y entrava en la huerta por aquella parte, y corriendo y estropezando parecía reyrse..."

Si la prosa de fray Luis es el dechado de la más hermosa serenidad clásica, también su poesía guarda el augusto equilibrio de fondo y forma. Valoriza las palabras usuales sin recurrir apenas a cultismos violentos (1), aunque alguna vez, arrastrado por el trato con los poetas latinos se deja llevar a licencias sintácticas (2) y abunda en alusiones mitológicas. No desdeña los términos más concretos y vulgares, vigorosos en su plástica naturalidad: "la *ñudosa* carrasca en alto risco *desmochada*", el "techo *pajizo* adonde jamás hizo morada el enemigo cuidado", o el cielo que "*aoja* con luz triste el sereno verdor". Pero la poesía de fray Luis de León, aunque mantiene la limpidez garcilasiana, no es manso fluir de aguas cristalinas, sino arrebato emocional que proyecta a las alturas recuerdos clásicos, naturaleza, realidad ambiente, meditación filosófica y

---

(1) Escasean latinismos como "la nave que al momento / el hondo *pide* abierta", 'la nave que, abierta, busca al momento el fondo del mar', donde *pedir* tiene el sentido de "dirigirse a", propio del latín p e t e r e.

(2) En transposiciones como "No te engañe el dorado / vaso, ni *de la puesta al bebedero / sabrosa miel cebado*" 'ni el [vaso] cebado de la sabrosa miel puesta al bebedero'. También en giros como "o arde *oso* en ira / o hecho jabalí gime y suspira", 'o convertido en oso arde en ira'; en el superlativo "el *pesadísimo* elemento" con el valor de 'el más pesado de los elementos', etc.

ansias de paz, en tensión anhelosa hacia el supremo Bien
y la Belleza primera.

Mientras en Castilla florecía la lírica de fray Luis de
León y San Juan de la Cruz, apuntaban entre los literatos
sevillanos nuevas tendencias poéticas. El manifiesto de la
escuela sevillana fueron las *Anotaciones* de Fernando de
Herrera, el cantor de Lepanto y del desastre de Alcazar-
quivir, a las obras de Garcilaso (1580). En el prólogo a
estas *Anotaciones,* Francisco de Medina se duele, como
otros apologistas del español, "de ver la hermosura de nuestra plática tan descompuesta y mal parada, como si ella
fuese tan fea que no mereciesse *más precioso ornamento,*
o nosotros tan bárbaros que no supiéssemos *vestilla del que
merece".* Los escritores "derraman palabras vertidas con
*ímpetu natural* antes que asentadas con el *artificio* que piden las leyes de su profesión". Medina, como Herrera, sobrepone el artificio a la espontaneidad; pretendían ambos
ennoblecer el lenguaje por caminos muy distintos a los se-
guidos por Garcilaso y fray Luis de León.

Mientras éstos crearon belleza con palabras de uso común, Herrera se esforzaba por dar a la poesía una lengua
autónoma, diferente del habla general. La postura herreria-
na consiste en el sistemático apartamiento del vulgo. "Ninguno —dice— puede merezer la estimación de noble poeta,
que fuese fácil a todos i no tuviesse encubierta mucha erudición." Y la erudición, placer de los doctos, es inasequible
a la masa; la obra poética no será ya para todos, sino sólo
para los escogidos. Herrera prodiga recuerdos mitológicos
difíciles, en los que muestra su familiaridad con los poetas
grecolatinos, y atiende con nimio cuidado a la pompa y majestad de la forma. Como la oscuridad o la afectación no le
parecían defecto si eran hijas del refinamiento culto, el neo-

logismo sólo le presentaba su tentadora faceta de enrique-
cimiento idiomático. "¿Y temeremos nosotros traer al uso
i ministerio de la lengua otras voces extrañas i nuevas...?
Apártese este rústico miedo de nuestro ánimo." Así justifica la creación de derivados como *languideza, ondoso, lassa-
miento*, de *lánguido, onda* y *lasso* 'cansado, triste', y la
adopción de palabras latinas y extranjeras. Herrera emplea
gran número de cultismos: *sublimar, consilio, hórrido,
aura, cerúleo, horrísono, flamígero, argentar, rutilar, infan-
do, hercúleo;* legítima *ignoración, toroso* 'membrudo', *lu-
xuriante, venustidad;* y utiliza formas latinas como *pluvia,
prora, impio.* Junto a esta desbordada ampliación léxica
hay la restricción impuesta por la preferencia de voces
"graves". El vocabulario de Herrera, pese a sus neologismos, no es variado: *ardor, crespo, esplendor, esparcir, yerto*
'erguido', *ledo* 'alegre', *ufano, ufanía* se repiten con insistencia abrumadora. La sintaxis reclama también libertades
propias; no se contenta Herrera con desplazamientos normales en la poesía ("las *alas* de su cuerpo *temerosas*"),
sino que reproduce con atrevimiento el hipérbaton latino:
"De la *prisión* huir no pienso *mía*"; "Mas tú con puro
acento i armonía / *tu afrenta i* gimes *bárbaros despojos*"
('gimes tu afrenta y bárbaros despojos'). La poesía de Herrera, sonora y magnífica, pero estudiada y artificiosa, im-
plica la ruptura del equilibrio clásico en beneficio de la
forma (1).

---

(1) Véanse J. M. BLECUA, prólogo a las *Rimas inéditas* de Herrera, Madrid, 1948, y *De nuevo sobre los textos poéticos de Herrera*,
Bol. Real Acad. Esp., XXXVIII, 1958, 377-408; O. MACRÍ, *Poesia e
pittura in F. de H.*, Paragone, IV, 1943, n.º 41; *La lingua poetica di
F. de H. (Preliminari e lessico)*, Studi Urbinati, XXIX, 1955; *La
lingua poetica di H. (Sintassi e Metrica)*, Rivista di Letterature Moderne, 1955; y *Fernando de Herrera*, Madrid, 1959; y S. BATTAGLIA,
*Per il testo di F. de H.*, Filologia Romanza, I, 1954, 51-88.

## XII. EL ESPAÑOL DEL SIGLO DE ORO. LA LITERATURA BARROCA

### DE CERVANTES A QUEVEDO. APARICIÓN Y TRIUNFO DE LAS TENDENCIAS BARROCAS.

A fines del siglo XVI el Imperio hispánico había logrado su máxima extensión. Sin embargo, con las campañas de Flandes y la Invencible sonaron los primeros aldabonazos de la decadencia. La unidad espiritual de España se había hecho más sólida que nunca, afirmada en una ortodoxia religiosa sin reservas y en el más exaltado orgullo nacional. Pero la vida española estaba llena de contrastes: mientras los tercios de nuestra infantería sostenían en toda Europa una lucha desigual y agotadora, la corte de Felipe III y de Felipe IV, ostentosa y frívola, se ocupaba sólo de fiestas e intrigas. Las letras llegan a su apogeo y florecen nuestros más grandes pintores; en cambio, las inquietudes científicas empiezan a declinar. Pugnan apariencia y realidad, grandeza y desengaño, y surge lentamente el pesimismo. Reflejando esta distensión del vivir hispano, la literatura se reparte en direcciones que, si bien se entrecruzan armónicamente en la complicada ironía cervantina, aparecen por lo general como actitudes unilaterales o contradictorias; exaltación heroica (Historia de Mariana, teatro de Lope de Vega), escape hacia la belleza irreal (poesía culta de Góngora), cínica negación de valores (literatura satírica, novela picaresca) y ascetismo.

Cervantes, heredero de la ideología renacentista y de la fe en la naturaleza, propugnaba como técnica estilística la misma de Valdés: habla llana regida por el juicio prudente. Camino de las bodas de Camacho, dice el Licenciado: "El lenguaje puro, el propio, el elegante y claro está en los discretos cortesanos, aunque hayan nacido en Majalahonda; dije discretos porque hay muchos que no lo son, y la discreción es la gramática del buen lenguaje, que se acompaña con el uso. Yo, señores, he estudiado Cánones en Salamanca y pícome algún tanto de decir mi razón con palabras claras, llanas y significantes." Es Cervantes uno de los escritores más interesados en las cuestiones de lenguaje: aborda repetidamente los problemas que preocupaban a los espíritus cultos de entonces (ilustración del romance, discreción como norma del buen hablar, valor de los refranes); percibe y recrea con aguda intuición la variedad lingüística correspondiente a la diversidad de esferas sociales o a las distintas actitudes frente a la vida; y posee un finísimo sentido de la palabra en sí, a causa del cual se complace en juegos que operan unas veces con el concepto, otras veces con el cuerpo fónico de los vocablos. Son inevitables y gustosas concesiones a una tendencia que venía de lejos (cancioneros, Guevara, etc.) y que había de recrudecerse en el siglo XVII. Pero ni éstos ni otros géneros de artificio constituyen lo más característico del estilo cervantino. Si su prosa más retocada, la de *La Galatea* y parte del *Persiles,* la del discurso sobre la Edad de Oro y otros pasajes idealizados del *Quijote,* ofrece notable abundancia de epítetos y los usuales primores de disposición simétrica; si con fines caricaturescos brota a menudo en el *Quijote* la retórica ampulosa o la altisonante imitación de los libros de caballería, el estilo típico de Cervantes es el de la narración realista y el diálogo familiar. La frase corre suelta, holgada en su sintaxis, con la fluidez que conviene a la pintura cálida de la vida, en vez de la fría corrección atildada. Esa facilidad inimitable, compañera de un humorismo optimista y sano, superior a todas las amarguras, es la eterna lección del lenguaje cervantino (1).

Otros escritores, nacidos como Cervantes a mediados del siglo xvi, revelan el mismo gusto lingüístico. Mateo Alemán y Vicente Espinel conservan el estilo llano en la novela. Y la *Historia* del padre Mariana reviste austera dignidad dentro de un tono sobrio, al que prestan noble sabor algunos dejos arcaizantes tomados de las fuentes medievales.

La generación siguiente, la de Lope y Góngora, conoció en toda su violencia la sacudida innovadora. La vida literaria se hacía cada vez más intensa; se multiplicaban círculos como la *Academia de los Nocturnos* de Valencia, la de los *Anhelantes* de Zaragoza, la *Academia poética imitatoria* y

---

(1) Véanse A. CASTRO, *El pensamiento de Cervantes,* 1925, páginas 190-204; H. HATZFELD, *Don Quijote als Wortkunstwerk,* Leipzig, 1927 (trad. esp. con el título de *El Quijote como obra de arte del lenguaje,* Madrid, 1949); L. SPITZER, *Linguistic Perspectivism in the Don Quijote,* en *Linguistics and Literary History,* Princeton, 1948; A. ALONSO, *Las prevaricaciones idiomáticas de Sancho,* Nueva Revista de Filol. Hisp., II, 1948, y A. ROSENBLAT, *La lengua de Cervantes,* en el volumen *Cervantes,* Universidad Central, Caracas, 1949. Para algunos problemas de la sintaxis cervantina, véase WEIGERT, *Untersuchungen zur spanischen Syntax auf Grund der Werke des Cervantes,* Berlín, 1907. No debe manejarse sin cautela *La lengua de Cervantes* de J. CEJADOR, Madrid, 1905.

la *Selvaje* de Madrid; en ellas se reunían escritores y aficionados para leer y criticar sus obras, y sometían su in-
ventiva a difíciles pruebas. El ambiente favorecía el juego
del ingenio y exigía la busca de novedad; el refinamiento
expresivo se extendía a la conversación de los discretos
Era necesario halagar el oído con la expresión brillante,
demostrar erudición y sorprender con agudezas. Así se
desarrollan ciertos rasgos de estilo que acusan vivacidad
mental, rápida asociación de ideas, y que requieren también despierta comprensión en el lector u oyente. Uno es
la alusión, por medio del pronombre, a una noción no pun-
tualizada antes, sino encerrada en otra palabra; este tipo
de zeugma es muy antiguo: aparece en la sintaxis vivaz
del *Mío Cid* (véase pág. 155) y surge en el *Lazarillo* y
en Santa Teresa; pero desde fines del siglo XVI su empleo
intencionado es manifiesto y abundante; véanse algunos casos de los muchos que pueden recogerse en el teatro o en la
prosa más cuidada: "¡Tantos *desvelos* por vos! — Yo *lo*
estoy de tal manera..." = 'estoy desvelado'; "¿Vas, Leo-
nardo a *casarte* / o por ventura *lo* estás?" = 'estás casado' (Lope); "Ysbella, dama tan recatada en *favorecerme*,
que *los que* me haze son tan problemáticos que me traen
confuso" = 'los favores' (Tirso, *Cigarrales*). A estos ejemplos hay que añadir los que combinan las diversas acepciones de un vocablo: "Os ruego que escuchéis el *cuento*, que
no *le* tiene, de mis desventuras" (Cervantes); "Señora
Dorotea, tomáis *azero* ['agua ferruginosa'] o venís a flore-
cer el campo? —Parece que *los* sacáis las dos en desafío"
= 'sacáis los aceros, las espadas' (Lope, *Dorotea*). Otro
giro muy significativo consiste en el empleo de aposiciones equivalentes a símiles o metáforas concentrados: "tru-
xeron *toros leones* / para *Hércules cavalleros*" (Lope):
"¡Como si no supieran un manto y un medio ojo desatinar
*conocimientos linces* y transformar *mugeriles Proteos*"

(Tirso). "Oídos desde hoy cerrad / puertas a *vozes sirenas*" (Id.); conocidos son los "galanes moscateles" del teatro y los "poetas chirles y hebenes" de Quevedo. Por último, es muy activa la invención de palabras ocasionales y grande la afición a equívocos.

Literatura y arte refluían sobre la vida; para comprender hasta qué punto, basta leer *La Dorotea* de Lope (1). No sólo porque los personajes ajustan sus actitudes a modelos librescos o porque el diálogo, escrito en prosa por ser "cierta imitación de la verdad", está lleno de ingeniosidades, metáforas y citas. Hay algo más: los recuerdos cultos tamizan la visión de la realidad. Al desmayarse Dorotea, exclama Fernando: "¡O mármol de Lucrecia, escultura de Michael Angel!... ¡O Andrómeda del famoso Ticiano!" Un personaje de *El acero de Madrid* cree oír "tonos de Juan Blas", el músico predilecto de Lope, en el canto matinal de los pajarillos. La alquimia imaginativa entreteje finas correspondencias de sensación: "Marino, gran *pintor de los oídos* / y Rubens, gran *poeta de los ojos*" (Lope); "Compiten con dulce efeto / campo azul y golfo verde, / siendo, ya con rizas plumas, / ya con mezclados olores, / *el jardín un mar de flores* / *y el mar un jardín de espumas*" (Calderón). Los tecnicismos artísticos se emplean con sentido metafórico: en los *Cigarrales* de Tirso, un caballero inocente es acusado de haber herido a otro; éste jura "no tener culpa en todo el *contrapunto* que había echado el engaño sobre aquel *canto llano*". No es de extrañar que la idea de la perfección natural, hija del Renacimiento, sucumbiera ante la de la superioridad del arte; si don Fernando quiere romper un retrato de Dorotea pintado por Liaño, Julio le detiene con estas razones: "No es justo que

(1) Véanse Leo Spitzer, *Die Literarsisierung des Lebens in Lope's Dorotea*, Kölner Romanische Arbeiten, 1932; y los prólogos de J. M. Blecua (1955) y E. S. Morby (1958) a sus respectivas ediciones de *La Dorotea*.

prives al arte deste milagro suyo, ni des gusto a la embidia
de la naturaleza, zelosa de que pudiesse, no sólo ser imi-
tada en sus perfecciones, sino corregida en sus defectos".

La cargazón de lecturas, el constante manejo de po-
lianteas y arsenales de erudición, habían familiarizado a los
escritores con la mitología, con ejemplos consagrados de
virtud o vicio y con seres fabulosos a los que se atribuía
significación simbólica. Toda una copiosa literatura de em-
blemas pudo alzarse sobre este gastado fundamento, Pero en
obras ajenas a esa especialidad, ¡cuántas veces se repiten
los temas del ave fénix, del basilisco o del unicornio! ¡Cuántas se alude a Lucrecias, Porcias, Tarquinos y Nerones!
La filosofía de Platón y más todavía la escolástica sumi-
nistraban también infinidad de lugares comunes. El caudal
de cultura renacentista se vaciaba de contenido, desangrado
por continuo e insistente aprovechamiento; tendía a convertirse en motivo ornamental o rodaba por la sima de la
visión escéptica. Mitos ovidianos, historia clásica, asuntos
del Romancero, sirvieron de pretexto al virtuosismo artístico o a la caricatura. Quedaba otra dirección, el moralis-
mo, gracias al cual nuestro siglo XVII encontró sus más
profundos acentos; y con sentencias y moralidades cundió
el gusto por la abstracción, la prosopopeya y la alegoría (1).

La pérdida de la serenidad clásica se manifiesta en actitudes extremosas. Dinamismo exasperado que remonta
alturas estelares o se hunde en el cieno; preferencia por lo
extraordinario e inaudito; claroscuro de ilusión y burla,
apetencias vitales y ascetismo. En el arte, extraños celajes
del Greco, pugna de luz y sombras en Ribera, santos extá-
ticos y mendigos harapientos; formas en contorsión, edi-
ficios de líneas quebradas y columnas salomónicas. En el
lenguaje literario, lujo de fantasía o de ingenio, disloca-

(1) Véase José M.ª DE Cossío, *Notas y estudios de crítica literaria. Siglo XVII*. Madrid, 1939, págs. 255 y siguientes.

ción, malabarismo o concentración; en suma, desequilibrio, con variantes —más teóricas que reales— en culteranos y conceptistas.

Al apuntar las tendencias barrocas, el teatro nacional recibió su pauta definitiva con la genial producción de Lope de Vega. El espectador español acudía a las representaciones deseoso de verse reflejado en la escena; quería encontrar plasmados en fábula dramática sus sentimientos e ideas, su visión del mundo y de la vida; ansiaba además soñar, calmar su sed de acción intensa. Y Lope de Vega cumplió a la perfección las apetencias de su público. Consagró y consolidó los ideales hispánicos: en sus comedias lo sobrenatural se hizo tan sensible como lo terreno; desfilaron la historia y la epopeya. patrias con sus héroes, acompañados en ocasiones por los tradicionales versos del Romancero viejo; el amor, unas veces violento, otras quintaesenciado con toda la gama de teorías platónicas y petrarquistas; el honor, origen de patéticos conflictos, ya fuera espontánea manifestación de la dignidad humana, ya apareciera aguzado por sutiles metafísicas: todo un mundo apasionante, hiperbólico e idealizado.

A esta concepción del drama correspondía una métrica variada y rica; expresión ingeniosa, engalanada y lozana, llena de lirismo; estilo fácilmente plegable, que, con ser personalísimo en Lope, resulta difícil de definir por su adaptación a las más diversas situaciones y personajes: tan pronto se amolda al tono brillante y conceptuoso de los galanes como a la ingenuidad del labriego o al desplante socarrón del criado. Hay, además, tipos convencionales de lenguaje, favorecidos por la tradición o la moda literaria: uno es la "fabla" antigua, remedo del español medieval, aparecida en romances artísticos y usada por Lope en alguna comedia de su primera época; otro, el lenguaje villanesco, que perpetúa el leonés empleado por los pastores de Juan del Encina y sus imitadores, mezclado con arcaísmos, giros vulgares e invenciones humorísticas de los poetas (1). No menos estilizada aparece el habla española de vizcaínos, moriscos y negros (2).

Lope de Vega, compenetrado con el alma del pueblo, asido fuertemente a la tradición nacional y a la poesía popular, no podía comprender, al menos en teoría, el desvío hermético de los cultos. "A mí me parece que al nombre *culto* no puede aver etimología que mejor le venga que la limpieza y el despejo de la sentencia libre de escuridad; que no es ornamento de la oración la confusión de los términos mal colocados y la bárbara frasi traída de los cabellos con metáfora sobre metáfora". Tal es la razón de sus burlas respecto al gongorismo. Pero como aceptaba el acrecentamiento e ilustración del lenguaje con "nuevas frases y figuras retóricas" y con "hermosos y no vulgares términos", su postura carecía de base firme, y no pocas veces, deslumbrado por el deseo de mostrarse poeta sabio, se

(1) Véanse J. E. GILLET, *Notes on the language of the rustics in the drama of the sixteenth century*, Homenaje a Menéndez Pidal, I, págs. 443-453; FRIDA WEBER DE KURLAT, *El dialecto sayagués y los críticos*, Filología, I, 1949, 43-50, y M. GARCÍA BLANCO, *Algunos elementos populares en el teatro de Tirso de Molina*, Bol. de la Real Academia Española, XXIX, 1949, págs. 414-424.
(2) Véanse J. DE URQUIJO, *Concordancias vizcaínas*, Homenaje a Menéndez Pidal, II, 1926, 93-98; F. YNDURÁIN, *El tema de vizcaíno en Cervantes*, Anales Cervantinos, I, 1951; J. F. MONTESINOS, *La lengua morisca*, en su edición de *El cordobés valeroso Pedro Carbonero* de Lope de Vega (Teatro Antiguo Español, VII, 1929, 218-226); ALBERT E. SLOMAN, *The phonology of Moorish jargon in the works of early Spanish dramatists and Lope de Vega*, Mod. Lang. Rev., 1949; E. DE CHASCA, *The Phonology of the speech of the negroes in early Spanish Drama*, Hispanic Review, XIV, 1946; E. VERES D'OCÓN, *Juegos idiomáticos en las obras de Lope de Rueda*, Rev. de Filología Española, XXXIV, 1950; y FRIDA WEBER DE KURLAT, *El tipo cómico del negro en el teatro prelopesco. Fonética*, Filología, VIII, 1962, 139-168.

dejó llevar a los mismos extremos que satirizaba. En general, los polemistas anticulteranos se limitan a criticar simples diferencias de grado entre la afectación normalmente admitida para la poesía y la extraordinaria de Góngora y sus seguidores.

La dirección aristocrática iniciada por Herrera llega a su cima en la poesía de Góngora, resumen condensado de cuantos elementos imaginativos, mitológicos y expresivos había aportado el Renacimiento (1). Toda la creación secular de los poetas grecolatinos, italianos y españoles se acumula al servicio de un arte que aspira a depurar el mundo real, transformándolo en lúcida y estilizada belleza. Como material más inmediato Góngora aprovecha metáforas que el uso había convertido en lugares comunes *(oro* 'cabello', *perlas* 'dientes', 'rocío', *marfil* y *rosa* 'blancura y rubor de la tez', etc.), capaces, a pesar de su desgaste, de constituir la base de un lenguaje poético que alejara las cosas de su vulgar realidad, reflejando sólo sus aspectos nobles. Así, "tantas *flores* pisó como él *espumas*" equivale a 'tanto trayecto recorrió por tierra como él por mar'; pero *tierra* y *mar* aparecen depurados en *flores* y *espumas*. Cada uno de estos términos podía multiplicar sus sentidos traslaticios, y Góngora se complace en combinar las distintas acepciones: cuando Acis llega sediento a la fuente donde yace dormida Galatea, "su boca dió y sus ojos cuanto pudo / al sonoro *cristal,* al *cristal mudo*" (2);

---

(1) Véanse DÁMASO ALONSO, *La lengua poética de Góngora,* Madrid, 1935, y prólogo a *Las Soledades,* Madrid, Cruz y Raya 1936; EVELYN ESTHER URHAN, *Linguistic analysis of Gongora's baroque style,* incluído en los *Descriptive Studies in Spanish Grammar,* edited by H. Kahane and A. Pietrangeli, Illinois Studies in Language and Literature, vol. 38, 1954; ANTONIO VILANOVA, *Las fuentes y los temas del "Polifemo" de Góngora,* Madrid, 1957.
(2) 'Aplicó con avidez su boca al agua sonora y dirigió sus miradas al cuerpo desnudo y silencioso de Galatea'.

"arrimar *a un fresno el fresno*" será 'apoyar el venablo en el tronco de un fresno'. A veces se nos da a escoger entre dos metáforas de análogo valor evocativo: "duda el amor cuál más su color sea, / o *púrpura nevada* o *nieve roja*"; "rosas traslada y lilios al cabello, / o por lo matizado o por lo bello, / *si aurora no con rayos, sol con flores*". Tan fecundo manejo de las imágenes tradicionales va acompañado de otras nuevas y felices; el pájaro cantor se convierte en "inquieta lira", "violín que vuela" o "esquila dulce de sonora pluma"; el tuero de encina arde en el hogar como "mariposa en cenizas desatada"; y el punzante y rumoroso enjambre de abejas es "escuadrón volante, / ronco sí de clarines, / mas de puntas armado de diamante". Junto a la metáfora emplea Góngora la perífrasis, que sustituye a la mención directa de las ideas para facilitar el establecimiento de relaciones con otras y procurar el goce de la busca difícil y el hallazgo: en lugar de 'un hermoso joven' se dice "el que ministrar podía la copa / de Júpiter mejor que el garzón de Ida", esto es, mejor que Ganimedes; y en vez de 'las perlas del mar', "las blancas hijas de sus conchas bellas". La expresión se retuerce en elegantes giros ajenos al lenguaje común: como, según frecuente hipérbole, los árboles centenarios compiten en edad con las rocas vecinas, el poeta los llama "émulos vividores de las peñas"; si el caminante se detiene para oír una música lejana, dice Góngora que "rémora de sus pasos fue su oído". Desaparecen los nexos de relación para dejar escuetas las identidades poéticas: "morir *maravilla* quiero / i no vivir *alhelí*"; "al bello imán, al ídolo dormido / *acero* sigue"; "*yerno* lo saludó, lo aclamó *río*" (1). Y el período alcanza una amplitud extraordinaria, con laberíntica floración de

---

(1) 'Quiero morir *como* la flor de la maravilla, no vivir *como* vive el alhelí'; 'lo sigue *como* acero', o '*convertido* en acero'; 'lo saludó *como* yerno, lo aclamó *como* río'.

incisos, a través de los cuales se mantiene firme, en arriesgado virtuosismo, la congruencia gramatical.

A esta poesía exquisita corresponde cumplida libertad en el latinismo, tanto de sintaxis como de vocabulario. Góngora emplea mucho el acusativo de relación o parte a la manera griega: "desnuda *el brazo, el pecho* descubier-'ta", lasciva el *movimiento, /* mas *los ojos* honesta (1); y disloca las palabras según el hipérbaton latino: "*estas* que me dictó *rimas sonoras"*; "pasos de un *peregrino* son *errante / cuantos* me dictó *versos* dulce musa". El léxico gongorino está lleno de cultismos, en su mayoría admitidos ya entonces, como *áspid, cóncavo, inculcar, canoro, frustrar, indeciso, palestra, sublime;* pero bastantes no atestiguados, que sepamos, antes: *adolescente, intonso, métrico, náutico, progenie,* etc. Góngora no se servía de ellos por desatentado impulso innovador, sino por su sonoridad y valor expresivo; casi todos los que empleó, aunque muchos fueron censurados por sus contemporáneos, han quedado consolidados en el idioma.

Ninguno de los rasgos apuntados —lujo de imágenes, depuración de expresiones, extensión del período, latinismo en la frase y en las palabras—, ni tampoco la constante alusión a episodios de la mitología, eran, aislados, novedad estridente a principios del siglo XVII. Para casi todos se podía hallar la autoridad de Herrera y los poetas italianos; para algunos, la de Garcilaso o fray Luis de León. Pero Góngora los congrega e intensifica hasta constituir con ellos un sistema orgánico, la lengua poética selecta e inaccesible al vulgo, erudita, armoniosa y espléndida, halago frío, pero

---

(1) El acusativo griego había sido empleado por los poetas latinos e italianos, alguna vez por Garcilaso y Fray Luis, y más por Herrera. De una posible base espontánea en que se apoyara el cultismo trata L. SPITZER, *El acusativo griego en español*, Rev. de Filol. Hisp., II, 1940.

sorprendente, de los sentidos y de la inteligencia. Cuando
de los tanteos iniciales en poemas cortos pasó Góngora a
obras más ambiciosas, donde desarrollaba su técnica hasta
los límites extremos, el *Polifemo* y las *Soledades* (1613)
fueron piedra de escándalo, suscitadora de acerbas protestas y entusiastas elogios. La discusión sobre la licitud del
cultismo gongorino fue tema de actualidad literaria durante más de veinte años, y aun se prolongó hasta fines del
siglo XVII; pero no logró detener la boga de la nueva
tendencia.

Si la estilización embellecedora era la meta de la poesía elevada, la literatura burlesca se complacía en la deformación de la realidad hasta presentarla sólo en su aspecto ridículo, deleznable o grosero. La orientación es
opuesta, pero los procedimientos de lenguaje y estilo se-
guidos en una y otra guardan entre sí fundamental semejanza. Góngora emplea en sus composiciones *festivas* —tan
agrias casi siempre— muchos recursos usuales en su poesía culta: teñirse las canas es "desmentirse en un Jor-
dán / que ondas de tinta lleva"; la receta de un médico, si
"no es taco de su escopeta, / póliza es homicida / que el
banco de la otra vida / al seteno vista aceta" (1). Las diferencias estriban en que la literatura burlesca prefiere alu-
dir a la actualidad en vez de hacerlo a la mitología, aunque
no falten reminiscencias grecolatinas; en el léxico acude,
más que al latinismo, a la invención caprichosa de términos
nuevos; y aunque la imaginación tiene un papel importantísimo y la creación de metáforas es abundante, predominan sobre ellas la agudeza, el juego de palabras o el chiste.

---

(1) 'Si no sirve para matar al instante, como el taco de una escopeta, es como una letra de cambio por la que se entregara, a siete
días vista, la vida del paciente al banco de la otra vida'; esto es, 'produce su efecto mortífero antes de la semana'.

De esta suerte la literatura burlesca entroncaba con la vieja tendencia española a sutilizar conceptos, visible ya en los cancioneros de fines del siglo xv y en los libros de caballería, conservada en las frecuentes paradojas de los místicos, mezclada con el cultismo en la poesía y generalizada en el teatro y en el lenguaje de damas y galanes. Hasta en obras piadosas aparecían ingeniosidades que hoy tomaríamos por irreverencia, pero que entonces se proponían sólo hacer agradables las lecturas devotas. La afectación conceptuosa era una faceta barroca hermana del culteranismo y muchas veces inseparable de éste, aunque el primer gran conceptista, Quevedo, fuera el mayor enemigo de Góngora y su escuela.

Los ojos de Quevedo (1), provistos de las lentes crueles del desengaño, sorprenden en cuanto miran la imagen de la muerte; la vanidad de los afanes humanos le sugiere hondas reflexiones morales o le presenta hombres y cosas como grotescas siluetas. De aquí las geniales caricaturas quevedescas, cuyos trazos rápidos extreman hasta el absurdo la ridiculez, la estulticia o la mezquindad. El célebre soneto "Érase un hombre a una nariz pegado" está constituído todo él por comparaciones hiperbólicas sobre la longitud de una nariz; en el retrato del dómine Cabra todo aparece revuelto y exagerado en violenta tensión expresiva: "las barbas, *descoloridas de miedo de la boca vecina*, que de pura hambre parece que *amenaza a comérselas...*; una nuez tan salida, que parece que, forzada de la necesidad, *se le iba*

---

(1) Para el estilo de Quevedo, veanse Leo Spitzer, *Zur Kunst Quevedos in seinem "Buscón"*, Archivum Romanicum, II, 1927: E. Veres D'Ocón, *Notas sobre la enumeración descriptiva en Quevedo*, Saitabi, VII, 1949, y M. Muñoz Cortés, *El juego de palabras en Quevedo*, tesis doctoral aprobada en la Universidad de Madrid, 1947, y *Sobre el estilo de Quevedo*, Mediterráneo, 1948.

*a buscar de comer".* Un rasgo cualquiera sirve para engastar alusiones satíricas secundarias o para establecer desaforadas consecuencias y comparaciones: "los ojos... tan hundidos y oscuros que *era buen sitio el suyo para tienda de mercader"* (1). El juego con los distintos significados de las palabras es constante; cada vocablo afila sus acepciones para que surja el doble sentido: "Estaba un poeta en un corrillo leyendo una canción cultísima, tan atestada de latines y tapida de jerigonzas... que el auditorio *pudiera comulgar de puro en ayunas que estaba...* y a la *oscuriâad* de la obra acudieron *lechuzas y murciélagos".* El buscón Pablos cuenta cómo su padre fue paseado a la vergüenza pública y azotado por ladrón: "salió de la cárcel con tanta honra que le acompañaron *doscientos cardenales,* sino que *a ninguno llamaban eminencia.* Las damas diz que salían a verle a las ventanas, que siempre pareció mi padre muy bien *a pie y a caballo"* (2). Como las ideas son más que las palabras, éstas sobrecargan su sentido y valor intencional: "Entró Venus... *empalagando de faldas* a las cinco zonas"; "Iban diferentes mujeres por la calle, las unas a pie; y aunque algunas dellas se tomaban ya de los años, iban *gorjeándose la andadura y desviviéndose de ponleví y enaguas".* Tanta condensación significativa no cabe en las normas de la sintaxis usual y se ayuda con acrobáticas construcciones: el rey de Inglaterra, convertido en jefe de la iglesia anglicana, dice en la *Hora de todos:* "ingerí en rey *lo sumo pontífice".* De estos atrevimientos sintácticos el más frecuente en Quevedo es la aposición de sustantivos: en un soneto satiriza "a un juez *mercadería";* el dómine Cabra, flaco y miserable, "era un clérigo *cerbataña";*

---

(1) Porque la penumbra favorecía las trapacerías de los comerciantes.
(2) Los reos eran paseados sobre una mula o asno.

los mulatos, "hombres *crepúsculos* entre anochece y no anochece". Iguales libertades se toma en el vocabulario, ya atribuyendo a las palabras significados caprichosos ("hambre *imperial*"), ya fraguando innumerables neologismos como *diablazgo* 'condición o cargo de diablo', *disparatario* 'colección de disparates', *archipobre, protomiseria, desantañarse* 'rejuvenecerse'. Y aficionado a los temas de matones, galeotes y rufianes, da entrada en la literatura al léxico del hampa, no sólo en jácaras y composiciones análogas, sino también en otras ocasiones como recurso caricaturesco. En *La hora de todos,* la descripción de la asamblea olímpica está llena de voces plebeyas o de germanía, puestas a veces en boca de los mismos dioses: *panarra, geta, garlar* 'hablar', *coime.*

Otro aspecto del conceptismo quevedesco es el estilo concentrado y nervioso de sus obras graves. Lector y traductor de Séneca, Quevedo emplea la frase cortada, de extrema concisión y abundante en contraposiciones de ideas. Esta sobriedad da relieve a la profundidad del pensamiento, sentencioso y agudo: "Es, pues, *la vida* un dolor en que se empieza el de *la muerte,* que *dura* mientras *dura* ella. Considéralo como el plazo que ponen al jornalero, que no tiene descanso *desde que empieza,* si no es *cuando acaba.* A la par empiezas *a nacer* y *a morir,* y no es en tu mano detener las horas; y *si fueras cuerdo,* no lo habías de *desear; y si fueras bueno* no lo habías de *temer."* Parece como si cada pausa fuera un margen concedido a la meditación. La imaginación, que en el *Buscón* o los *Sueños* se vale de comparaciones y metáforas para desrealizar cosas y actitudes, llevándolas al terreno de lo absurdo, tiene aquí misión inversa, haciendo sensible y plástico el mundo de las abstracciones: "La invidia está flaca porque muerde y no come. Sucédela lo que al perro que rabia. No hay cosa buena en que no hinque sus dientes, y ninguna cosa buena le entra de los dientes adentro."

El arte de Quevedo extremó el dominio de los recursos del idioma. Su labor de infatigable, complicada y desbordante creación, prestó a la lengua ductilidad no superada, plegándola a los más ágiles saltos del ingenio y a la mayor hondura conceptual. Pero las audacias quevedescas no despertaron revuelo; sin duda la ausencia de ornamentos latinos facilitó su infiltración, haciendo que parecieran menos forzadas que las de Góngora.

Góngora y Quevedo dieron a las tendencias barrocas los módulos estilísticos que necesitaban y que, una vez creados, se impusieron, venciendo resistencias o sin encontrarlas. Villamediana y Soto de Rojas siguen las huellas del poeta cordobés. Paravicino coincide con él en sus poesías e introduce galas culteranas y sutilezas conceptistas en la oratoria sagrada (1). Se contagia el teatro de Vélez de Guevara y Montalbán. El *Polifemo* y las *Soledades* son objeto de comentarios y panegíricos; hasta sus mismos impugnadores, como Lope, Jáuregui o Tirso, acaban por obedecer, pasajera o definitivamente, al influjo gongorino. Por otra parte, el ejemplo de Quevedo es también decisivo: en *El Diablo Cojuelo*, Vélez de Guevara imita el estilo de los *Sueños* (2), y la severa densidad de Saavedra Fajardo procede de la *Política de Dios* o del *Marco Bruto*.

---

(1) Véase E. ALARCOS, *Paravicino y Góngora y Los sermones de Paravicino*, Revista de Filología Española, XXIV, 1937-40.

(2) Véanse G. CIROT, *Le style de Vélez de Guevara*, Bulletin Hisp., XLIV, 1942, 175-180, y M. MUÑOZ CORTÉS, *Aspectos estilísticos de Vélez de Guevarra en su "Diablo Cojuelo"*, Rev. de Filología Española, XXVII, 1943, 48-76.

Gracián y Calderón. Postrimerías
del siglo xvii.

El barroquismo había triunfado y resultaba grato al
gran público. Fray Jerónimo de San José habla de que los
autores tenían que plegarse a las exigencias del gusto general, acostumbrado ya a la expresión altisonante o aguda:
"Han levantado nuestros españoles tanto su estilo, que casi
han igualado con el valor la elocuencia... Y esto de tal suerte, que ya nuestra España, tenida un tiempo por grosera y
bárbara en el lenguaje, viene hoy a exceder a toda la más
florida cultura de los griegos y latinos. Y aún anda tan por
los extremos, que casi excede ahora por sobra lo que antes se notaba por falta... Ha subido su hablar tan de punto
en el artificio, que no le alcanzan ya las comunes leyes del
bien decir, y cada día se las inventa nuevas el arte..."
"Y es cosa bien considerable que la extrañeza o extrava-
gancia del estilo, que antes era achaque de los raros y es-
tudiosos, hoy lo sea, no ya tanto dellos, cuanto de la multitud casi popular y vulgo ignorante..." "La elegancia de
Garcilaso, que ayer se tuvo por osadía poética, hoy es prosa vulgar" (1). Culteranos, conceptistas, o ambas cosas a
la vez, son Trillo y Figueroa, Polo de Medina, Gracián,
Melo, Solís y Calderón, los escritores más característicos
de mediados y segunda mitad del siglo xvii (2).

En Gracián el barroquismo está en estrecha dependencia respecto a sus doctrinas morales (3). El mundo es un

(1) *Genio de la Historia,* 1651.
(2) Véase José M.ª de Cossío, *Notas y estudios de crítica literaria. Siglo XVII.*
(3) Véanse A. Coster, *Baltasar Gracián,* Revue Hispanique,
XXIX, 1913; Leo Spitzer, *Betlengabor, une erreur de Gracián?,* Revista de Filol. Esp., XVII, 1930, 173 y siguientes; M. Romera Navarro, *Un aspecto del estilo en "El Héroe",* Hispanic Review, XI.

continuo engaño; la naturaleza, cautelosa, lleva al hombre al despeñadero de la vida, donde sólo la razón puede redimirle de la perversidad. Con ojos de zahorí, el varón sagaz ha de descubrir la verdad entre las falacias que la ocultan, y en su perpetua "milicia contra la malicia" de los demás tiene que usar tretas y ardides: "Cuando no puede uno vestirse la piel del león, vístase la de la vulpeja". No basta poseer cualidades relevantes: hay que conocerlas y hacerlas valer con prudencia tal que cada muestra de ellas prometa éxitos ulteriores. Gracián encierra en tres sentencias del *Oráculo manual* los fundamentos morales de su propio estilo: "No ser vulgar. No en el gusto. ¡Oh gran sabio el que se descontentaba de que sus cosas agradasen a muchos!" El apartamiento del vulgo no es sólo resultado de la tendencia aristocrática de los humanistas, sino estratagema para despertar la admiración: "No allanarse sobrado en el concepto; los más no estiman lo que entienden, y lo que no perciben lo veneran. Las cosas, para que se estimen, han de costar; será celebrado cuando no fuere entendido." La tercera máxima es "dejar con hambre: hase de dejar en los labios, aun con el carácter. Es el deseo medida de la estimación...; lo bueno, si poco, dos veces bueno." El lenguaje deberá, por tanto, atraer con su novedad e ingenio, esconderse en la oscuridad y ceñirse a la más extrema concisión. Gracián es culterano y conceptista. Basta abrir *El Criticón* para encontrar en su prosa el sello gongorino: llama "perla del mar o esmeralda de la tierra" a la isla de Santa Helena, y "portátil Europa" a los navíos que atravesaban el Atlántico; Critilo, pugnando en un naufragio

---

1943; José Manuel Blecua, *El estilo del "Criticón" de Gracián*, Archivo de Filología Aragonesa, Serie B, I, 1945; E. Correa Calderón, introd. a las *Obras completas de B. G.*, Madrid (Aguilar), 1945, páginas CXII-CXXIII, y Werner Kraus, *Graciáns Lebenslehre*, Frankfurt, a M., 1947.

por llegar a tierra, es "equívoco entre la muerte y la vida"; maduro ya y canoso, al prorrumpir en lamentaciones se asemeja al cisne, que canta cuando está próximo a morir, "cisne ya en lo cano y más en lo canoro"; Andrenio, al perder el sentido, sufre un "eclipse del alma, paréntesis de su vida'". Más intenso es el conceptismo, que tiene en Gracián toda clase de manifestaciones. Muy frecuentes son las contraposiciones y paralelismos: "En saltando a tierra selló sus *labios* en el *suelo, logrando* seguridades, y fijó los *ojos* en el *cielo, rindiendo* agradecimiento." El juego de palabras es constante; unas veces se basa en duplicidad de significados: "como [los cisnes] son tan *cándidos,* si cantan han de decir la verdad" *(cándido* 'blanco' e 'inocente'); otras, en coincidencia de forma entre palabras distintas: "[el que primero se atrevió a navegar] vestido dicen que tuvo el pecho de aceros; mas yo digo que revestido de *ye- rros"* (yerro 'error', igual en la pronunciación a *hierro); o* también, y es rasgo muy repetido, Gracián juega con palabras que tienen entre sí sonidos comunes: "Los que antes eran estimados por *reyes,* ahora fueron *reídos...* Las sedas y *damascos* fueron *ascos;* las piedras *finas* se trocaron en losas *frías...;* los cabellos tan *rizados,* ya *erizados;* los olo- res, hedores; los *perfumes, humos.* Todo aquel *encanto* paró en *canto* y en responso, y los *ecos* de la vida en *hue- cos* de la muerte." Emplea mucho las frases hechas, pero como un pretexto más para la ingeniosidad: cuando Cri- tilo y Andrenio preguntan dónde encontrarán a los hom- bres, el centauro Quirón les contesta que en el aire, pues "allí se han fabricado *castillos en el aire,* torres de viento donde están muy encastillados." Junto al follaje del *Cri- ticón* destaca el escueto conceptismo del *Oráculo;* la frase cortada, lacónica, suprime todo nexo innecesario: "Varón desengañado. Cristiano sabio, cortesano filósofo, mas no parecerlo, menos afectarlo"; "Hombre de ostentación. Es el lucimiento de las prendas. Hay vez para cada una; lógrese, que no será cada día el de su triunfo." En el léxico se compaginan los cultismos latinos, usados sin escrúpulo, y las voces nuevas formadas sobre otras ya existentes: junto a *copia* 'abundancia', *conferir* 'comunicar, platicar', *horrísono, innoble,* aparecen *semihombre, reagudo, cautelar.*

Gracián, llevado por la idea de que "no hay belleza sin ayuda, ni perfección que no dé en bárbara sin el realce del artificio", marca los límites extremos del amaneramiento en el lenguaje literario. En sus obras se deja sentir el influjo de la lectura y conversación en ambientes cultos o "discretos", donde eran más gustados los efectismos de la invención. Su *Agudeza y arte de ingenio* (1642 y 1648) fue la preceptiva y antología del barroquismo. Él y Calderón son los últimos grandes artistas del idioma en el siglo XVII.

En el drama calderoniano la creación poética está al servicio de grandiosas construcciones del pensamiento, y los conflictos que se desarrollan en la escena son de ordinario símbolos de tesis filosóficas o religiosas. La belleza formal no es, como en Góngora, esencia, sino ornamento; pero su carácter externo acentúa las notas líricas (1). En el estilo de Calderón hay, de una parte, el sello del entendimiento dirigente. Si en los autos sacramentales los personajes son encarnaciones alegóricas de ideas, en el verso sorprende la amplitud de los conceptos abstractos: el pez, apenas nace, "cuando a todas partes gira, / midiendo la *in-*

---

(1) Véanse M. A. BUCHANAN, *"Culteranismo" in Calderon's "La vida es sueño"*, Homenaje a M. Pidal, 1926, I, 545 y siguientes; EUNICE J. GATES, *Góngora and Calderón*, Hispanic Review, V, 1937; MOTHER FRANCIS DE SALES MC. GARRY, *The Allegorical and Metaphorical Language in the Autos Sacramentales of Calderón*, Washington, 1937; A. VALBUENA PRAT, *Calderón*, 1941, págs. 32-46; y DÁMASO ALONSO, *La correlación en la estructura del teatro calderoniano,* en *Seis calas en la expresión literaria española*, Madrid, 1951, 113-186.

*mensidad* / de tanta *capacidad* / como le da el *centro frío*".
Destaca también la arquitectura lógica del razonamiento;
muchos pasajes se reducen a reflexiones o discusiones que
abundan en partículas como *si, porque, pues, luego,* firme
enlace de las premisas con la conclusión (1). De otra parte,
resalta la expresión brillante, recamada de imágenes, que
hace del ave "flor de pluma / o ramillete con alas", del
pez "bajel de escamas" y del arroyo "sierpe de plata". Los
tecnicismos de las artes ayudan a la descripción de la naturaleza:

> Pues no me puede alegrar
> formando *sombras* y *lejos* (2)
> la emulación que en reflejos
> tienen la tierra y el mar...

La distribución de la materia poética en el verso se
ajusta a una serie de fórmulas típicamente calderonianas.

---

(1) Sirvan de ejemplo los argumentos de Cipriano sobre la false-
dad de los dioses paganos (*El Mágico prodigioso,* acto I):

> Esa respuesta no basta,
> *pues* el decoro de Dios
> debiera ser tal, que osadas
> no llegaran a su nombre
> las culpas, aun siendo falsas.
> Y apurando más el caso,
> *si* suma bondad se llaman
> los dioses, siempre es forzoso
> que a querer lo mejor vayan;
> ¿*pues cómo* unos quieren uno
> y otros otro?...
> ... ¿No es cosa clara
> la consecuencia de que
> dos voluntades contrarias
> no puedan a un mismo fin
> ir? *Luego* yendo encontradas,
> es fuerza, *si* la una es buena,
> que la otra ha de ser mala.

(2) *Lejos* en el lenguaje de los pintores significaba la representa-
ción más desvaída de los objetos que en el cuadro aparecían como lejanos o en segundo término, o la apariencia de las cosas vistas a
distancia.

Una es la recapitulación final, que recoge todas las imágenes o conceptos enunciados en el discurso:

> Y así os saludan, señora...,
> los pájaros como a Aurora,
> las trompetas como a *Palas*
> y las flores como a *Flora;*
> porque sois, burlando el día
> que ya la noche destierra,
> *Flora* en paz, *Palas* en guerra
> y reina del alma mía.

Otro rasgo es la repetición simétrica de ideas semejantes o contrapuestas:

> Con asombro de mirarte,
> con admiración de oírte,
> ni sé qué pueda decirte
> ni qué pueda preguntarte.

Y también la intervención simultánea de distintos personajes, repartida en versos alternos o en partes iguales de verso, como en la combinación de los diversos cantos de una polifonía. En *La Hija del Aire,* Arsidas y Menón explican a Nino el encuentro de Semíramis:

| | |
|---|---|
| Arsidas | Esta divina hermosura... |
| Menón | Esta divina belleza... |
| Ars. | Hallé yo en esta aspereza. |
| Men. | Vi al pie de esta peña dura. |
| Ars. | Para lograr mi ventura... |
| Men. | Para estorbar tu apetito... |
| Ars. | Llevártela solicito |
| | donde mi lealtad me mueve. |
| Men. | Y yo que no te la lleve |
| | ni consiento, ni permito. |

La insistencia en este procedimiento está en relación con la gran cabida que se concede a la música. Para las fiestas de la corte compuso Calderón fantasías mitológicas que son verdaderos libretos de ópera o zarzuela. Los autos sacramentales compensan su cargazón ideológica con gran aparato escénico y musical, y en ellos es donde con más frecuencia alternan los discursos entrecortados.

El teatro de Calderón representa el término de una época literaria, prisionera en las trabas que ella misma se había forjado. Pensamiento profundo, sujeto a la concepción escolástica del universo, pero también a las convenciones sociales; poesía y lenguaje estilizados según el gusto gongorino y recortados en una disposición lírica de sumo refinamiento. El módulo era demasiado estrecho, y una vez fijado, no permitía liberaciones parciales. Los últimos dramaturgos del siglo xvii y sus ramplones imitadores del xviii siguen al pie de la letra los métodos de Calderón; pero sus obras están exangües de savia poética. La decadencia es completa. Imitaciones serviles y hueras de Quevedo, culteranismo sin inspiración y una invasión creciente de chabacanería y vulgarismo, afean el estilo en la época de Carlos II y primeros años del siglo xviii.

## XIII. EL ESPAÑOL DEL SIGLO DE ORO. CAMBIOS LINGÜÍSTICOS GENERALES

El español éureo, mucho más seguro que el de la Edad Media, era, sin embargo, un idioma en evolución muy activa. El concepto de corrección lingüística era más amplio que en los períodos posteriores, y entre el vulgarismo y las expresiones admitidas no mediaban límites tajantes. Con todo, hay una labor de selección entre sonidos, formas y giros coincidentes, que condujo a considerable fijación de usos en la lengua literaria, y, en menor grado, en la lengua hablada también.

### FONÉTICA. ARCAÍSMOS ELIMINADOS.

En el transcurso del siglo xvi van desapareciendo las vacilaciones de timbre en las vocales no acentuadas. Valdés prefiere las formas modernas *vanidad, invernar, aliviar, abundar, cubrir, ruido,* a las vulgares *vanedad, envernar, aleviar, abondar, cobrir, roído;* pero en los manuscritos del *Diálogo de la lengua* aparece *intelegible;* el Lazarillo usa *recebir;* Santa Teresa *heçistes, mormorar, sepoltura,* y Ribadeneyra, *escrebir.* El extremo contrario, consistente en el empleo excesivo de *i, u,* no sólo dura todo el siglo XVI *(quiriendo, sujuzgar, puniendo* en Valdés; *sigún, siguro, cerimonia, risidir* en Santa Teresa), sino que algunos casos penetran en el siglo XVII: *lición, perfición* eran corrientes y *afición* llegó a perpetuarse.

En la primera mitad del siglo XVI se toleraba todavía el arcaísmo *fijo, fincar,* sobre todo entre notarios y leguleyos. A este uso cancilleresco debemos la conservación de *fallar* como término jurídico, al lado del corriente *hallar.* Otras huellas quedaron de la secular vacilación, como las duplicidades *falda* y *halda, forma* y *horma.* Salvo cultismos y casos especiales, la *f* desapareció, sustituída por la aspiración *h,* que en Castilla la Vieja no se pronunciaba ya desde el siglo XV.

Perduró también en la primera mitad del siglo XVI la conservación, muy decadente, de algunos grupos de consonantes que en el habla llana se habían simplificado. Valdés prefiere aún *cobdiciar, cobdo, dubda* a *codiciar, codo, duda.* Por la misma época se vacilaba entre *mil* y *mill, cien* y *cient, san* y *sant.*

Mientras los sonidos *g, j* y *x* mantuvieron su carácter prepalatal, era frecuente confundirlos con la *s* sonora y sorda, respectivamente (1). Existían pronunciaciones *quijo, vigitar, relisión, colesio,* no admitidas de ordinario por la literatura; sólo *cosecha* ha prevalecido sobre el antiguo *cogecha* (<collecta + *coger)* y *tijera* sobre *tisera;* la confusión entre unas y otras sibilantes debió contribuir también a que el pronombre de dativo *ge* (pág. 150) fuera sustituído por *se* (2). Más corrientes eran *moxca, cáxcara, cuexco, caxcar;* los moriscos sustituían por *x* toda *s* final de sílaba.

(1) Véase AMADO ALONSO, *Trueques de sibilantes en antiguo español,* Nueva Rev. de Filol. Hisp., I, 1947.

(2) Ya en 1517 decía Nebrija *(Ortogr.,* cap. VII, ed. González Llubera, p. 253): "Otras vezes escrevimos *s* y pronunciamos *g;* y por el

TRANSFORMACIÓN DE LAS CONSONANTES.

Un cambio radical del consonantismo, generalizado entre la segunda mitad del siglo XVI y la primera del XVII, determinó el paso del sistema fonológico medieval al moderno (1).

Durante algún tiempo debió continuar la vieja distinción entre *b* y *v* (véase pág. 147), al menos en algunas regiones: en 1531 el madrileño Alejo Vanegas describe como labiodental la articulación de la *v*, y lo mismo hacen en 1609 el sevillano Mateo Alemán, y en 1626 el cacereño Gonzalo Correas. No es de extrañar, pues, que cuando la conquista y colonización de Chile introdujeron palabras españolas en la lengua de los indios araucanos, los resultados de los dos sonidos fuesen diferentes: *nabos* dió en mapuche *napur* y *cavallo* dió *cahuallu*. Pero en Aragón, Castilla la Vieja y otras regiones del Norte se confundían la *b* y la *v;* Cristóbal de Villalón (1558) dice que "ningún puro castellano sabe hazer diferencia".

También irradiado desde Aragón y Castilla la Vieja, se extendió el ensordecimiento de los sonidos -*s*-, *z* y *g*, *j* *(dž* o *ž),* confundidos con los sordos correspondientes *ss,* ç y *x* (*š*). Santa Teresa escribe *tuviese, matasen, açer, reçar, deçir, dijera, ejerçiçio, teoloxía,* en vez de *tuviesse, matussen, hazer, rezar, dezir, dixera, exerçiçio, teología.*

---

contrario, escrevimos *g* y pronunciamos *s,* como *io gelo dixe,* por *se lo dixe.*"

(1) Véase la bibliografía citada en las págs. 146 y 244, así como A. MARTINET, *The Unvoicing of Old Spanish Sibilants,* Romance Philology, V, 1951, 133-156; G. CONTINI, *Sobre la desaparición de la correlación de sonoridad en castellano,* Nueva Rev. de Filol. Hisp., V, 1951, 173-182; E. ALARCOS LLORACH, *Fonología española,* 2.ª ed., 1954, 220 y s<sup>i</sup>gts.; AMADO ALONSO, *De la pronunciación medieval a la moderna en español,* I, 1955; y DÁMASO ALONSO, *La fragmentación fonética peninsular,* Encicl. Ling. Hispán., Supl. al tomo I, Madrid, 1962, 85-104 y 155-209.

Las diferencias de pronunciación entre Castilla la Vieja y Toledo eran bien claras. Fray Juan de Córdoba, que había salido de España hacia 1540, afirma en 1578: "Los de Castilla la Vieja dizen *haçer,* y en Toledo *hazer;* y dizen *xugar,* y en Toledo *jugar;* y dizen *yerro,* y en Toledo *hierro;* y dizen *alagar,* y en Toledo *halagar."* A pesar del prestigio del habla de Toledo, triunfó una vez más la fonética castellana vieja, que invadió la nueva corte, Madrid, y transformó el modelo general de dicción. Sus progresos fueron rápidos a partir de 1560: en Madrid se generalizó la omisión de la *h,* y desde allí se fue propagando al resto de Castilla la Nueva, al reino de Jaén y a la parte oriental del de Granada. La confusión de *b* y *v* no sólo se extendió al castellano hablado en cualquier región de la Península o de América, sino también a las hablas dialectales, al gallego, al portugués septentrional y a amplias zonas catalanas. El ensordecimiento de *-s-, z* y *g, j,* logró una expansión algo menor: el castellano todo, dialectos aragonés y leonés (1), el gallego, el ribagorzano y el catalán *apitxat* de Valencia y sus inmediaciones.

En las sibilantes, además del ensordecimiento de las sonoras, se produjeron otros cambios de articulación. La africación de *ç* y *z* se aflojó, con relajación más antigua en la *z* que en la *ç.* Pero esta diferencia desapareció, y en lugar de los dos fonemas quedó uno solo, articulado como fricativa sorda interdental, que adquirió gradualmente el timbre de nuestra θ moderna *(c* o *z* de la escritura); este nuevo sonido está atestiguado desde el siglo XVIII (2). En

---

(1) Para las supervivencias de los sonidos sonoros en Sanabria, Extremadura y Enguera, véanse págs. 319 y 331.
(2) Véanse AMADO ALONSO, *Cronología de la igualación* c-z *en español,* Hispanic Review, XIX, 1951, y *Formación del timbre ciceante en la* c-z *española,* Nueva Rev. de Filol. Hisp., V, 1951; y DIEGO CATALÁN, *The end of the phoneme* /z/ *in Spanish,* Word, XIII, 1957, 282-322,

Sevilla y cercanías la confusión de las fricativas ápico-
alveolares *s* y *ss* con *z* y *ç*, aflojadas en fricativas dentales, había empezado en el siglo xv (véase pág. 191); a
poco de mediar el xvi la confusión arreció y las fricativas ápicoalveolares fueron eliminadas. Con el ensordecimiento de la *z* y *-s-*, los cuatro fonemas originarios quedaron reducidos en la pronunciación sevillana a una sibilante única, de articulación diferente a la de *s* y θ castellanas. Las variantes de esta articulación constituyen la
base del seseo y ceceo, que se propagaron por Andalucía;
el seseo, menos vulgar, se extendió más por Canarias y
América (1).

En cuanto a la *g*, *j*, venía sonando *dž*, como *j* inglesa o
*gi* italiana; entre vocales y más tarde en otros casos solía
pronunciarse *ž*, fricativa, como la *j* portuguesa. Su correspondiente sorda era la fricativa *x*, que sonaba *š*, como
*sh* en inglés o como *sci* en italiano. Tal estado de cosas
cambió radicalmente: a la vez que la *g*, *j* se aflojaba y
ensordecía hasta confundirse con la *x*, la articulación de
ambos fonemas se fué retrayendo hacia la parte posterior
de la boca, con lo que se convirtió en la fricativa velar sorda χ que hoy transcribimos con *j*. El cambio ha de atribuirse a la necesidad de evitar la confusión con las alveolares *s* y *ss* (*relisión, moxca*, etc., v. pág. 244). La pronunciación velar se halla atestiguada desde el siglo xvi,
pero alternando con la palatal algún tiempo, lo demuestran el
francés *Quichotte* y el italiano *Chisciotto*, tomados de nuestro *Quixote* en 1605. Al acabar el primer tercio del siglo xvii, la χ se había impuesto ya, y en 1659 era el uso
de la corte; el antiguo sonido palatal *š* quedó relegado a
dialectos no castellanos. En aquellas zonas de la Montaña,

(1) Véanse después págs. 326-328, 333 y 348-353.

Extremadura y Andalucía donde se conservó la *h*, la χ vino a articularse como aspiración. En Sevilla, entre 1584 y 1600, Francisco de Medrano hace un juego de palabras con *joyas* y *hoya* (1). A principios del siglo xvii, el Buscón de Quevedo recibe el siguiente consejo sobre el habla del hampa sevillana: "Haga vucé cuando hablare de la *g* [o sea *g, j, x*], *h*, y de la *h, g;* y diga conmigo *gerido* ['herido'], *mogino* ['mohino'], *mohar* ['mojar']". En *La hora de todos*, remedando el lenguaje de los jaques, escribe Quevedo *bahuno*, de *ba*χ*o*, antiguo *baxo*. Años más tarde, el padre Juan del Villar registra el fenómeno como general en la pronunciación andaluza.

Resultado de esta revolución fue que la fonética del Mediodía de España se distanciara de la del resto. A las diferencias que habían apuntado antes se añadieron entonces la conservación de la *h* aspirada, la consolidación del ceceo y seseo, y la articulación de *g, j* y *x* como simple aspiración. La *h* aspirada quedó también en Extremadura, la Montaña y algunas regiones leonesas. Además, como después veremos (2), se documentan en Andalucía a lo largo del siglo xvi la aspiración de la *-s* final de sílaba *(Sofonifa* por *Sophonisba)* y la confusión de *-r* y *-l* implosivas *(alçobispo, leartad);* y antes de 1609 se registra también el yeísmo. El andaluz, hacia 1600, debía de poseer ya sus principales características actuales.

## Grupos cultos de consonantes.

Los vocablos tradicionales se habían deshecho, al pasar del latín al español, de los grupos de consonantes *ct, gn, ks, mn, pt* y otros análogos ( p e c t u s > *pecho;*

(1) DÁMASO ALONSO y STEPHEN REÇKERT, *Vida y obra de Medrano,* II, 1958, p. 352.
(2) Págs. 320-323.

p r a e g n a r e > *preñar;* l a x u s > *lešos;* s c a m n u m > *escaño;* s e p t e m > *siete),* obedeciendo a leyes fonéticas cuya actividad había caducado una vez constituído el idioma. El problema de la pronunciación de esos grupos en las palabras latinas importadas después era muy antiguo (véanse págs. 178, 183 y 189), sin que se hubiera llegado a una solución general. Todo el período áureo es época de lucha entre el respeto a la forma latina de los cultismos y la propensión a adaptarlos a los hábitos de la pronunciación romance. Valdés decía: "quando escrivo para castellanos y entre castellanos siempre quito la *g* y digo *sinificar,* y no *significar, manífico* y no *magnífico, dino* y no *digno;* y digo que la quito porque no la pronuncio." Lo mismo acontecía con *efeto, seta, conceto, acetar, perfeción, solenidad, coluna,* etc.; pero muchos escritores preferían *efecto, secta, concepto, aceptar, perfección, solemnidad, columna,* e igualmente *significar, digno, prompto, exempto.* Ni siquiera a fines del siglo xvii existía criterio fijo; el gusto del hablante y la mayor o menor frecuencia del uso eran los factores decisivos.

La deformación de los cultismos, aparte de los referidos grupos de consonantes, era muy general en la literatura. Ya se han citado *ajición, lición,* con la vocal alterada. Corrientes eran, además, *celebro, paraxismo, plática, rétulo,* en vez de *cerebro, paroxismo, práctica, rótulo,* etc.

## LA FONÉTICA EN LA FRASE.

En los siglos xvi y xvii la conciencia lingüística de los hablantes era muy superior a la que manifiestan los textos medievales. Hasta entonces el encuentro de determinadas palabras en la frase daba lugar a transformaciones fonéticas que el español clásico aminora o destierra. Así el artículo *la,* considerado ya como característico del género femenino, sustituye lentamente a *el* en casos como *el espada, el otra;* sólo queda *el* como femenino delante de palabras que empiezan por vocal *a (el altura, el arena),* sobre todo acentuada *(el agua, el águila).*

Se tiende a separar las distintas palabras fundidas en conglomerados. Juan de Valdés, refiriéndose a los imperativos *poneldo, embialdo,* dice: "no sé que sea la causa por que lo mezclan desta manera...; tengo por mejor que el verbo vaya por sí y el pronombre por sí"; sin embargo, la lucha entre *dalde* y *dadle, teneldo* y *tenedlo* se prolongó hasta la época de Calderón. Las asimilaciones *tomallo, hacello, sufrillo,* estuvieron de moda en el siglo XVI, principalmente entre andaluces, murcianos, toledanos y gentes de la corte, que en tiempo de Carlos V adoptaban el gusto lingüístico de Toledo; después decayeron, aunque la facilidad con que procuraban rimas a los poetas las sostuviera al final del verso durante todo el siglo XVII. Al mediar éste ya era excepcional en la prosa la preferencia con que las usan el andaluz Vélez de Guevara *(leello, repetillo, servillas,* etc., en el *Diablo Cojuelo)* o el murciano Saavedra Fajardo, obedeciendo, sin duda, a sus hábitos regionales (1). En adelante la asimilación con *l* subsistió sólo en el Mediodía, y eso como vulgarismo (véase pág. 324).

En el futuro y potencial, como se advertía que su primer elemento era el infinitivo, se restableció éste íntegro en *debería,* en vez del medieval *debría* y otros semejantes que subsistían hacia 1540. En cambio, Valdés usa aún *valerá* por *valdrá* y prefiere *salliré* a *saldré.* También las formas *porné, verné, terné* sucumbieron, tras un período de

---

(1) R. J. CUERVO, *Los casos enclíticos y proclíticos del pronombre de tercera persona en castellano,* Romania, XXIV, 1895 (reed. en *Disquisiciones sobre Filología castellana,* Bogotá, 1950, 230-239).

alternancia que duró hasta fines del siglo XVI, ante *pondré, vendré, tendré,* más fieles a la raíz de *poner, venir, tener.* Por otra parte, como el infinitivo y la terminación constituían una sola unidad significativa, fue desapareciendo la escisión *besar te hé, engañar me ha,* en beneficio de *besaréte* o *te besaré, engañaráme* o *me engañará.*

Solamente hay nuevos desarrollos fonéticos entre palabras distintas en casos especiales de desgaste, como el de los tratamientos. La puntillosidad de nuestros antepasados relegó el *tú* a la intimidad familiar o al trato con inferiores y desvalorizó tanto el *vos* que, de no haber gran confianza, era descortés emplearlo con quien no fuese inferior. En otro caso, había que tratar de *vuestra merced* o *vuestra señoría;* la repetición originó el paso de *vuestra merced* a *vuesa merced, vuesarced, vuesançed,* etc., y finalmente a *voacé, vucé, vuced, vusted, usted;* en el siglo XVII estas últimas formas eran propias de criados y bravucones; sólo después hubo de generalizarse *usted* (1). De igual manera *usía* y *vuecencia* nacieron de *vuestra señoría, vuestra excelencia;* y *señor,* colocado como título delante de un nombre o adjetivo, degeneró en *seor, seó* y *so (so gandul, so pícaro* del actual lenguaje vulgar).

(1) Véanse CH. E. KANY, *Early history of vos,* en *American-Spanish Syntax,* 1945, 58-62; J. PLÁ CÁRCELES, *La evolución del tratamiento "vuestra merced",* Rev. de Filología Española, X, 1923.

Formas gramaticales (1).

En la primera mitad del siglo xvi la conjugación ofrecía muchas inseguridades. Coexistían *amáis, tenéis, sois,* con *amás, tenés, sos,* que pronto quedaron anticuados. El imperativo *cantad, tened, salid* alternaba con *cantá, tené, salí,* y con algún arcaísmo *erguide, amade.* Se dudaba aún entre *só, vo, estó, dó* y *soy, voy, estoy, doy.* Más duró la vacilación entre *cayo, trayo* y *caigo, traigo.* A principios del siglo xvii la lengua había elegido ya en casi todos estos casos las formas que habían de prevalecer.

Otros arcaísmos subsistieron hasta la época de Calderón. Así los esdrújulos *amábades, sentíades, dixéredes* (2), *quisiérades,* en lucha con sus reducciones *amabais, sentíais, dixereis, quisierais,* atestiguadas desde 1555 y que al fin triunfaron (3). Las personas vos del pretérito, *fuistes, matastes,* que respondían a la desinencia latina - s t i s, duraron hasta muy avanzado el siglo xvii; después se convirtieron por contagio en *fuisteis, matasteis,* sin que falte algún ejemplo de *dístedes.* El verbo *haber* conservaba la duplicidad de formas *hemos* y *habemos, heis* y *habéis,* y el subjuntivo del verbo *ir* podía ser *vayamos, vayáis,* o *vamos, vais* ( < v a ( d ) a m u s , v a ( d ) a t i s ; "os suplico que os *vais* y me dejéis" en Cervantes); nótese que todavía usamos en el mandato o la exhortación la forma *vamos.* Se empleaban indistintamente *traxo* y *truxo, conozgo, co-*

---

(1) R. J. Cuervo, *Las segundas personas del plural,* Romania, XXII, 1893, y G. Cirot, *Quelques remarques sur les archaismes de Mariana et la langue des prosateurs de son temps,* Romanische Forschungen, XXIII.

(2) En el siglo xvi todavía se usaban las formas contractas *fuerdes, vierdes* por *fuéredes, viéredes;* las emplea San Juan de la Cruz.

(3) Es posible que, como sostiene Yakov Malkiel (Hispanic Review, XVII, 1949, 159-165), la -*d*- persistiera en las terminaciones proparoxítonas porque los españoles de los siglos xv y xvi no estuviesen acostumbrados a diptongos o triptongos en sílaba inacentuada.

*nosco* y *conozco, luzga* y *luzca*. Y el lenguaje literario admitía sin reparo formas como *haiga, huiga* 'huya', *quies* 'quieres', tenidas más tarde como vulgarismos incultos.

En el nombre cabe señalar que los gentilicios en *-és* y algunos otros se resistían a admitir terminación femenina; así en escritores del siglo XVII se encuentran "provincia *cartaginés*", "la *leonés* potencia"; Calderón escribe todavía "las *andaluces* riberas". El sufijo diminutivo preferido era *-illo; -uelo* tenía mayor vitalidad que ahora, sobre todo en poesía, pero *-ico* e *-ito* le disputaban la popularidad. Autores de las dos Castillas usan *-ico (pasico, polvico, menudico)* hasta la época de Cervantes y Quevedo, sin la limitación geográfica que después ha hecho a *-ico*, en la península, exclusivo de Aragón, reino de Murcia y Andalucía oriental; Calderón, en cambio, no lo emplea ya. La pujanza de *-ito* se revela en una escritora esencialmente afectiva y espontánea como Santa Teresa y en un autor tardío como Calderón: en ambos ocupa *-ito* el segundo lugar de frecuencia entre los diminutivos, siguiendo de cerca a *-illo*, al que no había de sobrepujar definitivamente hasta el siglo XIX (1).

Al siglo XVI corresponde la naturalización del superlativo en *-ísimo*. Aunque hay ejemplos sueltos en la Edad Media, y a pesar del latinismo dominante en el siglo XV, Nebrija había podido declarar: "Superlativos no tiene el castellano sino estos dos: *primero* y *postrimero;* todos los otros dice por rodeo de algún positivo c este adverbio *mui*". Pero el doble ejemplo del latín y del italiano influyó sobre la literatura, y ésta a su vez sobre la lengua hablada. Valdés emplca *perfettissima;* Garcilaso celebra al *"cla-*

---

(1) EMILIO NÁÑEZ, *Historia y funciones del diminutivo en el español clásico y moderno*, tesis doctoral leída en Madrid, 1954; *El diminutivo en Cervantes*, Anales Cervantinos, IV, 1954.

*rísimo* Marqués" de Villafranca y a su esposa la "ilustre y *hermosísima* María", o describe cómo, al atardecer, la sombra desciende por la falda "del *altísimo* monte". El uso se incrementa en la segunda mitad del siglo: abundan las muestras en fray Luis de León y en las *Anotaciones* de Herrera; y en tiempo de Cervantes ya estaba plenamente arraigado, siquiera fuese posible sacar partido cómico de su profusión: recuérdense el discurso de la *dolorosísima dueñísima* Trifaldi y la respuesta del *escuderísimo* Sancho Panza. Todavía Correas, en 1626, calificaba de "latina i no española, i en pocos usada" esta forma de superlativo (1), pero ya entonces se había consolidado.

En el pronombre se generalizan *nosotros, vosotros*. La forma *ge* de las combinaciones *ge lo, ge la* desaparece bajo la acción conjunta de los trueques fonéticos entre *s* y *g* (véase pág. 244) y de la confusión con el dativo reflexivo *se;* a partir de 1530 casi no aparece *ge* más que en el lenguaje rústico. Los demostrativos seguían contando con las formas dúplices *aqueste-este, aquese-ese,* aparte de *estotro, esotro,* que conservaban pleno vigor. El relativo *quien,* invariable antes, empezó a tomar plural; pero *quienes* parecía aún poco elegante en 1622.

La lengua clásica conocía adverbios y preposiciones que después han caído en desuso o han cambiado de significación. *Cabe* y *so* se usaban corrientemente en el siglo xvi, y hoy sólo quedan como resabio de eruditos; *estonces* y *ansí* fueron absorbidos por sus concurrentes *entonces, assí; luego* conservaba el sentido de 'en seguida, pronto' ("véante mis ojos, muérame yo *luego*" en Santa Teresa), y *puesto que* el de 'aunque'. El empleo de las preposiciones difería a veces del actual: se decía "viaje *del* Parnaso" por 'viaje

---

(1) *Arte de la lengua española castellana,* ed. E. Alarcos García, Madrid, 1954, p. 200.

*al Parnaso'*, "vivir *a* tal *calle*", "hablar *en* tal *asunto*", y como actualmente entre el pueblo, "ir *en* casa de Fulano".


SINTAXIS (1).

Al período clásico pertenece la delimitación de usos entre los verbos *haber* y *tener* (2). Ambos se venían empleando como transitivos, con sentido de posesión o propiedad. En un principio los habían separado distinciones de matiz; entre otras, *haber* era incoativo, sinónimo por tanto de 'obtener', 'conseguir', mientras *tener* indicaba la posesión durativa, como se ve en el romance de Rosa Fresca: "Cuando vos *tuve* en mis brazos / no vos supe servir, no / y agora que os serviría / no vos puedo *ha-* *ber*, no". Las diferencias se habían hecho cada vez más borrosas, pues *tener* invadió acepciones reservadas antes a *haber,* que se mantenía apoyado por una reacción literaria. Al comenzar el Siglo de Oro, los dos verbos eran casi sinónimos y se repartían el uso. Se cuenta que, habiendo reclamado el doctor Villalobos los honorarios que Garcilaso, cliente suyo, le adeudaba, el poeta abrió un arca vacía, y sacando de ella una bolsa en igual estado, la envió al famoso médico, junta con una copla redactada así: "La bolsa dice: Yo vengo / como el arca do moré / que es el arca de *Noé* (= 'no he'), / que quiere decir: *no tengo*". Sin embargo, la decadencia de *haber* transitivo era notoria. Juan de Valdés juzgaba que "*aya* y *ayas* por *tenga* y *tengas* se dezía antiguamente, y aun lo dizen algunos,

---

(1) Utilizo bastantes ejemplos de los recogidos y clasificados por H. KENISTON, *The Syntax of Castilian Prose: The Sixteenth Century,* I, Chicago, 1938.
(2) Véase EVA SEIFERT, *"Haber"* y *"tener"* como *expresiones de la posesión en español,* Rev. de Filol. Esp., XVII, 1930.

pero en muy pocas partes quadra"; y en 1619 Juan de
Luna afirmaba que *haber* "no sirve por sí solo..., y así no
diremos *yo he un sombrero;* pero en lugar de esto pone-
mos el verbo *tener...* como *yo tengo un sombrero".* En
efecto, *haber* quedó reducido al papel de auxiliar, sin más
restos de su antiguo valor transitivo que los arcaísmos "dar
buen consejo al que lo *ha* menester", "los que *han* hambre
y sed de justicia" y otros similares. Al tiempo que *haber*
perdía su valor posesivo, se consolidaban y ampliaban sus
funciones como auxiliar. En los tiempos compuestos con
*haber* la concordancia entre el participio y el objeto directo
ofrece aún algunos ejemplos en la primera mitad del siglo xvi: "la ropa de algodón que había *allegada"* (Cervantes de Salazar); pero después sólo se da el participio
invariable. Por otra parte, *haber* se generalizó como auxiliar en los tiempos compuestos de verbos intransitivos y
reflexivos, donde contendía antes con *ser.* Valdés respeta
aún el uso antiguo: "pues los moços *son idos* a comer y
nos *han dexado* solos..."; pero escribe también *han ido.*
Fray Luis de León emplea casi exclusivamente *ha venido,*
que domina desde la segunda mitad del siglo xvi. A mediados del siglo siguiente apenas hay ejemplos de *soy
muerto, eres llegado.*

La repartición de usos entre *ser* y *estar* se hallaba ya
configurada en sus líneas esenciales, pero era mucho menos fija que en la lengua moderna. De una parte había
mayor posibilidad de emplear *ser* para indicar la situación
local: "No se impidió un punto el caminar de la gente,
hasta *ser* en Deventer a los 10 de julio" (B. de Velasco);
"Darazután, que *es* en Sierra Morena" (Vélez de Guevara); los ejemplos son cada vez más raros desde fines del
siglo xvi, pero llegan hasta muy avanzado el xvii; después se impone *estar.* Por otra parte, en la voz pasiva,
para las situaciones o estados resultantes de una acción an-

terior, alternaba aún el viejo perfecto *es escripto, es dicho,* con *está escripto,* que había empezado a usarse en el siglo XIV; un soneto célebre atribuído a Mendoza en las *Flores* de Espinosa (1605) comienza: "Pedís, Reina, un soneto: ya lo hago; / ya el primer verso y el segundo *es* hecho". A la pervivencia de *ser* contribuía su ya citada función auxiliar en los perfectos de verbos intransitivos y reflexivos: *"somos obligados",* "ya *es cumplido* el tiempo de tu destierro", que valían por 'nos hemos obligado', 'ya se ha cumplido', constituían un obstáculo más para *"estamos obligados",* "ya *está cumplido"*; éstos progresan, a pesar de todo: "los turcos *estaban* casi todos *muertos"* (Cervantes, *El Amante Liberal)* (1).

La pasiva con *se,* atestiguada desde el Cantar de Mío Cid, sigue ofreciéndose con su construcción primigenia: "los vinos que en esta ciudad *se venden"* (Lazarillo); *"se pueden ymitar* los santos" (Santa Teresa); "de tal manera consentía que *se tratasen* los caballeros andantes" (Cervantes). Pero se extiende cuando el sujeto es un infinitivo, oración o conjunto ideal equivalente: *"permítese* avisarlos, mas no *se sufre* reprehenderlos" (Guevara); *"hágase* así" (Valdés); "no *se le puede decir que ama"* (Alemán). La construcción adquiere cada vez mayor carácter impersonal, manifiesto en su propagación a verbos intransitivos: "sin amor ciego, / con quien acá *se muere* y *se sospira"* (Garcilaso); *"vívese* con trabajo" (Diego de Hermosilla); "con libertad *se ha de andar* en este camino" (Santa Teresa). Con verbos transitivos se rompe a veces la concordancia entre el verbo y el que sería sujeto paciente: *"se ha comenzado a traer materiales"* (Cortés). Sentido el *se* como

---

(1) Véanse G. CIROT, Romanische Forschungen, XXIII, e Hispania, California, XIV, 1931, y F. HANSSEN, *La pasiva castellana,* Santiago de Chile, 1912.

índice de impersonalidad y el sujeto paciente como objeto directo, toma éste, cuando es persona, la *a* propia del acusativo personal: *"se robava a amigos* como *a enemigos"* (Hurtado de Mendoza); "Si *a la reina se prende,* todo es perdido" (Pérez de Hita). No faltan ejemplos de concordancia conservada no obstante llevar *a:* "si *se diesen* por inhábiles *a los que* se juzgan capaces de tan alto ministerio" (Fernández de Navarrete) (1). La extensión del *se* impersonal y la de *uno* destierran el empleo de *hombre* como indefinido; Alfonso de Valdés escribe todavía "andando a oscuras, presto tropieza *hombre",* y don Diego Hurtado de Mendoza traduce el *nihil mirari* horaciano por "el no maravillarse *hombre* de nada"; pero *hombre* se ve gradualmente desplazado más tarde, caracteriza el habla plebeya o rústica, y desaparece a lo largo del siglo xvii.

El tiempo verbal *cantara* había perdido casi por completo su originario valor de pluscuamperfecto de indicativo. Criticando el *Amadís,* Juan de Valdés no se satisface con *viniera* por *había venido, passara* por *había pasado,* y un interlocutor suyo reconoce que se trata de un arcaísmo no imitable ya; sólo el padre Mariana repetirá después el antiguo uso. Consecuentemente hay un cambio de gran importancia en las oraciones condicionales. En un principio la hipótesis futura se construía con el presente de indicativo ("si yo *bivo,* doblar vos he la soldada", Mio Cid) o el futuro de subjuntivo ("si yo *visquier,* ser vos han dobladas"). La hipótesis más dudosa o irreal, referida al futuro, al presente o a un momento posterior al de los hechos relatados, llevaba *cantase* en la prótasis, *cantase* o *cantaría* en la apódosis ("que si non la *quebrantás,* que non ge la

---

(1) Véanse C. B. BROWN, *Passive Reflexive in the "Primera Crónica General",* PMLA, XLV. 1930: CUERVO, nota 106 a la Gramática de Bello; HANSSEN, op. cit.; y FÉLIX MONGE, *Las frases pronominales de sentido impersonal en español,* Zaragoza, 1954.

*abriessen"*; "si vos *viesse* el Cid sanas e sin mal / todo serié *alegre*"). Y la hipótesis irreal referida a un pasado tenía los paradigmas "si ellos le *viessen,* non *escapara*" ('si ellos le hubiesen visto, no hubiera escapado', Mio Cid) o, algo más tardío, "bien andante *fuera* Poro, sy todos *fueran* atales" ('dichoso habría sido Poro si todos se hubieran portado igual', Alexandre). Entre los siglos XIII y XVI este estado de cosas se había visto perturbado por la formación y crecimiento de los pluscuamperfectos compuestos *hubiese cantado, hubiera cantado,* por borrarse frecuentemente los límites entre *cantare* y *cantase,* y por la tendencia a emplear *cantara* en usos reservados antes a *cantase.* De todos modos, en la mayor parte del siglo XVI todavía predominaba en *cantara* el valor de pluscuamperfecto de subjuntivo ("si me *dixérades* esto antes de comer, *pusiérades*me en dubda" 'si me hubierais dicho..., me hubierais puesto', Valdés); pero a fines del siglo y principios del siguiente se invierte la proporción, prevaleciendo desde entonces la función de imperfecto, en la que *cantara* llega a superar la frecuencia de *cantase*: "Él dará a sus criados y aun a los nuestros, si los *tuviéramos,* como nos ha dado a nosotros" (Quevedo) (1). A su vez las construcciones "si *tuviere,* daré" y "si *tuviere,* daría" decaen notablemente, combatidas en cada caso por "si *tengo,* daré" y "si *tuviese* o *tuviera,* daría o diera". El futuro de indicativo "si alguno *querrá*" por 'si quiere' o 'si quisiere', bastante usado desde el siglo XV, apenas rebasa la primera mitad del XVI.

Se extiende la inserción de *a* ante el acusativo de persona y cosa personificada. Valdés reprueba la omisión de *a* en "el varón prudente ama la justicia", "la qual manera de hablar, como veis, puede tener dos entendimientos: o

---

(1) Véase L. O. WRIGHT, *The -ra Verb Form in Spain,* Berkeley, 1932.

que el varón prudente ame a la justicia, o que la justicia ame al varón prudente, porque sin la *a* parece que están todos los nombres en el mesmo caso". No obstante, Lope de Vega usa aún "no disgustemos mi abuela", "quiere doña Beatriz su primo", y Quevedo "acusaron los escribas y fariseos la mujer adúltera".

Durante la Edad Media el empleo de los pronombres átonos de tercera persona había respondido en general a su valor etimológico: el dativo de cualquier género se indicaba con *le* y *les* ( < illī, illīs); el acusativo se servía de *lo* ( < illŭm e illŭd) para el singular masculino y para el neutro, de *la* (< illam) para el femenino, y de *los* (< illōs) y *las* ( < illās) para los plurales masculino y femenino. Este sistema, satisfactorio para la distinción de los casos, no lo era tanto para la de géneros, indiferenciados en el dativo y con un *lo* válido para masculino y neutro. No es de extrañar que desde el Cantar de Mio Cid haya ejemplos reveladores de un nuevo criterio, que menoscaba la distinción casual para reforzar la genérica. La muestra más frecuente es el uso de *le* para el acusativo masculino, sobre todo referente a personas: en la primera mitad del siglo XVI este acusativo *le* domina en los escritores de Castilla la Vieja y León, a los que se suman después alcalaínos y madrileños, como Cervantes, Lope, Tirso, Quevedo, Calderón y Solís. No faltan quienes se valen de *le* para el acusativo de persona y de *lo* para el de cosa, introduciendo así en el régimen pronominal una clasificación como la que establecía la presencia de *a* ante el acusativo nominal de persona. El leísmo tuvo menos éxito en el plural, donde *los* conserva siempre aplastante mayoría sobre *les*. Aún más restringido está el uso contrario, el de *lo* y *los* para el dativo, aunque se encuentre atestiguado desde antiguo en escritores castellanos y leoneses, y más tarde en madrileños también. En unos y otros principalmente se da asimismo el uso

de *la, las* para el dativo femenino, en proporción variable
respecto a *le, les.* El Norte y Centro peninsulares, albergue de todas estas innovaciones, divergen de Aragón y
Andalucía, que se mantienen fieles al criterio etimológico
basado en la distinción de casos. No obstante, el influjo de
la corte hace que, aun con predominio del gusto conservador, aragoneses como los Argensola y andaluces como Jáuregui ofrezcan bastantes ejemplos de *le* acusativo masculino (1).

Las mayores diferencias entre el orden de palabras usual
en la época clásica y el de la sintaxis moderna consisten en
la colocación del verbo y la de los pronombres inacentuados. Los autores de gusto más latinizante, sobre todo en
el siglo xvi, tendían a situar el verbo al final de la frase,
aunque siempre con menos violencia que en tiempo de
Juan II o de los Reyes Católicos. En cuanto a los pronombres inacentuados seguía en vigor la regla de que en
principio de frase o después de pausa habían de ir tras el
verbo, pero en los demás casos se le anteponían; así escribe Cervantes: "Rindióse Camila, Camila *se* rindió"; y antes
Valdés: "¿Avéisos concertado todos tres contra el mohino?" Pero ya aparecen frecuentes ejemplos de proclisis, en
especial tras oración subordinada o inciso: "trabando de
las correas, *las* arrojó"; y abrazando a su huésped, *le*
dijo"; "y sin pedirle costa de la posada, *le* dejó ir" *(Quijote,* 1.ª parte, III). Mientras entre nosotros el imperativo,
infinitivo y gerundio exigen el pronombre pospuesto, en
los siglos xvi y xvii se admitía en ciertos casos el orden
contrario: "la espada *me da*" 'dame la espada', como hoy
en el habla aldeana o regional; "para *nos* despertar", "no

(1) R. J. Cuervo, *Los casos enclíticos y proclíticos del pronombre de tercera persona,* Romania, XXIV, y *Disquisiciones,* 1950, 175
y sigts. Keniston, 7.131 y sigts.

tenéis que *me cansar*", "de no *le* enviar más a la escuela". Por último, estos pronombres se apoyaban en el participio de los tiempos compuestos cuando el verbo auxiliar estaba distante o suplido: "no han querido, antes atádo*me* mucho" (Santa Teresa); "Yo os he sustentado a vos y sacádo*os* de las cárceles" (Quevedo).

Nuestros escritores del Siglo de Oro no sentían por el rigor gramatical una preocupación tan escrupulosa como la que ahora se exige; las incongruencias del habla pasaban con más frecuencia a la lengua escrita (1). Una palabra referida a varios términos podía concertar sólo con uno de ellos: "a todo esto se *opone* mi honestidad y los consejos que mis padres me daban" (Cervantes). La conjunción *que* solía repetirse, como en la conversación, al final de cada inciso: "me pidió las armas; yo le respondí *que,* si no eran ofensivas contra las narices, *que* yo no tenía otras" (Quevedo). Y el verbo se sobrentendía en ciertos casos, como en las fórmulas de juramento: "Que por la fe que el noble estima y ama, / [juro] de guardarte secreto eternamente" (Lope de Vega).

Vocabulario.

El español áureo experimentó un notabilísimo acrecimiento de palabras. Al tratar de los estilos literarios se han señalado ya las vicisitudes del cultismo, cuya introducción fué incesante. Debe añadirse que la abundancia de neologismos latinos y griegos no llegó a producir envenenamiento intelectual en el léxico literario, pues nuestros autores con-

---

(1) Véase Weigert, *Untersuchungen zur spanischen Syntax auf Grund der Werke des Cervantes,* Berlin, 1907,

trapesaban las abstracciones propias del cultismo con el uso de palabras populares de significación concreta.

Muchas voces extranjeras penetraron entonces en el habla española. Las relaciones culturales y políticas con Italia dieron entrada a palabras referentes a muy varias actividades (1). A la guerra pertenecen *escopeta, parapeto, centinela, escolta, bisoño* (2); la navegación y el comercio, que enriquecían a venecianos y genoveses, dejaron, entre otras, *fragata, galeaza, mesana, piloto, banca;* hay muchos términos de artes y literatura, como *esbozo, esbelto < svelto* ("la *esbelteza* de Italia, español brío", Lope de Vega), *escorzo, diseño, modelo, balcón, cornisa, fachada, cuarteto, terceto, estanza* o *estancia, madrigal, novela;* a la vida de sociedad se refieren *cortejar, festejar, martelo.* Italianismos son también *manejar, pedante, bagatela* ("niñerías / que en Italia se llaman *bagatelas*", Lope), *capricho, poltrón.* De modo pasajero se usaron *ya* con el significado de 'en otro tiempo', *gastar* 'estropear', *aquistar* 'conseguir', *pobreto, yo tanto* 'en cuanto a mí' y otras expresiones extrañas a nuestra lengua. Hacia 1547, la famosa *Carta del Bachiller de Arcadia al Capitán Salazar* censuraba así el exceso de italianismos: "¿Para qué decís *hostería,* si os entenderán mejor por *mesón?* ¿Por qué *estrada,* si es mejor y más claro *camino?*... ¿Para qué *foso* si se puede mejor decir *cava?*... ¿*Emboscadas* y no *celadas?*... ¿*Designio* y no *consideración?* ¿*Marcha* y no *camina?* ¿*Esguazo* y no *vado?*... Hable Vm. la lengua de su tierra." Hay otras

---

(1) Véanse los estudios de TERLINGEN y GILLET citados en la página 183, n., y F. RODRÍGUEZ MARÍN, prólogo a su ed. del *Viaje del Parnaso* cervantino.

(2) Los soldados noveles de nuestros tercios, al comenzar su vida militar y alojarse en casas de italianos, acudían a sus jefes, camaradas o huéspedes con incesantes peticiones, en las que repetían la palabra *bisogno,* 'necesito'.

protestas análogas (1). A veces los italianismos tomaron en español sentido irónico, según aconteció a *parola* o *joveneto.*

De origen francés son nombres de prendas de vestir y modas como *chapeo, manteo, ponleví;* de usos domésticos, *servieta,* después *servilleta;* términos militares, *trinchea,* más tarde *trinchera, batallón.* En la vida palaciega, los cargos de *sumiller, panetier, furrier-furriel, ujier,* revelan el influjo borgoñón traído por los Austrias. Cuando, en el siglo XVII, la corte francesa fué modelo del trato social distinguido, se introdujeron *madama* (ya usado alguna vez en el siglo XV), *damisela, rendibú* y otras. Muy general en la poesía fue el empleo del galicismo *rosicler,* introducido antes.

El portugués dejó, entre otros, *payo, mermelada* ("os pedí una mermelada portuguesa", escribe Guevara), *brinquiño* 'dije'. Durante la época de los Austrias lo portugués fue de buen tono en España; damas y galanes se preciaban de tener a punto una cita de Camões con que adornar la conversación, y el portugués era considerado prototipo del enamorado platónico. A la vida de corte pertenecen los lusismos *sarao y menino,* y a la sentimental el significado de 'melancolía' o 'añoranza' que el castellano *soledad* tomó frecuentemente por influjo del portugués *saudade.* La nostalgia subyace también en *achar menos* 'notar la falta de alguien o de algo', transformado por los españoles en *echar menos* y más tarde en *echar de menos* (2).

---

(1) Véase L. DE TORRE, Rev. de Archivos. Bibl. y Museos, XXVIII, págs. 304-319. *Estrada,* indígena en el Occidente peninsular, se reavivó en el castellano áureo por influjo del it. *strada.* En cuanto a *marchar,* es de origen francés; pero entró en español a través del it. *marciare,* según declara el P. Sigüenza: "este término..., con otros muchos de la milicia, nos ha venido de Italia" (véase TERLINGEN, op. cit.).

(2) La forma originaria castellana había sido *fallar menos,* atestiguada en Mio Cid. Véase R. J. CUERVO, *Apuntaciones,* 398. y, con-

Las lenguas europeas no romances prestaron pocas palabras; del alemán proceden, entre otras, *lansquenete, bigote, trincar, brindis, chambergo*. La conquista del Nuevo Mundo trajo muchos nombres de plantas y animales desconocidos hasta entonces, así como otros relativos a creencias, usos y costumbres de los indios; sirvan de ejemplo, por haber alcanzado más rápida difusión, *tabaco, patata, chocolate, nagua* 'enagua', *canoa, huracán, cacique*.

Aparte de la adopción de voces grecolatinas y extranjeras, el léxico literario español aumentó su caudal aprovechando los propios recursos del idioma. Se ha indicado ya la abundante formación de derivados, sobre todo en el siglo XVII. Otro medio fue la admisión de palabras técnicas en el lenguaje corriente: Así, términos bélicos *(batería* 'brecha', *estratagema)*, jurídicos *(privilegio, exención)*, de la administración *(arbitrio, tasa)*, musicales y artísticos *(prima* de guitarra, *lejos)*, de la filosofía *(argumento, implicar, animar)*, de la física, alquimia y medicina *(elemento, alquermes, humor)*, usados ya desde antes o nuevos en la literatura, vivieron en ella durante el siglo XVII, favorecidos por el desarrollo del lenguaje figurado. Hasta la jerga del hampa halló acogida: *cepos quedos* '¡quieto!', *la ene de palo* 'la horca', *gurapas* 'galeras', aparecen en nuestros escritores, independientemente de otras expresiones de germanía que sólo se ponen en boca de pícaros o jaques.

Tan amplia libertad de criterio contrasta con la restricción que por el mismo tiempo se operaba en otras literaturas donde la consolidación del espíritu clásico condujo a un riguroso cernimiento del vocabulario. En Italia fueron repudiados los tecnicismos; en Francia, desde Malher-

tra la idea de lusismo, L. SPITZER, Rev. de Filol. Esp., XXIV, 1937, 27-30. Para otras palabras de origen portugués más o menos seguro, R. DE SÁ NOGUEIRA, *Crítica etimológica*, Lisboa, 1949.

be y Vaugelas, la selección léxica llevó al uso casi exclusivo de las llamadas "palabras nobles", desechándose términos vulgares, extranjerismos, cultismos crudos y tecnicismos. La literatura barroca del siglo XVII español prefirió la abundancia a la depuración, y, extremosa en sus
opuestas direcciones, aprovechó desde los vocablos más in-
sólitos y deslumbrantes hasta los más plebeyos.

## Estudios sobre el idioma en los siglos XVI y XVII.

La labor iniciada por Nebrija tuvo muchos proseguido-
res. Abundan, como ya se ha dicho, las obras destinadas a
extranjeros para el aprendizaje del español, y también los
diccionarios bilingües. Pero más interés ofrecen los intentos de algunos autores que pretenden alcanzar, mediante
la observación libre de prejuicios gramaticales latinos, las
verdaderas leyes que regían el funcionamiento del idioma.
Ninguno de nuestros tratadistas de entonces ponía en juego un método científico riguroso; pero a veces poseían penetración suficiente para descubrir realidades gramaticales
indudables. Juan de Valdés, impulsado por el afán de re-
glamentar usos, formula muchas normas arbitrarias; pero
la mayoría de las que dan son exactas, y tiene un sentido
muy certero de los usos preferibles en los casos de duda.
Más técnico es Cristóbal de Villalón, cuya *Gramática* (1558)
está llena de observaciones agudas. Bernardo de Aldrete,
en su *Origen y principio de la lengua castellana* (1606),
atisba muchas de las leyes fonéticas relativas a la transformación de los sonidos latinos al pasar al romance, confir-
madas después por la lingüística moderna (1). El maestro
Gonzalo Correas, además de reunir un copiosísimo *Voca-*

---

(1)  Véase W. Bahner, *Beitrag,* citado en la pág. 203, nota 1.

*bulario de refranes,* propuso (1626 y 1630) atrevidas modificaciones ortográficas, encaminadas a armonizar la escritura con la pronunciación (1). Entre los Diccionarios, el más notable es el *Tesoro de la lengua castellana o española,* de Sebastián de Covarrubias (1611), curioso arsenal de noticias sobre ideas, costumbres y otros aspectos de la vida española de antaño, expuestas ingenuamente al definir las palabras (2).

La postura de todos estos gramáticos fue, en general, más de preceptistas que de científicos. Pero el dinamismo espiritual de sus contemporáneos se avenía mal a sujetarse a normas gramaticales. La actividad creadora era superior a las posibilidades del análisis paciente.

---

(1) Véase E. ALARCOS, *La doctrina gramatical de Gonzalo Correas,* Castilla, I, 1940, y su citada edición del *Arte de la lengua española castellana.*

(2) El corpus de los diccionarios españoles de los siglos XVI y XVII está siendo publicado por SAMUEL GILI GAYA, *Tesoro Lexicográfico (1492-1726),* valiosísima compilación, cuyo primer fascículo apareció en 1947.

# XIV. EL ESPAÑOL MODERNO

EL SIGLO XVIII.

Al terminar la guerra de Sucesión, España se encontraba exhausta y deprimida. Tras la serie de adversidades que habían jalonado los reinados de Felipe IV y Carlos II, quedaba sacrificada en la paz de Utrecht. Todas las actividades parecían muertas. Se imponía una tarea de reconstrucción vivificadora, y a ella tendieron los esfuerzos de las minorías dirigentes; pero sus tentativas de reforma, deslumbradas por el racionalismo de la época o ajustadas al modelo de otros países, fueron muchas veces contrarias al espíritu nacional. Del pasado, sometido a crítica, sacaron unos lecciones confortadoras, mientras otros, más atraídos por las nuevas ideas, llegaban a conclusiones negativas. En consecuencia, el siglo XVIII marca una quiebra de la tradición hispánica, eclipsada por la influencia extranjera.

Al impulso creador de nuestra literatura clásica sucede un período de extrema postración. En el último tercio del siglo se inicia un resurgimiento que no alcanza a todos los géneros y se encierra en estrechos módulos, contrastando con la libertad artística de las centurias precedentes. En cambio, es intensa la labor de erudición y crítica. Con verdad se dijo entonces que el reino de la fantasía había cedido el puesto al de la reflexión.

Fijación del idioma. La Academia. Trabajos de erudición (1).

Durante el período áureo la fijación del idioma había progresado mucho, pero los preceptos gramaticales habían tenido escasa influencia reguladora. Desde el siglo xviii la elección es menos libre; se siente el peso de la literatura anterior. La actitud razonadora de los hombres cultos reclama la eliminación de casos dudosos. Sobre la estética gravita la idea de corrección gramatical y se consuma el proceso de estabilización emprendido por la lengua literaria desde Alfonso el Sabio. No es que se haya detenido la evolución del idioma: el mismo lenguaje escrito, con ser tan conservador, revela una constante renovación, más intensa aún en el habla. Pero novedades y vulgarismos tropiezan con la barrera de las normas establecidas, que son muy lentas en sus concesiones.

Símbolo de esta postura es la fundación de la Real Academia Española (1713) y la protección oficial de que fué objeto. En sus primeros tiempos, la Academia realizó una eficacísima labor, que le ganó merecido crédito. Publicó entonces el excelente *Diccionario de Autoridades* (1726-39), llamado así porque cada acepción va respaldada con citas de pasajes en que la utilizan buenos escritores. Dió también a luz la *Ortografía* (1741) y la *Gramática* (1771), editó el *Quijote,* con magnífica impresión de Ibarra (1780), y el *Fuero Juzgo* (1815). Su lema "limpia, fija y da esplen-

(1) Para las cuestiones tratadas en este párrafo y siguientes, véase Fernando Lázaro Carreter, *Las ideas lingüísticas en España durante el siglo XVIII,* Madrid, 1949.

dor" quedó cumplido en cuanto se refiere a la tarea de criba y desbroce.

La atención por el estudio y purificación del idioma se revela asimismo en la obra de otros eruditos. Mayans y Siscar publicó en sus *Orígenes de la lengua castellana* (1737) el *Diálogo de la lengua*, de Juan de Valdés; en su *Retórica* estudió cuidadosamente la prosa española y reunió una útil antología. Capmany seleccionó modelos de buen estilo en su *Teatro históricocrítico de la elocuencia* (1786-94) y abordó la historia lingüística en el tratado *Del origen y formación de la lengua castellana* (1786). En la *Colección de poesías anteriores al siglo XV*, de Tomás Antonio Sánchez (1779), aparecieron impresos por vez primera el Cantar de Mio Cid, los poemas de Berceo, el *Alexandre* y el *Libro de Buen Amor*.

LUCHA CONTRA EL MAL GUSTO.

Nunca, en verdad, estuvo más justificada la preocupación por el idioma. En los dos primeros tercios del siglo XVIII se prolongaban, envilecidos, los gustos barrocos de la extrema decadencia. Rara vez están compensados por cualidades de algún valor, como en Torres Villarroel. Una caterva de escritorzuelos bárbaros y predicadores ignaros emplebeyecía la herencia de nuestros grandes autores del siglo XVII. El abuso de metáforas e ingeniosidades llegaba al grado de chabacanería que revelan obras como la *Trompeta evangélica, alfange apostólico y martillo de pecadores*, o el *Caxón de sastre literato, o percha de maulero erudito, con muchos retales buenos, mejores y medianos, útiles, graciosos y honestos, para evitar las funestas conseqüencias del ocio;* el estilo correspondía a la grotesca hinchazón de los títulos. Tales aberraciones despertaban la protesta de quienes conservaban sin estragar el gusto o reaccionaban en virtud de nuevos móviles ideológicos. El padre Isla con su *Fray Gerundio* (1757) asestó un golpe decisivo al degenerado barroquismo que dominaba en el púlpito. Mayans, Cadalso, Forner y Moratín, entre otros, combatieron también el amaneramiento avulgarado. Su último reducto fue el teatro, donde hasta principios del siglo XIX se representaron las disparatadas obras de Comella.

## LA LITERATURA NEOCLÁSICA.

Con la *Poética* de Luzán (1737) se inaugura la tendencia neoclásica y extranjerizante. Según ella, la literatura había de atenerse a una rígida imitación de los modelos griegos y latinos, y debía guardar los preceptos de Aristóteles y Horacio, como habían hecho los autores franceses del siglo XVII. Muchos espíritus, cegados por estos prejuicios, condenaban la bizarría de nuestra literatura anterior; pero como el neoclasicismo estaba demasiado cohibido por las reglas para originar un poderoso movimiento literario, tuvo que apoyarse frecuentemente en nuestros escritores del siglo XVI, y aun en los del XVII, cuyo mérito, en último término, se reconocía.

En la poesía, la ruptura con los procedimientos estilísticos del siglo anterior no fue tan completa como harían creer las críticas contra el gongorismo. Eran ya de uso general muchas palabras que cien años atrás chocaban por su novedad, y se habían consolidado en el verso algunas transposiciones en el orden de las palabras. Además, los poetas neoclásicos no buscaban la expresión llana, sino solemne, y educados en el estudio de las humanidades, no sentían repugnancia por la introducción o mantenimiento de latinismos. Así, aunque la Academia se había mostrado partidaria de "desterrar las voces nuevas, inventadas sin prudente elección", Meléndez, Jovellanos o Quintana emplean *candente, estro, exhalar, flébil, fúlgido, inerte, letal, linfa, ominoso, opimo, pinífero, proceloso, refulgente, umbrífero*, etcétera. La poesía neoclásica admitió en calidad de licencias poéticas los arcaísmos *vía* 'veía', *felice, un hora* y otros semejantes. De esta manera prosiguió la diferencia, agudizada desde Herrera, entre el lenguaje de la poesía y el normal.

Más radical fue la transformación de la prosa (1). Como la novela y la historia artística tuvieron en el siglo XVIII escasísimo desarrollo, la prosa se limitó casi exclusivamente a obras didácticas que exigían un estilo severo y preciso. En un esfuerzo de adaptación, la prosa española del siglo XVIII sacrificó la pompa a la claridad; ya que no posee grandes cualidades estéticas, adquirió una sencillez de tono moderno que constituye su mayor atractivo. Por reacción contra culteranos y conceptistas, las miradas se sentían atraídas hacia los escritores de nuestro siglo XVI, en los que veía Cadalso "las semillas que tan felizmente han cultivado los franceses en la última mitad del siglo pasado [el XVII], de que tanto fruto han sacado los del actual". Observaba Feijoo que los escritos del país vecino "son como jardines, donde las flores espontáneamente nacen, no como lienzos donde estudiosamente se pintan. En los españoles, picados de cultura, dio en reinar de algún tiempo a esta parte una afectación pueril".

Esta admiración por la prosa francesa explica la indulgencia con que se admitía el galicismo. Cuando las orien-

---

(1) Véanse AMÉRICO CASTRO, *Algunos aspectos del siglo XVIII*, en *Lengua, enseñanza y literatura*, Madrid, 1924, y JUAN MARICHAL, *La voluntad de estilo*, Barcelona, 1957, págs. 165-214.

taciones ideales venían de más allá de las fronteras, la introducción de voces o construcciones extrañas resultaba —para los descuidados— más cómoda que el aprovechamiento de los recursos propios del idioma. Acusado de usar expresiones afrancesadas, Feijoo respondía: "¿Pureza de la lengua castellana? ¿Pureza? Antes se debería llamar pobreza, desnudez, sequedad." Las traducciones, tan apresuradas entonces como ahora, agravaban el mal.

REACCIÓN PURISTA (1).

El alud de galicismos suscitó una actitud defensiva que trató de acabar con la corrupción del idioma, tan lleno de excelentes cualidades. "Poseéis —decía Forner— una lengua de exquisita docilidad y aptitud para que, en sus modos de retratar los seres, no los desconozca la misma naturaleza que los produjo; y esta propiedad admirable, hija del estudio de vuestros mayores, perecerá del todo si, ingratos al docto afán de tantos y tan grandes varones, preferís la impura barbaridad de vuestros hambrientos traductores y centonistas."

A fuerza de repetir imágenes y conceptos, la literatura se había apartado del habla, y el léxico estaba empobrecido. Los escritores más notables del siglo XVIII pugnaron por recobrar el dominio de la lengua y aumentar el vocabulario disponible. Prejuicios aristocráticos y librescos —tanto más explicables cuanto profundo había sido el mal del avulgaramiento— impidieron muchas veces que el arte dignificara las aguas vivas de la expresión cotidiana. Los buenos modelos —se creía— estaban en la producción de los

___

(1) Véase M. ARTIGAS, discurso de recepción en la R. Academia Española, 1935, y A. RUBIO, *La crítica del galicismo en España (1726-1832)*, México, 1937.

autores clásicos; de ellos había que sacar el tesoro de palabras empleadas con espontánea facilidad en otros tiempos y olvidadas después. El ambiente era propicio a esta restauración laboriosa, y el resultado fue un tipo de lenguaje pulcro, demasiado atento a los usos del Siglo de Oro. Discreto en Jovellanos, Moratín o Quintana, el purismo se convirtió en obsesión arcaizante en otros autores.

## Los grupos cultos y la ortografía.

La preocupación por la regularidad idiomática permitió resolver en el siglo XVIII dos de los problemas en que más habían durado las inseguridades. Quedaba por decidir si los grupos de consonantes que presentaban las palabras cultas habían de pronunciarse con fidelidad a su articulación latina, o si, por el contrario, se admitía definitivamente su simplificación, según los hábitos de la fonética española. La Academia impuso las formas latinas *concepto, efecto, digno, solemne, excelente,* rechazando las reducciones *conceto, efeto, dino, solene, ecelente.* Por concesión al uso prevalecieron multitud de excepciones, como *luto, fruto, respeto, afición, cetro, sino,* que contrastan con los derivados latinizantes de igual origen *luctuoso, fructífero, respecto, afección, signo.* Nótese que en los casos *plática* y *práctica, respeto* y *respecto, afición* y *afección, sino* y *signo,* la duplicidad de formas ha servido a la lengua para establecer diversidad de empleos o acepciones. Cuando en los cultismos había grupos de tres consonantes duros para la articulación nuestra, como en *prompto, sumptuoso,* fueron también preferidas las formas sencillas, *pronto, suntuoso.* Después *oscuro, sustancia,* generales en la pronunciación, van desterrando de la escritura a *obscuro, substancia.*

La revolución fonética de los siglos XVI y XVII exigía el reajuste de la escritura, que distinguía sonidos confundidos ya en la pronunciación: *ss* y *s; ç* y *z; x* y *j.* Además el sistema gráfico venía arrastrando anomalías producidas por tendencias eruditas, que utilizaban transcripciones latinas como *philosophía, theatro, christiano, quanto.* Al principio, la Academia tuvo un criterio conservador y latinista. Después lo fue modificando con sucesivas concesiones al valor real de los signos. Al comenzar el siglo XIX habían desaparecido las grafías *ss* y *ç;* el signo *x* dejó de ser equivalente de *j* y quedó reservado para representar la pronunciación *gs (examen, axioma)* o la *x* latina del prefijo *ex (extraño, expuesto);* y fueron eliminados los latinismos *ph, th, ch, qua-, quo-,* en beneficio de *f, t, c.* Se conservó la *h* muda y subsistieron las coincidencias fonéticas entre *b* y *v, c* y *z, j* y *g, y* e *i.* Los intentos posteriores encaminados a estrechar más aún la correspondencia entre escritura y pronunciación se han limitado a corregir detalles o no han pasado de iniciativas individuales fracasadas. El tributo de nuestro sistema ortográfico a la etimología es muy pequeño si se compara con el de otras lenguas.

EL SIGLO XIX. LA ORATORIA. LA PROSA
HASTA EL REALISMO.

La violenta conmoción espiritual del siglo XIX trajo consigo el florecimiento de la oratoria política. Nace ésta en las Cortes de Cádiz bajo el fuego de los cañones napoleónicos y en el primer choque ostensible de tradicionalistas y liberales. En labios de Argüelles, Muñoz Torrero, Toreno y Martínez de la Rosa el discurso es arma para la contienda de ideas, como lo eran también por entonces la poesía de

Quintana y la tragedia alfieresca. Después, en el ambiente de luchas enconadas y turbulencias que llenan la vida política española hasta la Restauración, el verbo elocuente fue instrumento imprescindible para la actividad parlamentaria o la captación de prosélitos. Los tribunos no buscaron estilo sobrio y objetivo, sino períodos largos, sonoros, patéticos, abundantes en evocaciones históricas e imágenes deslumbradoras. Así brotaron los discursos de Joaquín María López, Ríos Rosas, Olózaga, Nocedal y Aparisi, el tono profético de Donoso Cortés y la pompa ornamental de Castelar. Con tesis contradictorias, más encaminados unos a la convicción y otros a la sacudida emocional, con distinta proporción entre argumentos y atención al ornato, sus procedimientos oratorios, hijos de una misma formación retórica, varían poco. El influjo de la oratoria es patente en la prosa doctrinal de buena parte del siglo. El *Ensayo* de Donoso o los escritos de Castelar reclaman la audición mejor que la lectura.

En la prosa, nuevas apetencias expresivas pugnaban por romper el caparazón neoclásico. El ritmo de la vida, cada vez más rápido, la agitación ideológica, el auge del periodismo y la ampliación del campo literario con géneros desconocidos antes, pedían lenguaje variado y flexible; pero la educación estética de los escritores mantenía resabios puristas. El conde de Toreno inspira su estilo en el de Mariana, modernizándolo en lo más indispensable. La novela histórica, a que tan aficionados fueron los románticos, requería el empleo de arcaísmos para evocar ambientes del pasado: apenas abrimos *El señor de Bembibre,* de Enrique Gil, encontramos *a tiro de ballesta* como indicación de distancia, *harto* por 'mucho', *acá* y *acullá, a la sazón,* verbo al final de la frase ("si por vuestro reposo mismo *miráis*", "la fe y la confianza que en vos *pongo*"), etc. La artificiosa imitación del español áureo, acompañada por el uso de voces antiguas o regionales, dió lugar a la tendencia casticista, que si en ocasiones procuró notable caudal de palabras jugosas y plásticas, resultó disfraz incómodo llevada al extremo, como en las *Escenas andaluzas* de Estébanez Calderón. Frente a esta restauración trabajosa decía Larra que "las lenguas siguen la marcha de los progresos y las ideas; pensar fijarlas en un punto dado a fuer de escribir castizo, es intentar imposibles". Y, sin embargo, en su alegato renovador se deslizaba el arcaísmo *a fuer de;* es que, en mayor o menor grado, el purismo dejó sus huellas en casi todos los autores de la pasada centuria. En el estilo de Larra la formación recibida contiende con el deseo de modernidad; pero el conflicto se supera gracias a lo penetrante e intencionado de la idea, a un sentido de la caricatura como no había existido en España desde los días de Quevedo, y a una agilidad expresiva, comparable también a la de los *Sueños* y el *Buscón,* que pone en juego los más atrevidos recursos de la creación verbal (1).

## LA POESÍA ROMÁNTICA. BÉCQUER.

El Romanticismo llevó a la poesía espíritu y forma nuevos, pero no sin conservar muchos hábitos del siglo XVIII. Las burlas contra el pastor Clasiquino harían esperar una mudanza más radical. Es cierto que en los románticos hay alardes de crudeza realista, desenfreno imaginativo y sentimental, cambios bruscos de la altisonancia a la vulgaridad, libertades expresivas inusitadas. Sin embargo, mantuvieron, por lo general, el empaque solemne, y usaron elegancias tan manidas como el hipérbaton ("*las* de mayo *serenas alboradas*") o la reiteración de copulaciones ("y glo-

---

(1) Véase José Luis VARELA, *Sobre el estilo de Larra,* Arbor, XLVII, 1960, 376-397.

ria, y paz, y amor y venturanza"). Hasta la interrupción
del verso por exclamaciones y reticencias había aparecido
ya en Meléndez y Cienfuegos. Los románticos no desdeñan
las licencias poéticas, que les sirven de comodín para sal-
var dificultades de metro o rima; así Espronceda acude a
los arcaísmos *rompido, desparecer, alredor*. Continuaron en
boga palabras y giros gratos a la poesía neoclásica, como
*el profundo* por 'el abismo, el infierno', los cultismos *fúlgido, vívido, flébil*, los anticuados *siquier, cuán, de contino*,
etcétera. La novedad es que las voces más prestigiosas no
lo son ya por su carácter latino o antiguo, sino por el valor emocional: *agonía, devaneo, delirio, histérico, frenesí,
ilusorio, mágico, lánguido, quimera* son términos predilec-
tos por representar el desequilibrio y la insatisfacción; y
a la relamida expresión dieciochesca sucede otra directa y
enérgica: *"jélido* fango", "corazón *hecho pavesa*", *"roída*
de recuerdos", "ojos *escaldados* de llanto", "helar *hasta
los tuétanos"*. No obstante, la eficacia se pierde muchas
veces, pues el afán de musicalidad conduce a los poetas a
abusar de adjetivos vacuos y hojarasca palabrera (1).

Bécquer sintió como los románticos la sed de lo infi-
nito, la batalla entre el corazón y la cabeza, las tentaciones
de una fantasía desbordante. Pero descubrió el secreto de
la lírica íntima y evocadora. Poemas breves, sin aparato,
sin lastre; el mago poder de un rasgo desnudo y certero
basta para dejar hondas resonancias en el alma. En tensión emocionada, las palabras son "a un tiempo suspiros y
risas, colores y notas". La música del verso se llena de
eléctricas vibraciones: "los invisibles átomos del aire / en

---

(1) Véanse G. B. ROBERTS, *The Epithet in Spanish Poetry of
the Romantic Period*, Univ. of Iowa Studies in Spanish Language
and Literature, número 5; M. GARCÍA BLANCO, *Espronceda o el én-
fasis*, "Escorial", 1943, y A. J. CULLEN, *El lenguaje romántico de los
periódicos madrileños... (1820-23)*, Hispania, XLI, 1958, 303-7.

derredor palpitan y se inflaman", "oigo flotando en olas
de armonía / rumor de besos y batir de alas". Y el espíritu, "huésped de las nieblas", se escapa al mundo de visiones "donde cambian de forma los objetos". Contención
suprema, vaguedad cargada de esencia poética, atalaya de
misterio: tal es la lección de las *Rimas*, no comprendidas
en todo su valor hasta nuestros días (1).

EL REALISMO.

Pasada la moda de la novela histórica, débil trasplante
del romanticismo extranjero, la novela realista encontró en
España afortunados cultivadores. Su tarea no fue sencilla:
la brillante tradición que el género había tenido en nuestra
literatura se había interrumpido en el siglo XVIII, y hubo
que crear el lenguaje adecuado, como si se tratara de una
forma narrativa sin precedentes españoles. Si se quería hacer de la novela auténtico reflejo de la vida, era necesario
aguzar las posibilidades descriptivas de la lengua, acostum-
brarla al análisis psicológico, y caldear el diálogo con la expresión palpitante del habla diaria. Para esto no valían ni
el tono oratorio ni la trivialidad de la gacetilla periodística.
Decía Galdós: "Una de las dificultades con que tropieza la
novela en España consiste en lo poco hecho y trabajado que
está el lenguaje literario para reproducir los matices de la
conversación corriente. Oradores y poetas lo sostienen en
sus antiguos moldes académicos, defendiéndolo de los esfuerzos que hace la conversación para apoderarse de él; el
terco régimen aduanero de los cultos le priva de flexibilidad. Por otra parte, la Prensa, con raras excepciones, no se

---

(1) Véase DÁMASO ALONSO, *Aquella arpa de Bécquer*, Cruz y
Raya, 1935.

esmera en dar al lenguaje corriente la acentuación literaria, y de estas rancias antipatías entre la retórica y la conversación, entre la Academia y el periódico, resultan infranqueables diferencias entre la *manera de escribir* y la *manera de hablar*, diferencias que son desesperación y escollo del novelista" (1). En un esfuerzo admirable, los novelistas del siglo pasado consiguieron vencer las principales dificultades: lograron exactitud y fuerza pictórica en las descripciones, sondearon con profundidad el corazón humano y a veces dieron sencilla viveza al coloquio entre sus personajes. Es cierto que, a excepción de Valera, prosista esmerado y fino, atendieron al fondo más que al arte de la palabra; pero si, como reacción contra el atildamiento hinchado, se abandonaron con frecuencia al desaliño y a la frase hecha, dieron a la novela el tono medio que necesitaba. Limadas ya por ellos las más duras asperezas, ha podido surgir el cuidado estilístico de los prosistas posteriores.

Las palabras de vieja solera conservadas en el habla popular habían empezado a ser miradas con cariño por los escritores casticistas. El gusto por el color local, tan característico de la novela realista, dió entrada en la literatura a muchas voces y giros regionales. Hay andalucismos en

---

(1) Prólogo de Galdós a *El sabor de la tierruca*, de Pereda. Compárese esta confesión de Clarín: "La mucha costumbre de haber sido gacetillero dificulta en mí, cuando no imposibilita, el empleo del estilo completamente noble; y las frases familiares, muy españolas y gráficas, pero al fin familiares, y ciertas formas alegres, de confianza, antiacadémicas, por decirlo más claro, acuden a mi pluma sin que pueda yo evitarlo." (*Mis plagios, Folletos*, IV, 1888, pág. 59). Sobre el lenguaje y estilo de Galdós, véase R. OLBRICH, *Syntaktisch-stilistisch Studien über Benito Pérez Galdós*, Hamburgo, 1937; RICARDO GULLÓN, estudio preliminar de su ed. de *Miau*, 1957, págs. 231 y sigts.; y A. SÁNCHEZ BARBUDO, *Vulgaridad y genio de Galdós*, Archivum, VII, 1958, 48-75. Sobre Pereda, K. SIEBERT, *Die Naturschielderung in Peredas Romanen*, Hamburgo, 1932, y GERDA OUTZEN, *El dinamismo en la obra de Pereda*, Santander, 1936. M. FERNÁNDEZ ALMAGRO, *La prosa de los antepenúltimos*, Rev. de Occidente, XVIII, 1927, pone de relieve los defectos estilísticos de estos escritores.

Fernán Caballero y Valera, galleguismos en la Pardo Bazán, rasgos asturianos en Clarín y Palacio Valdés. Pereda recoge particularidades léxicas de la Montaña tan amorosamente como retrata la aldea o el puerto santanderino.

La exposición didáctica, por lo general, venía adoleciendo de ampulosidad grandilocuente; poco a poco se impuso un gusto más severo. Así se llegó a la prosa magistral de Menéndez y Pelayo, que acierta a reunir la solidez del razonamiento, el detalle erudito, el tono apasionado y el sentido de la belleza. Clasicismo y vigor se encierran en períodos amplios sin garrulería, armoniosos sin afectación.

## El modernismo y la generación de 1898.

Las tendencias literarias que aparecen en los albores de nuestro siglo coinciden en afán renovador y preocupación por la forma. El modernismo engalana la poesía hispánica con ritmos y estrofas nuevos u olvidados, e introduce en ella motivos poéticos y procedimientos estilísticos nacidos poco antes en otras literaturas, sobre todo en la francesa. La potente vitalidad lírica de Rubén Darío, sensual y refinada, gusta de la imagen sorprendente y el adjetivo insólito; ama la antigüedad pagana, con afición que se traduce en abundantes helenismos (*peplo, liróforo, propíleo, evohé*); busca el atractivo de lo exótico, echando mano de voces extranjeras (*staccati, baccarat, sportwoman*); pero también percibe el sabor venerable y ritual de los giros arcaicos ("a *me* defender y a *me* alimentar", "por *nós* intercede, suplica por *nós*"); o fragua neologismos, como *piruetear, canallocracia, perlar*. Se goza en correspondencias de sensaciones, sobre todo visuales y auditivas ("arpegios *áureos*", "sol *sonoro*") y toma de los simbolistas la vaguedad evocadora, las metáforas de sentido impreciso. Ansioso de perfección formal, cincela primorosamente los versos; no contento con el metro y la rima, acude a similicadencias internas y aliteraciones: "ruega gener*oso*, piad*oso*, orgull*oso*", "*mági*co pájaro re*gio*", "*b*ajo el a*la* a*leve* de*l leve* a*banico*"; y las mayúsculas ayudan a personificar abstracciones como el *S*ueño, la *M*uerte, la *E*speranza. Todos los recursos de la palabra —grafía, significación, imagen, fonética y música— son apurados en esta poesía exuberante y fascinada por la novedad.

El ejemplo de Rubén Darío atrajo a casi todos sus contemporáneos americanos y a muchos españoles (1). En España, sin embargo, aun en el momento de mayor boga modernista, la poesía se orientó hacia otros derroteros, prefiriendo menor lujo de atavíos y más raigambre nacional. Los versos de Unamuno, duros a veces, palpitan de vida emocionada e inquietud religiosa; Antonio Machado sueña sus dolores con lirismo despojado y hondo, encuadrado en los caserones de las viejas ciudades y en las austeros campos de Castilla; y Enrique de Mesa remoza la tradición medieval de inspiración pastoril y serrana.

Los prosistas de la generación del 98, dentro de una gran disparidad, ofrecen entre sí coincidencias fundamentales que los separan de la literatura anterior. Cada escritor pone en su lenguaje huellas personales inconfundibles, mucho más señaladas que las apreciables en los novelistas del realismo. Al estilo general de época o tendencia se sobreponen los rasgos privativos del autor. Por caminos muy diver-

(1) Véanse G. LEPIORZ, *Themen und Ausdrucksformen des spanischen Symbolismus*, Düsseldorf, 1938; EMMY NEDDERMANN, *Die Symbolistischen Stilelemente im Werke von J. R. Jiménez*, Hamburgo, 1935. Para la prosa modernista es fundamental el estudio de AMADO ALONSO, *El modernismo en "La gloria de don Ramiro"*, publicado con el *Ensayo sobre la novela histórica*, Buenos Aires, 1942.

sos se crea un arte nuevo de la prosa. Baroja, el menos cuidadoso, imprime nervio y rapidez a su desaliño; Maeztu, rigor y densidad. Unamuno concentra su pensamiento atormentado y contradictorio en el retorcimiento conceptuoso de la frase. Valle Inclán, más ligado al modernismo, aprovecha el adjetivo y la imagen para fundir notas de sensualidad, nobleza legendaria y religiosidad ornamental en el barroquismo de las *Sonatas;* nadie como él ha conseguido dotar de valor musical a la prosa, mediante inimitable juego de pausas y melodías tonales; otras veces prodiga el trazo genial definitivo y gráfico, resurrección del humorismo quevedesco. Azorín sostiene: "lo que debemos desear al escribir es ser claros, precisos y concisos"; fiel a esta consigna, emplea la frase breve y limpia, labrada con meticulosidad. El período extenso y retórico del siglo XIX desaparece; con él abandonan la literatura los calificativos hueros y la frase hecha (1).

Al buscar las esencias hispánicas en el alma del pueblo, el uso de palabras tradicionales se convierte en necesidad ideológica y estilística. Acusado de emplear algunas que no figuraban en el Diccionario de la Academia, Unamuno res-

---

(1) Véanse M. FERNÁNDEZ ALMAGRO, art. cit.; B. W. WARD-ROPPER, *Unamuno's struggle with words,* Hispanic Review, XII, 1944; C. CLAVERIA, *Unamuno y Carlyle,* Cuadernos Hispanoamericanos, 1949, núm. 10; M. GARCÍA BLANCO, *Don Miguel de Unamuno y la lengua española,* Salamanca, 1952; C. BLANCO AGUINAGA, *Unamuno, teórico del lenguaje,* México, 1954; F. HUARTE MORTON, *El ideario lingüístico de Unamuno,* Cuadernos de la Cátedra M. de U., V, Salamanca, 1954; MILAGRO LAÍN, *Aspectos estilísticos y semánticos del vocabulario poético de Unamuno,* Ibid., IX, 1959; y JUAN MARICHAL, *La voluntad de estilo,* Barcelona, 1957, págs. 217-258; JULIO CASARES, *Crítica profana,* Madrid, 1916; AMADO ALONSO, *Estructura de las "Sonatas" de Valle-Inclán, El ritmo de la prosa y La musicalidad de la prosa de Valle-Inclán,* en *Materia y forma en poesía,* Madrid, 1955; A. ZAMORA VICENTE, *El modernismo en la "Sonata de Primavera",* Bol. Real Acad. Esp., XXVI, 1947, y *Las "Sonatas" de R. del V. I.,* Buenos Aires, 1951; EMMA SUSANA SPERATTI PIÑERO, *La elaboración artística de Tirano Banderas,* México, 1957; H. DENNER, *Das Stilproblem bei Azorín,* Zürich, 1931.

ponde: "¡Ya las pondrán! Y las pondrán cuando los escritores llevemos a la literatura las voces españolas —españolas, ¿eh?— que andan, y desde siglos, en boca del pueblo." Consecuentemente, dignifica en sus obras *hondón, redaños, sobrehaz, meollo, entresijo;* acoge leonesismos como *remejer, brizar, cogüelmo* 'colmo', *perinchir* 'llenar', oídos en sus andanzas por tierras salmantinas; y según el patrón de los derivados populares, forma *adulciguar, sotorreírse, pedernoso, hombredad.* La poesía de Enrique de Mesa está cuajada de términos rurales, sabrosos y plásticos: *herbal, canchos, pegujal, atrochar, chozo, pastizal, invernizo, trashoguero.* Azorín no sólo se aficiona a las palabras populares del habla, sino que vivifica las que yacen olvidadas en la literatura antigua; de unas y otras se vale en descripciones y enumeraciones: "Entre las *tenerías* se ve una casita medio caída, medio arruinada; vive en ese chamizo una buena vieja —llamada Celestina—... que luego va de casa en casa, en la ciudad, llevando agujas, *gorgueras, garvines,* ceñidores y otras *bujerías* para las mozas. En el pueblo, los oficiales de mano se agrupan en distintas callejuelas; aquí están los *tundidores, perchadores, cardadores, arcadores, perailes...*" "Donde había un tupido boscaje, aquí en la llana vega, hay ahora trigales de regadío, huertos, *herreñales,* cuadros y emparrados de hortalizas; en las *caceras, azarbes* y *landronas* que cruzan la llanada, brilla el agua, que se reparte por toda la vega desde las *represas* del río..." De este modo, la carga de abstracciones cultas que amenazaba abrumar el léxico literario, se ve compensada con la enjundia de vocablos populares y concretos.

Cultismos y voces técnicas.

La complejidad de la vida y del pensamiento modernos han influído en el vocabulario español igual que en el de todos los idiomas europeos. Ciencias, filosofía, progresos técnicos, cuestiones políticas y sociales, exigían ampliación de nomenclatura. Para satisfacer esta necesidad, los espíritus más conservadores del siglo XVIII recomendaban que en cada caso se buscara pacienzudamente el término o giro usado por los clásicos; pero tal solución era inútil cuando la novedad estaba en los conceptos y cosas que habían de designarse. Otros proponían introducir en español las palabras griegas o latinas con que las demás lenguas cultas se habían enriquecido en época reciente. Capmany, por ejemplo, defiende *simultaneidad, corporeidad, moralidad, desmoralizar, inmoralidad, aerostático, vitrificación, antropófago, cosmopolita, misántropo, filantropía.* Más tarde Balmes decía, a propósito de *el yo* y *el no yo*: "Estas expresiones, aunque algo extrañas, son ahora de uso bastante general; cada época tiene su gusto, y la filosofía de nuestro siglo vuelve a la costumbre de emplear términos técnicos. Esto da precisión, pero expone a la oscuridad". Del dominio filosófico pasaron al lenguaje culto abstractos y derivados como *espontaneidad, multiplicidad, receptividad, sensualista, dualista, inmanencia, intelectualismo, racionalismo,* no registrados en diccionarios de principios del siglo XIX; otros como *causalidad,* que la Academia consideraba anticuado en 1817, revivieron después. Las locuciones *en sí, en absoluto,* de que tanto abusamos hoy, proceden de la filosofía. Al léxico literario trascendieron también palabras oriundas del lenguaje científico. Leyendo *El castellano viejo* de Larra encontramos, en usos metafóricos o generalizadas, expresiones técnicas como *posición perpendicular, sustituyendo cantidades iguales, cuerpos elásticos, seres gloriosos e impasibles;* son vestigios de la herencia cultural del siglo XVIII, en el cual se había despertado la afición por las ciencias exactas y la física, sin que desapareciera de la enseñanza la filosofía escolástica. Más adelante, conforme el positivismo daba actualidad a la biología y ciencias naturales, se registran en escritos de otro carácter *amorfo, cristalizar, esporádico, esquema,* etc.

El ejemplo de los neologismos científicos ha incrementado la formación de verbos, adjetivos y nombres abstractos. El periódico y la oratoria política fabrican a cada momento derivados como *posesionar, confusionismo, intervencionismo, capacitación, juridicidad, partidista, obstruccionista.* El léxico literario se resiste de la sequedad que traen estas voces de acarreo, cómodas en un momento, pero artificiales y de estructura complicada. Sin embargo, el prurito de crear palabras es tan fuerte, que forjamos muchas de empleo ocasional *(lopesco, calderoniano, ibseniano)* o acumulamos sufijo tras sufijo *(sentimentalismo, racionalizador).* La lengua se encuentra en una encrucijada: la exactitud de la expresión incita a pecar contra la eufonía.

La introducción de palabras tomadas del latín y del griego hace que el vocabulario moderno carezca de íntima coherencia. Las relaciones semánticas suelen no estar acompañadas por la semejanza fonética *(hijo-filial; hermano-fraterno; igual-equidad; ojo-oculista-oftalmólogo; caballo-equino-hípico; plomo-plúmbeo),* y el léxico se hace cada vez más abstracto e intelectual.

GALICISMOS.

Desde que la vida española empezó a transformarse a imitación de la extranjera, han sido muchas las palabras ultrapirenaicas que se han introducido en nuestra lengua. Cuando toda Europa tenía a gala seguir las modas de la corte de Versailles, era imposible frenar el auge del galicismo, considerado como rasgo de buen tono; y otro tanto siguió ocurriendo después, como consecuencia del influjo francés en los más diversos órdenes de la vida.

La infiltración de voces francesas aumenta ya én tiempo de Carlos II; pero desde el siglo XVIII se intensifica extraordinariamente. Feijoo emplea galicismos tan crudos como *arribar* 'llegar', *comandar* 'mandar', *turbillones* 'torbellinos'; Iriarte y Cadalso censuran *detalle, favorito, galante, interesante, intriga, modista, rango, resorte* y otras muchas que se han consolidado al fin. Son numerosas las que han penetrado en el habla corriente, ya con vida efímera, ya más arraigada. La influencia francesa en la vida social se manifiesta en *petimetre, gran mundo, hombre de mundo, ambigú, coqueta;* la moda, irradiada desde París, trajo *miriñaque, polisón, chaqueta, pantalón, satén, tisú, corsé*, etc. Al alojamiento y vivienda se refieren *hotel* y *chalet,* y al mobiliario y enseres, *buró, secreter, sofá, neceser;* al arte culinario, *croqueta, merengue* y muchas otras; a ingeniería y mecánica, *engranaje, útiles* 'herramientas'; a actividades militares, *brigadier, retreta, batirse, pillaje, zigzag,* etc. En el habla viven además *avalancha, revancha, hacerse ilusiones, hacer el amor, hacer las delicias* y tantas más.

En la sociedad española del siglo XIX empiezan a intervenir factores que venían actuando desde antes en otros países. Al incrementarse las actividades comerciales y bancarias y desarrollarse el sistema capitalista, su terminología se nutrió de galicismos o voces venidas a través de Francia: *explotar, finanzas, bolsa* (calcado de *bourse), cotizar, efectos públicos, letra de cambio, garantía, endosar, aval.* La vida política introdujo *parlamento, departamento ministerial, gubernamental, debate* y otras muchas. Y como el aparato administrativo se complicó aquí según el modelo francés, se copiaron las expresiones *burocracia, personal, tomar acta, consultar los precedentes,* etc.

En cuanto a la forma, los galicismos modernos se distinguen de los antiguos por ciertos rasgos fonéticos. Hasta el siglo XVII las palatales españolas *x (š)* y *g, j (dž o ž)* reproducían con bastante exactitud las francesas *ch* y *g, j,* respectivamente; *chef,* dió *xefe* y *jardin, jardín.* Pero desde que ocurrió el paso de *š* y *dž o ž* a la *j* velar española, las dos palatales francesas carecen de equivalente en nuestro idioma, que las representa deformándolas en *ch* o *s. jupe > chupa; bijouterie > bisutería; pigeon > pichón; bechamel > besamela.* Otras veces la fuerza de la grafía ha hecho que *ch* y *g* adopten la pronunciación española: *chauffeur > chófer, garage > garaje.*

Aparte quedan las numerosas palabras francesas usadas con plena conciencia de su carácter extranjero, como *toilette, trousseau, soirée, buffet, bibelot, renard, petit gris, color beige.* Igualmente los caprichos intencionados y los descuidos que aparecen en traducciones hechas a vuela pluma. En el siglo XVIII se llegó a decir *golpe de ojo* 'mirada', *pitoyable* 'lastimoso', *chimia* 'química', *veritable* 'verdadero', *remarcable* 'notable'. En los periódicos actuales se registran dislates análogos: el mismo *remarcable, colisión* de automóviles, etc.; y el *golpe de teléfono* de nuestros días no es más tolerable que el *golpe de ojo* dieciochesco.

Más perniciosos son los galicismos sintácticos. La incuria con que se redactan noticiarios y documentos oficiales acoge sin reparos el uso del gerundio como adjetivo, al modo del participio de presente francés: "orden *disponiendo* la concesión de un crédito", "ha entrado en este puerto un barco *conduciendo* a numerosos pasajeros". Las construcciones "táctica *a seguir*", "motores *a* aceite pesado", "timbre *a* metálico", hijas de la ignorancia gramatical, habrían desaparecido si la enseñanza de nuestra lengua fuera más eficaz. Ya está desechado el empleo de artículo con nombres de países no concretados por un adjetivo o determinación ("inundan la España", "ha recorrido la Italia", tan frecuentes en los siglos últimos). Es de esperar que suceda lo mismo con "un *pequeño* libro", "una *pequeña* casa", en beneficio de los diminutivos, tan naturales y llenos de expresión, *librito, casita* (1).

## Extranjerismos de otras procedencias.

El número de neologismos tomados de otros idiomas es mucho más limitado. En relación con el Siglo de Oro, decae la importación del italiano, reducida casi a términos de arte y música, como *terracota, esfumar, lontananza, dilettante, aria, partitura, romanza, libreto, batuta*, etc., aunque también hay italianismos de otra índole: *ferroviario, analfabetismo, casino, fiasco*.

La lengua inglesa, que había permanecido ignorada en el continente durante los siglos XVI y XVII, empezó después a ejercer influencia, primero con su literatura y pensadores, más tarde por prestigio social. Los románticos querían deslumbrar con elegancias de *dandy*, paseaban en *tílbury* y conspiraban en el *club*. Directamente o a través del francés

---

(1) Véanse A. Castro, *Los galicismos*, en *Lengua, Enseñanza y Literatura*, Madrid, 1924, y Baralt, *Diccionario de galicismos*, 1855.

han llegado *vagón, tranvía, túnel, yate, bote, confort, interviú, mitin, comité, líder, repórter* o *reportero, turista, biftec* > *biste(c)* y *rosbif* (ya ambos en Larra) y los muchos que se emplean en el tecnicismo deportivo. La misma voz *deporte,* arrinconada desde la Edad Media, ha resurgido por influjo del inglés *sport.* Desde fines del siglo pasado, el anglicismo ha acrecido grandemente, más que en España en Hispanoamérica, sobre todo en países estrechamente afectados por la expansión política y económica de los Estados Unidos (Antillas, Méjico, América Central) (1).

La influencia del alemán es menos perceptible; más que en préstamo de vocablos, se manifiesta en la creación, con elementos latinos o españoles, de términos que reproducen compuestos y derivados germánicos *(visión del mundo* < *Weltanschauung, vivencia* < *Erlebnis).* De adopción directa son, en la nomenclatura militar, *blocao, sable* y otros; en la mineralogía e industria, *feldespato, blenda, cuarzo, bismuto, potasa, zinc, níquel;* por intermedio del francés han llegado *vals, obús, blindar,* etc.

VOCES ESPAÑOLAS EN OTROS IDIOMAS (2).

Durante el Siglo de Oro los extranjerismos adoptados habían tenido por contrapartida la abundante exportación de voces españolas, representativas de nuestra profunda influencia en la vida espiritual y material de Europa. No sucede lo mismo en los siglos XVIII y XIX, cuando la cultura

(1) Véase RICARDO J. ALFARO, *El anglicismo en el español contemporáneo,* Bol. del Instituto Caro y Cuervo, IV, 1948, y *Diccionario de anglicismos,* Panamá, 1950; EMILIO LORENZO, *El anglicismo en la España de hoy,* Arbor, 1955, n.º 119; H. STONE, *Los anglicismos en España y su papel en la lengua oral,* Rev. de Filol. Esp., XLI, 1957, 141-160.
(2) Véase la bibliografía citada en la pág. 197, n. 3.

hispánica recibe más que da; aunque no escasean los prés
tamos a otras lenguas, no pueden compararse, en número
ni en calidad, con los de la época anterior.

Durante el siglo XVIII Europa siguió tomando del espa
ñol nombres de la naturaleza y antropología indianas: en
tonces se divulgó la existencia de un nuevo metal precio
so, la *platina*, hoy *platino* (fr. *platine*, ing. *platina*, *plati-*
*num*, it. *platino)* y la etnografía adoptó el término *albino*
(it., ing. y al. *albino*, fr. *albin)*. El francés recibió *pigne*,
*maté*, *tomate*, *alpaca*, *lama* (estos últimos habían penetra
do antes en inglés).

La navegación ha propagado *demarcación* (fr. *démarca-*
*tion*, ing. *demarcation*, al. *Demarkation)*, *cabotaje* (fr., in
glés *cabotage)*, *embarcadero* (fr. *embarcadère*, ing. *embar-*
*cadere*, *embarcadero)*, *sobrestadía* (fr. *surestarie)*, *arrecife*
(fr. *récif);* y el comercio, *alcarraza* (fr., ing., it. *alcarraza)*,
*silo, ensilar, saladero* (fr. *silo, ensiler, saladéro;* ing. *silo)*.
La fama del ganado merino, introducido en distintos países
europeos, se patentiza en el fr. *mérinos*, ing., it. y al. *meri-*
*no*. Varia difusión han logrado *brasero* (fr. *braséro)*, *ciga-*
*rro* (fr. *cigare*, it. *sigaro*, ing. *cigar)*, *estampillar* (fr. *es-*
*tampiller)*, *carambola* (fr., ing. *carambole*, it. *carambolo)*,
*rastracuero* (fr. *rastacouère)*.

Las vicisitudes históricas de nuestro siglo XIX halla
ron eco en otros países. La guerra de la Independencia dió
celebridad a las *guerrillas* y *guerrilleros* españoles (ing. *gue-*
*rrilla, guerrillero*, fr. *guérrilla, guérrillero)*. La palabra *li-*
*beral* venía aplicándose a los simpatizantes con la filosofía
enciclopedista, pero en las Cortes de Cádiz se ciñó a de
signar el ideario de la política constitucional; con este sen
tido hizo fortuna en toda Europa (1). Las intrigas y revuel
tas de los reinados de Fernando VII e Isabel II dieron a

(1) Véase JUAN MARICHAL, *The French Revolution background in*
*the Spanish semantic change of 'liberal'*, Year Book of The American

conocer *camarilla* y *pronunciamiento* (fr. *camarille, pronunciamiento,* ing. *camarilla, pronunciamiento*). Aplicada a las extremas izquierdas, y en 1873 a los republicanos, nació la calificación de *intransigente,* que pasó al fr. *intransigeant,* ing. *intransigent.*

La España pintoresca ha sido tema de gran atractivo para los escritores extranjeros. Ya Beaumarchais emplea voces tan características como *séguédille* y *maja,* y Bourgoing, *picador.* Con el Romanticismo arreció la sugestión ejercida por las "cosas de España". Víctor Hugo, Merimée, Gautier, Washington Irving y tantos otros se ayudan con hispanismos en su afán de buscar el color local: *toréador, picador, banderille, gitane, patio, boléro, cachucha, rondalla, trabuco, saynète,* están atestiguados en la literatura francesa moderna, muchos de ellos en la inglesa y algunos en la italiana.

Philosophical Society, 1955, 291-3, y *España y las raíces semánticas del liberalismo,* Cuadernos por la libertad de la cultura París, II, 1955, 53-60.

## XV. EXTENSION Y VARIEDADES DEL ESPAÑOL ACTUAL.

La crisis espiritual y política atravesada por el mundo hispánico a partir del siglo XVIII no ha restado vitalidad a nuestro idioma, que, lejos de manifestar síntomas de decadencia, ha triplicado su número de hablantes en los últimos ciento cincuenta años. Hoy es lengua oficial y de cultura de unos 140 millones de seres humanos, de los cuales unos 118 millones lo tienen por lengua materna. Estas cifras lo sitúan a la cabeza de la familia románica, seguido a distancia por el portugués, con 55 millones, y por el francés e italiano, que cuentan alrededor de 50 cada uno. La extensión geográfica del español es también extraordinaria: fuera de nuestro suelo, comprende parte del Suroeste de Estados Unidos, todo Méjico, América Central y Meridional, a excepción del Brasil y Guayanas; Cuba, Santo Domingo y Puerto Rico; hay además una importante minoría hispanohablante en Filipinas. El español es, por tanto, el instrumento expresivo de una comunidad que abraza dos mundos y en la que entran hombres de todas las razas.

En la Península su influencia ha actuado sin interrupción sobre las zonas de otros idiomas. Portugal logró conservar sin menoscabo el suyo merced al florecimiento de su literatura clásica en los decenios que precedieron a la anexión de 1580, y más tarde, gracias a la separación política. Pero en España no hubo región donde no ganara terreno el castellano, que había obtenido superior consideración social, era vehículo de amplia y brillante cultura y estaba apoyado por los usos oficiales. Felipe V lo hizo obligatorio en la enseñanza pública y en la vida jurídica y administrativa.

Durante el siglo XVIII y buena parte del XIX continuó, agravada, la decadencia del catalán; fuera de la conversación familiar y la predicación, contaba por únicas manifestaciones libros piadosos y coplas callejeras; aún más completa era la postración del gallego, convertido en dialecto vulgar. En contraste con la escasa o nula importancia de las creaciones vernáculas, las regiones bilingües dieron valiosas figuras a la literatura nacional: el gallego Feijoo, el valenciano Mayans, el barcelonés Capmany; más tarde, el grupo romántico catalán, Balmes y Pastor Díaz. Pero con el Romanticismo despertaron de su letargo las literaturas regionales, y su resurgimiento, que hubiera podido ser episódico, se vió pronto reforzado por movimientos políticos disociadores. Sin embargo, la elaboración literaria del catalán, la menos sostenida y menos extensa del gallego, y los intentos de capacitar al vascuence como lengua de cultura, no impidieron que continuara la aportación de las respectivas regiones a la literatura nacional en castellano. A ella contribuyeron figuras tan destacadas de la Renaixença catalana como Víctor Balaguer y Milá; artículos y ensayos del gran poeta barcelonés Juan Maragall, y la extensa producción del valenciano Blasco Ibáñez, así como la de los alicantinos Azorín y Gabriel Miró. De los gallegos,

Rosalía de Castro escribió en castellano la mayor parte de sus obras, entre ellas los bellos poemas *En las orillas del Sar;* la Pardo Bazán y Valle Inclán pertenecen por completo a la literatura castellana, sin dejar de ser por eso máximos intérpretes del alma gallega. Y otro tanto ocurre con los vascos Unamuno, Baroja, Maeztu y Basterra. Tampoco se ha detenido la progresiva castellanización del habla, especialmente en Galicia, Valencia y el país vasco. Actualmente alrededor de cinco millones de españoles hablan catalán o sus dialectos valenciano y balear; dos millones, el gallego, y unos 450.000 el vasco. Pero en su mayoría son bilingües: en Cataluña y Baleares el castellano sólo puede ser desconocido en ambientes muy cerrados, muy populares o rústicos; en Vasconia, Galicia y Valencia es la lengua habitual de las gentes cultas y medias, muchas de las cuales ignoran el idioma regional. No es de extrañar, por tanto, que el área del vascuence sufra constante reducción y que en sesenta años haya perdido 70.000 hablantes.

La vitalidad de la lengua española se revela no sólo en su creciente difusión, sino también en la fundamental unidad que ofrece, a pesar de usarse en tierras y ámbitos sociales tan diversos. Esta cohesión se debe principalmente a la robustez de la tradición literaria, que mantiene vivo el sentido de la expresión correcta. El uso culto elimina o reduce las particularidades locales para ajustarse a un modelo común, que el asenso general de los españoles ha identificado en la mayoría de los casos con el lenguaje normal de Castilla. Las diferencias aumentan conforme es más bajo el nivel cultural y menores las exigencias estéticas; entonces asoma el vulgarismo y se incrementan las notas regionales. Pero es hondamente significativo que los rasgos vulgares sean, en gran parte, análogos en todos los países de habla española.

Expuesta la evolución de la lengua literaria en la época moderna, nos ocuparemos ahora del vulgarismo, como variedad social de gran interés lingüístico. Después, de las variedades geográficas, que forman grupos perfectamente definidos: regionalismos; supervivencias de romances absorbidos por la expansión castellana (restos del leonés y el aragonés); dialectalismos que han surgido dentro del castellano mismo, en las zonas que lo recibieron después de su constitución (meridionalismos, andaluz, extremeño, murciano y canario); el español arcaizante de los judíos sefardíes, y finalmente el español de América, que encierra problemas de la mayor trascendencia para la historia y el porvenir de nuestra lengua.

## El habla vulgar y rústica.

Aparte de las modalidades más llanas del lenguaje correcto, existen usos cuyo radio de acción está hoy limitado a las gentes iletradas de las aldeas y a las capas más populares de las ciudades. Muchos de estos vulgarismos se extienden con intensidad varia por todas o casi todas las regiones de lengua española. Algunos gozaron de mayor estimación en épocas pasadas, e incluso penetraron en la literatura; otros son desarrollo de tendencias espontáneas del idioma que están refrenadas por la cultura en el habla normal (1).

---

(1) Para el vulgarismo, véanse Rufino José Cuervo, *Apuntaciones críticas sobre el lenguaje bogotano*, Bogotá, 1867; T. Navarro Tomás, *Compendio de Ortología española*, Madrid, 1927; P. Sánchez Sevilla, *El habla de Cespedosa de Tormes*, Rev. de Filol. Esp., XV, 1928; Amado Alonso y Angel Rosenblat, estudios publicados en los tomos I y II de la Biblioteca de Dialectología Hispanoamericana, como complemento a los de A. M. Espinosa sobre el español de Nuevo Méjico, Buenos Aires, 1930 y 1946. Una buena exposición de conjunto es la de Manuel Muñoz Cortés, *El español vulgar*, Madrid, 1958.

En la fonética vulgar perviven las antiguas indecisiones respecto al timbre de las vocales inacentuadas *(sigún, tiniente, ceviles, sepoltura, josticia, menumento)*, al margen de la fijación operada desde fines del período clásico; asimilación y disimilación actúan con plena libertad. El matiz abierto de la *e* en el diptongo *ei* se exagera diferenciando en *ai* los sonidos contiguos *(sais, paine, veráis)*; o, por el contrario, se acercan los del diptongo *ai (beile, eire* 'baile', 'aire'). Las vocales en hiato pasan a formar diptongo con más regularidad que en la pronunciación correcta, originándose cambios como *acordeón > acordión, real > rial, cae > cai, toalla > tualla,* y desplazamientos acentuales *máestro, ráiz, bául,* corrientes en el Norte y Centro, sobre todo en Aragón, Navarra, Vascongadas y Castilla. Hay un hecho sintomático de las diferentes exigencias del gusto lingüístico según las épocas: en el siglo XVII abundan los ejemplos de sinéresis en la literatura. Así pueden contar como octasílabos los versos "No siempre lo peor es cierto" (Calderón); "No importa que sean muy feos" (Rojas); "Pues ¿no me óistes? —No, señora" (Moreto); "Mas siendo criada te engríes?", "Como el otro toreador" (Sor Juana Inés de la Cruz). Más tarde, poetas como Meléndez, Lista o Espronceda, midieron en sus versos *cáido, extráido, léido, páis, réir, tray;* pero una reacción conservadora relegó estas formas a la dicción vulgar.

Los grupos de consonantes prosiguen simplificándose en los latinismos *(lección, istancia, asfisia, solenidá, dotor);* a menudo se vocaliza la primera consonante *(seición, conceuto)*, se incurre en ultracorrecciones como *aspezto,* del pueblo madrileño, o como *discrección, acsurdo, ojebto,* que por incuria llegan hasta la dicción de algunos universitarios; o, ya en terreno totalmente inculto, se producen deformaciones del tipo *alvertir, arministrador, arcenso.*

La relajación de los sonidos *d, g* y *r* afecta, en mayor
o menor grado, al lenguaje corriente, pero está muy incre-
mentada en el vulgar. La pérdida de la *d* intervocálica ocurre, ante todo, en la terminación *-ado,* donde el habla familiar de gentes medias y aun cultas admite *-ao;* ya
en 1701 el francés Maunory registra *matao* y *desterrao,*
junto a *soldado, cuidado, dado,* en la pronunciación ma-
drileña (1). La dicción vulgar suprime la *-d-* en otros muchos casos, con desaparición tan completa que da lugar a
la fusión de vocales iguales *(colorada > colorá, nada > ná,
todo > tó, puede > pué)* y a la formación de diptongos
*(pedazo > peazo > piazo, todavía > toavía > tuavía);*
en los sainetes de don Ramón de la Cruz menudeaban ya
*mario, moa* 'moda', *naíta,* etc. (2). El prefijo *des-* se convierte en *es- (esperdiciar, esperezar),* continuando así una
antiquísima confusión con *ex-;* y en final de palabra la elisión *Madrí, paré, salú, verdá* es común a casi todas las regiones hispánicas (3). Más restringida está la omisión de
la *g (aúja, aujero);* y la de *r* alcanza solamente a palabras
de fácil desgaste, como el tratamiento *señora > señá,* la
preposición *para > pa* y las formas verbales *hubiera > hu-
biá, fuera > fuá, mira > mía > miá, quieres > quiés,
quiere > quié, parece > paece > paice.* La especial frecuencia origina también la reducción *tienes, tiene > tiés, tié.*

El habla vulgar de Castilla tiende a retraer la base de
articulación hacia la parte posterior de la boca. El fenómeno empieza a notarse desde la Edad Media, y su manifestación ulterior más importante fue la transformación de
las palatales *g, j (dž)* y *x(š)* en nuestra *j* moderna. Pero
además se revela en otros cambios: mientras el Arcipreste

---

(1)  A. ALONSO, Nueva Rev. de Filol. Hisp., V, 1951, p. 28.
(2)  Véase R. J. CUERVO, Bib. Dial. Hispanoamer., IV, p. 248.
(3)  Ya aparece *uiltá* en el ms. O del Alexandre, 1060 d.; en el
*Auto da Visitaçam* de Gil Vicente riman *verdá* y *acá,* etc.

de Talavera escribe *Menciyuela,* deshaciendo con la *y* palatal el hiato que existía ante el diptongo *we,* Lope de Rueda emplea *Mencigüela,* con *g* velar. Ya entonces hacía tiempo que la *w* de *huevo, hueso* se reforzaba con una *g* previa (1), y hay testimonios de *agüela* en vez de *abuela.* Hoy son vulgarismos generales *güevo, güeso, güerto* y *güeno, güey, güelta, gufanda,* mucho más frecuentes que el refuerzo del carácter labial de la *w* mediante adición de *b* *(bueso, buevo)* y que el paso de *g* a *b* *(abuja);* en Murcia, Extremadura y América se oyen *cirgüela, virgüela.* La misma propensión velarizadora mantiene la *h* o *j,* procedente de *f,* ante el diptongo *wé (huerte* o *juerte, juo ron);* estas formas aparecen como rusticismo en Juan del Encina y el lenguaje villanesco del teatro clásico. Igual sustitución se produce ante *u, o (dijunto, jogón)* con más frecuencia que ante otras vocales *(Jelipe, Jilomena).* La *a* suele pronunciarse con un sonido hueco, velar, y en la *n* final es frecuente la articulación con la lengua elevada hacia el fondo de la cavidad bucal.

La escasa conciencia de la separación de palabras permite el desarrollo de la aglutinación. Entre vocales desaparece la *d* de la preposición *de* (en *ca'e mi madre, la Casa'e Campo),* o se suprime la preposición entera *(la calle Goya, la Casa Campo)* (2); se agrupan preposiciones y ar-

---

(1) Hay ejemplos manuscritos desde fines del siglo XIV o comienzos del XV: *guórfano, guorta, guerto, guespet, guesped, gueste,* en el *Fuero Viejo de Castilla* (ed. 1771, págs. 11, 29, 36, 41, 82, 95, 97, 106, 134, etc.); *guerto, gueso, guesos,* en los ms. de don Sem Tob (ed. Gonz. Llubera estr. 201, 307, 335); *guerta* en el *Tamorlán,* ed. 1943, pág. 25; *gueste* en el ms. P. del ALEXANDRE, 2.522; *guero, guera* en los Glosarios latino-españoles publicados por Américo Castro, etc. Valdés registra la pronunciación *güevo, güerto, güesso,* aunque le "ofende... por el feo sonido que tiene". Un siglo después Gonzalo Correas no sentía tal reparo, y escribía sistemáticamente la *g* protética.

(2) En el habla popular española e hispanoamericana es indudable que la preposición *de* llega a desaparecer por desgaste fonético vulgar; así lo prueba la forma intermedia *'e,* que se da tanto con com-

— 302 —

tículo *(pal corral, pol camino, contral muro)* y ante vocal se apocopa la *e* de *me, te se, le, que,* de *(m'ha dicho, t'aseguro, s'arrepiente, vengo d'allí),* con elisión desterrada del habla culta desde el siglo XVII.

En la morfología vulgar hay arcaísmos como los pretéritos *truje, vide* y el presente *semos* (descendiente de s ĭ - m u s , que, según Suetonio, era usado por Augusto, o acaso del medieval *seemos* < s e d e m u s ). Abundan las formaciones analógicas que en otras épocas tuvieron acceso al habla normal, como los subjuntivos *haiga, vaiga* y los pretéritos "ayer *merendemos*", "anoche *caminemos* mucho". La acentuación *háyamos, háyais, váyamos, váyais, téngamos, téngais, séamos, séais,* sugerida por *cantábamos, fuéramos, viniérais,* etc., fue muy general en el siglo pasado; la emplearon Espronceda, Hartzenbusch, Castelar, y hasta llegó a figurar en alguna gramática; en la actualidad subsiste como vulgarismo en varias regiones españolas y, con gran difusión, en América. Como la *s* es la desinencia característica de la persona tú *(haces, hacías, harás, hicieras),* se contagia al pretérito *(hicistes, dijistes)* (1). Es-

plementos nominales como en perífrasis verbales ("se ha e meter", González del Castillo, 1, 69). Hay ejemplos viejos con *de* totalmente omitida: "En *casa una* pastelera / voy." (Sor Juana Inés de la Cruz, Bib. Aut. Esp., t. 49, 298 b.) Pero aparte de todo vulgarismo fonético, la aposición se ha incrementado en denominaciones de entidades y productos *(Instituto Cajal, Hotel París, fusil Máuser);* en el lenguaje comercial y en las placas indicadoras de algunas ciudades son cada vez más frecuentes *Paseo Colón, Calle San José.* Contribuyen a este desarrollo, según los casos, el deseo de diferenciar las indicaciones de título y las de posesión o pertenencia, la repugnancia por repetir la preposición *de,* la elipsis propia de telegramas y anuncios, y, en ocasiones, el extranjerismo. J. CASARES, *Introducción a la lexicografía moderna,* 1950, p. 173, advierte el paralelismo entre el crecimiento de estos sintagmas y el de los compuestos del tipo *cartón piedra, papel moneda,* etc. En la lengua culta aumentan también las aposiciones *psicología siglo XIX, hombre-masa, traje sastre;* véase SALVADOR FERNÁNDEZ, *Gramática española,* I, Madrid, 1951, p. 119.

(1) Pueden haber influído los plurales antiguos "vos *tuvistes*" "vos *salistes*", dada la facilidad con que antes se pasaba del tratamiento *tú* al *vos;* pero esta explicación, satisfactoria para América, no lo es para España, donde el *vos* ha desaparecido. Los judíos sefardíes em-

pronceda, en el Canto a Teresa, escribe: "Y tú feliz que *hallastes* en la muerte / sombra a que descansar en su camino"; no faltan otros ejemplos en la literatura moderna, pero el uso culto los condena. Otras analogías vulgares, aunque antiguas, no han merecido nunca aceptación: Juan de Valdés rehusa *traxon, dixon, hizon,* "porque los que se precian de escrivir bien tienen esta manera de hablar por mala y reprovada"; Juan del Encina los pone en boca de rústicos salmantinos y como rusticismo viven hoy, especialmente en varias comarcas leonesas. El vulgo de todas las regiones tiende a restringir irregularidades verbales, diciendo *andé* por *anduve* o unificando el vocalismo, ora en contra del diptongo *(apreto, frego),* ora extendiéndolo *(juegar, juegamos).* La terminación -ba del imperfecto *amaba, estaba, iba,* se propaga a verbos -er, -ir *(traíba, veniba);* en Aragón se trata de un rasgo dialectal que acaso obedezca a la conservación de la *b* latina de - e b a m , - i ( e ) b a m .

En el pronombre, los villanos del teatro del siglo XVII dicen *mueso, mos,* por *nuestro, nos,* bajo la influencia de *me*: hoy sigue usándose *mos.* En vez de *os* se oye *sus,* mezcla de *se, os* y la *u* de *tú.* En cuanto a *le, la, lo* y sus plurales, el Norte y Centro, leístas y laístas, continúan enfrentándose con Aragón y Andalucía, mejores guardianes de la distinción etimológica entre *le,* dativo, y *lo, la,* acusativos. En el siglo XVIII la pujanza del leísmo fué tal que en 1796 la Academia declaró que el uso de *le* era el único correcto para el acusativo masculino; después, rectificando este exclusivismo, fue haciendo sucesivas concesiones a la legitimidad de *lo,* hasta recomendarlo como preferible. Sin embargo, en zonas castellanas, leonesas y norteñas se

---

plean "tú *cogistes*" y una *jardža* mozárabe recogida por Yehudá Halevi hacia 1100 usa, al parecer, *bebites* por 'bebiste' (F. CANTERA, Sefarad, IX, 1949, 216-7). En Andalucía y América hay también *comites, matates.*

sigue empleando frecuentemente *le* y *les* para el acusativo masculino de persona ("a Juan *le* quieren mucho", "ayer *les* conocí") y hasta el de cosa ("el paraguas, *le* perdí", "los libros, me *les* dejé en casa"). En las mismas regiones y en Castilla la Nueva la tendencia popular favorece a *la* para el complemento femenino, sea directo o indirecto, igualando "*la* encuentro cansada" con "*la* tengo cariño" o "*la* escribí una carta". También hubo oleada laísta en el siglo xviii, pero la reacción fue más rápida que en el caso de *le;* condenado por la Academia en 1796, el dativo *la* ha decaído en el lenguaje literario. *Lo* como dativo ("*lo pegué* una bofetada") es francamente plebeyo. En su conjunto la situación viene a ser la misma que en el Siglo de Oro. Las discusiones entre leístas, laístas y loístas son episodios representativos de la seguridad general castellana (1).

En la Edad Media y durante el Siglo de Oro suele aparecer *le* para el dativo de plural; hoy es corriente en el habla ("da*le* un abrazo a tus padres"), pero sólo como descuido trasciende a la escritura, fuera de algunos textos literarios que quieren reflejar la viveza de la expresión espontánea. Totalmente inculta es la anteposición de *me* y *te* a *se* ("*me se* cayó", "*te se* olvida"), aunque *te se* cuenta con cierta indulgencia en algunas regiones. En el lenguaje aldeano dura la colocación del pronombre delante del imperativo ("*me dé*", 'déme'). Por último, es muy general entre el vulgo la trasposición o duplicación de la *n* verbal después del pronombre enclítico *(siéntesen, díganmen, cállensen).*

En las partículas quedan formas y empleos arcaicos: *dempués, dende, enantes, manque (más que* 'aunque'),

---

(1) Véase el estudio de R. J. Cuervo citado en la pág. 254 y la *Gramática Española* de Salvador Fernández, § 105-109.

*cuantimás,* "ir *en* casa de". Como en el latín vulgar, tienden a acumularse las preposiciones *(endenantes,* "de *por* sí", "ir *a por* agua"). *De que* se emplea como equivalente de 'en cuanto', 'tan pronto como' : "*de que* vi que llovía, me metí en el portal" ; *lo que* toma el sentido de *mientras;* sin embargo, el de 'por el contrario', 'en cambio' ; y *donde* se convierte en preposición equivalente al francés *chez* ("voy *donde* mi primo" 'a casa de mi primo'). *Aquí* hace papel de pronombre para designar a una tercera persona cuando se habla en presencia de ella : "...como el mes pasado perdió *aquí* (este *aquí* era don José) un billete de cuatrocientos reales..." (Galdós, *Fortunata y Jacinta,* I, IX, II, dicho por una mujer del pueblo) (1). La sintaxis conserva giros como "*al llegar que llegué* fui a verte", "*en saliendo que salgan,* irán a tu casa", usadas a veces por los clásicos.

El vocabulario campesino es particularmente rico en términos referentes a la naturaleza, labranza, ganadería, tracción e industrias rústicas ; pero abunda también en palabras menos concretas que, a pesar de su abolengo, han sido olvidadas por el habla ciudadana: *galán* 'hermoso'. "la sábana *cimera*", "el *remormor* del trueno entre las peñas", *nidio* 'brillante', *rehilar* 'tiritar', *calecer* 'calentarse', *escaecer* 'desmejorarse, enflaquecer'. Ya se ha indicado cómo estas voces atraen la atención de la literatura moderna, que las recoge amorosamente. La fraseología guarda también nutrido caudal de expresiones pintorescas y vivas.

El léxico vulgar de las ciudades es de inferior alcurnia : los grandes núcleos de población son centros de incesante creación pasajera, cuyo éxito se debe principalmen

---

(1) Véanse L. SPITZER, *Lokaladverb statt Personalpronomen,* Romanische Forschungen, LXII, 1950, 158-162, y H. MEIER, Ibíd., LXIII, 1951, 169-173.

te a la novedad y requiere constante sustitución. Procedimiento esencial es la metáfora, que multiplica las designaciones caprichosas *(pelota, chimenea, cafetera. ʰera 'cabeza', pasta, mosca, guita 'dinero', etc.).* Nacidos ιn el hampa, se extienden términos jergales de germanía, con intencionados cambios semánticos y características deformaciones ("dar *boca*" = 'entretener con la charla' > "dar *coba*" 'adular'); y el *caló* o lengua de los gitanos aporta notable contribución *(andóval, chaval, gachó, acharar, parné* y tantos más). El acceso del argot a la conversación media no tiene la importancia y proporciones que en francés. Los sainetes de Ricardo de la Vega, López Silva y Arniches han recogido el lenguaje popular madrileño, y a su vez han influído sobre él (1). Muy popular es el acortamiento humorístico de las palabras mediante la supresión de su sílaba o sílabas finales *(cole, propi, poli, ridi, bici,* por *colegio, propina, policía, ridículo, bicicleta).* Algunas de estas reducciones han pasado a la conversación de todas las clases sociales *(cine, foto),* o han desplazado por completo a las formas plenas *(metro)* (2).

---

(1) El artículo de CARLOS CLAVERÍA, *Sobre el estudio del "argot"* y *del lenguaje popular,* Revista Nacional de Educación, I, 1941, número 12, proporciona excelente orientación para todas estas cuestiones. Sobre el lenguaje popular, véanse R. PASTOR y MOLINA, *Vocabulario de madrileñismos,* Revue Hispanique, XVIII, 1908, y W. BEINHAUER, *Spanische Umgangsprache,* 2.ª ed., Bonn [1958], entre otros. Para el argot, jerga de maleantes y gitanismos, véanse principalmente R. SALILLAS, *El delincuente español, El lenguaje,* Madrid, 1896; L. BESSES, *Diccionario del argot español,* 1906; M. L. WAGNER, *Notes linguistiques sur l'argot barcelonnais,* 1924, y *Sobre algunas palabras gitano-españolas y otras jergales,* Rev. de Filol. Esp., XXV, 1941; H. SCHUCHARDT, *Die Cantes flamencos,* Zeitsch. f. rom. Philol., V, 1881, y C. CLAVERÍA, *Estudios sobre los gitanismos del español,* 1951. Hay, además, los diccionarios gitano-españoles de AUGUSTO GIMÉNEZ (1846), F. QUINDALÉ (1870) y otros.

(2) Véanse ZELMIRA BIAGGI y F. SÁNCHEZ ESCRIBANO, Hispanic Review, V, 1937.

Regionalismos.

En el habla castellana de regiones bilingües o dialectales, y aun fuera de ellas, en pleno solar del idioma, hay rasgos específicos que no responden al tipo de dicción o frase generalmente admitido. Estos fenómenos locales difieren del vulgarismo común en la mayor extensión geográfica de éste y en que algunos se encuentran frecuentemente en boca de personas cultas.

El castellano de las zonas bilingües revela la persistencia de hábitos regionales, sobre todo en la entonación y en la fonética. Los gallegos tienden a cerrar o abrir con exceso, según los casos, las vocales *e*, *o (puędę, pọcọ);* ocurre así también a catalanes, mallorquines y valencianos, que, además, dan a la *a* final de palabra matiz impreciso cercano al de la *e* abierta *(casä, dichosä),* velarizan fuertemente la *l* y la *a* contigua, sobre todo en sílaba trabada *(mạl),* y articulan la *d* final con tensión y ensordecimiento que la aproximan a *t (verdat, paret).* Entre el pueblo es corriente el seseo con *s* ápicoalveolar, tanto en Cataluña, Baleares y Levante como en Vasconia; en la dicción popular vasca del castellano hay también seseo con *s* predorsal, muy extendido en la costa occidental gallega. Aunque escasas, hay particularidades de tipo gramatical, como el arraigo de *vine, viniera* en gallegos y asturianos, refractarios a los tiempos compuestos 'he venido', 'había venido', el auxiliar *tener* por 'haber' en el habla gallega; el empleo anormal de las preposiciones entre los catalanes, o las confusiones de género de los aldeanos vascos. En el léxico es considerable la aportación de las lenguas regionales (1).

El castellano usual en las comarcas asturleonesas ofrece

(1) Véanse Emiliano de Arriaga, *Lexicón bilbaino,* 1896 (2.ª ed. 1960) y A. Cotarelo, *El castellano en Galicia,* Bol. Real Acad. Esp., XIV, 1927, 82-136.

ordinariamente vocales *e, o* más cerradas que lo normal.
En Navarra, Rioja, Alava y parte de Aragón la *rr* vibrante
se pronuncia como fricativa asibilada menos sonora *ř;* la *r*
de los grupos *pr, tr, kr* se debilita, asibila y ensordece, llegando a fundirse con la *t* en un sonido africado casi palatal *(otro* con *t* alveolar y *ř* intermedia entre *r* y *š); en el
grupo *ndr* la *d* puede desaparecer *(ponřé, tenřá)* (1). La *s*
de estas regiones y, en general, del Norte, adquiere un
timbre marcadamente chicheante. En Vascongadas, Santander, Burgos y hasta Palencia el uso del potencial en
oraciones condicionales no se da sólo en las consecuencias,
sino también en la hipótesis ("si *querría,* lo haría"). En
Asturias, León y Castilla la Vieja se acentúa el posesivo
antepuesto al nombre *("mí* padre", *"sú* casa"). Y en las
mismas regiones la *d* final se ensordece, resultando una θ
*(azvertir, bondaz),* que en Madrid es totalmente vulgar.
A su vez, Madrid, Toledo y La Mancha participan del
yeísmo y otros caracteres meridionales.

## El dialecto leonés.

Castellanizada la literatura desde fines de la Edad Media, el empuje de la lengua culta ha estrechado cada vez
más el área de los viejos dialectos. Las ciudades se convirtieron en centros de difusión del castellano. Después, el
incremento de las comunicaciones, el servicio militar y la
escuela han ido ahogando la vida precaria del leonés y del
aragonés.

El territorio de habla leonesa comprende Asturias, el
Oeste de Santander, Norte y Oeste de León, Oeste de Za-

(1) Véase AMADO ALONSO, *El grupo "tr" en España y América.*
Homenaje a Menéndez Pidal, II, 1925, págs. 167-191.

mora y Salamanca, y parte de Cáceres (1). Sus límites con el gallego-portugués son muy imprecisos al Norte del Duero: el gallego penetra en Asturias, León y Zamora, y hay una zona fronteriza donde se mezclan caracteres de ambos dialectos. La divisoria, muy borrosa, corre entre el río Navia y la sierra de Rañadoiro, reparte el valle del Bierzo y deja para el gallego algunas aldeas del Sur de León y Sanabria. Hay pueblos zamoranos que hablan portugués, mientras que dentro de Portugal la comarca de Miranda de Due-

---

(1) Para el leonés moderno, véanse los estudios de GESSNER, *Das Leonesische*, Berlín, 1876; AKE WISON MUNTHE, *Anteckningar om folkmalet i en tralkt af vestra Asturien*, Upsala, 1887; J. LEITE DE VASCONCELLOS, *Estudos de Philologia Mirandesa*, Lisboa, 1900-1901; R. MENÉNDEZ PIDAL, *El dialecto leonés*, Rev. Arch., Bibl. y Mus., 1906 (2.ª ed., Oviedo, 1962); *Pasiegos y vaqueiros*, Archivum, IV, 1954; F. KRÜGER, *Studien zur Lautgeschichte Westpanischer Mundarten*, Hamburg, 1914; *El dialecto de San Ciprián de Sanabria*, Madrid, 1923; *Die Gegenstandskultur Sanabrias und seiner Nachbargebiete*, Hamburg, 1925; *Mezcla de dialectos*, Homenaje a Menéndez Pidal, II, 1925, 121-166; *Notas de dialectología asturiana comparada*, Bol. del Inst. de Estudios Asturianos, XI, 1957, y *Contribuciones a la Geografía léxica del N.O. de la Península*, Rev. de Dial. y Trad. Popul., XIII, 1957; M. J. CANELLADA, *El bable de Cabranes*, Madrid, 1944; L. RODRÍGUEZ CASTELLANO, *La aspiración de la "h" en el Oriente de Asturias*, Oviedo, 1946; *Palatalización de la "l" inicial en zona de habla gallega*, Bol. del Inst. de Est. Asturianos, II, 1948; *La variedad dialectal del Alto Aller*, 1951; *El sonido š (< l-, -ll-) del asturiano*, Estudios dedic. a M. Pidal, IV, 1953; *Aspectos del bable occidental*, 1954; *Estado actual de la "h" aspirada en la provincia de Santander*, Archivum, IV, 1954, 435-457; *Más datos sobre la inflexión vocálica en la zona Centro-Sur de Asturias*, Bol. del Inst. de Est. Asturianos, IX, 1955, y *Contribución al vocabulario del bable occidental*, Oviedo, 1957; A. GALMÉS DE FUENTES y D. CATALÁN MENÉNDEZ PIDAL, *Un límite lingüístico*, Rev. de Dial. y Trad. Popul., II, 1946; *La diptongación en leonés*, Archivum, IV, 1954; y *Trabajos sobre el dominio románico leonés*, I, Madrid, 1957; V. GARCÍA DE DIEGO. *Manual de Dialectología Española*, Madrid, 1946, 134-194; A. LLORENTE MALDONADO DE GUEVARA, *Estudios sobre el habla de la Ribera*, Salamanca, 1947; MARÍA CONCEPCIÓN CASADO LOBATO, *El habla de la Cabrera Alta*, Madrid, 1948; GUZMÁN ALVAREZ, *El habla de Babia y Laciana*, Madrid, 1949; M. MENÉNDEZ GARCÍA, *Cruce de dialectos en el habla de Sisterna (Asturias)*, Rev. de Dial. y Tradiciones Pop., VI, 1950; *Algunos límites dialectales en el Occidente de Asturias*, Bol. del Instit. de Est. Asturianos, 1951; *El Cuarto de los Valles* [el habla de Navelgas], Oviedo, 1963-65; ALONSO ZAMORA VICENTE, *Léxico*

ro y Sendim pertenece lingüísticamente al leonés (véase página 73). Al Sur del Duero la coincidencia de las fronteras dialectales y las políticas es más exacta, aunque hay núcleos de lengua portuguesa en Alamedilla (Salamanca), Cedillo, Valverde del Fresno, Eljas y San Martín (Cáceres), y en Olivenza (Badajoz), que perteneció a Portugal hasta 1801.

Los leonesismos más generales, extendidos con mayor o menor intensidad por toda la zona dialectal, son los siguientes: vocales finales *i, u,* o bien *ẹ, ọ* muy cerradas *(mediu, otrus, esti, montis);* inserción o conservación de *i* en las desinencias *(muriu, matancia, metia,* 'meta, subjuntivo de *meter', corria* 'corra'); conservación de *mb (palombu, lamber* o *llamber* 'lamer'); paso a *l* de *b* y *d* finales de sílaba interior *(mayoradgo > mayoralgu, recabdar > recaldar, cobdicia > coldicia);* pérdida de la *r* final del infinitivo seguido de cualquier pronombre *(matálu, matáte, matáme);* uso de artículo con posesivo *(la mi casa, la tu madre);* diminutivo en *-ín, -ino (hombrín, paredina, piquino),* que en Santander contiende con *-uco (tierruca, pañueluco);* en la

rural asturiano. Palabras y cosas de Libardón (Colunga), Granada, 1953, y Dialectología española, Madrid, 1960; JOSEPH A. FERNÁNDEZ, El habla de Sisterna, Madrid, 1960; D. CATALÁN, Inflexión de las vocales tónicas junto al cabo Peñas, Revista de Dial. y Trad. Pop., IX, 1953; Resultados ápico-palatales y dorso-palatales de -ll-, -nn- y de ll- (< l-), nn- (< n-), Rev. de Filol. Esp., XXXVIII, 1944, 1-44; El asturiano occidental. Examen sincrónico y explicación diacrónica de sus fronteras fonológicas, Romance Philology, X, 1956, 71-92 y XI, 1957, 120-158; JESÚS NEIRA MARTÍNEZ, El habla de Lena, Oviedo, 1955; JORGE DÍAS y J. HERCULANO DE CARVALHO, O falar de Rio de Onor, Coimbra, 1955, etc. También son de interés los diccionarios de VIGÓN, Vocabulario de Colunga; RATO Y HEVIA, Vocabulario de las palabras y frases bables, Madrid ,1891; S. ALONSO GARROTE, El dialecto vulgar leonés hablado en Maragatería y tierra de Astorga, Astorga, 1909, 2.ª ed., 1947; A. GARCÍA LOMAS, Estudio del dialecto popular montañés, 1922, 2.ª ed., 1949; LAMANO, El dialecto popular salmantino; B. ACEVEDO Y HUELVES y M. FERNÁNDEZ Y FERNÁNDEZ, Vocabulario del bable de Occidente, Madrid, 1932; VERARDO GARCÍA REY, Vocabulario del Bierzo, Madrid, 1934, etc.

conjugación cae la *e* final de las terceras personas *(tien, pon, quier, parez)*; los presentes de verbos en *-ecer, -ocer* omiten el elemento velar del subjuntivo y de la persona yo del indicativo *(conoza* 'conozca', *merezo)*; y son corrientes los imperativos *guardai* 'guardad', *ponei, salí.*

La parte septentrional del dominio leonés conserva rasgos desconocidos hoy en la meridional, aunque en otro tiempo fueron también propios de ella. Así, La Montaña, Asturias, Norte y Oeste de León, Sanabria, Miranda y la comarca zamorana de la Aliste mantienen la palatalización de la *l* inicial *(llares, llobu, lluna)*; más raramente y en focos reducidos se palataliza también la *l* medial *(allargar, allegriya, baillar, burlla)*. Repartida por el Norte, y con islotes en León (La Cabrera) y en Zamora, está la *ñ* por *n* inicial *(ñalga, ñariz)*. Se usan *nos, vos* en vez de *nosotros, vosotros;* los tiempos simples *vine, viniera* valen por 'he venido', 'había venido'; y el pronombre átono conserva la colocación arcaizante *dióme, de lo pagar, para me lo decir.*

Dentro de la parte norteña, La Montaña, el Oriente de Asturias hasta Colunga y el Nordeste de León son menos dialectales que el resto: por ejemplo, la *f* inicial ha pasado allí, desde muy pronto, a *h* aspirada *(hacer* o *jacer, harina* o *jarina)*, mientras en el centro de Asturias, Norte de León y en toda la franja occidental se dice *farina, facer, fornu.* Extensión mayor que la *f* inicial en el E. de Asturias y NE. de León, parecida en el resto, tienen la diptongación de *ĕ, ŏ* ante yod *(vienga, tiengo, nuechi* 'noche', *fueya* 'hoja', *güe* 'hoy'), y las formas *yes, ye, ycra* de ĕ s , ĕ s t , ĕ r a m ; menos corriente es la diptongación de la copulativa ĕ t , aunque hay *ye* en Colunga y *ya* en el O. de Asturias, Laciana y Babia. Frente a los castellanos *amarillo, avispa,* subsiste sin reducirse *ie* en *amariello, portiello, aviespa* o *aviéspora.* La *ǵ* inicial perdida en castellano queda con sonido velar en Curueña (León) y algunos puntos de Salamanca *(gelar* 'helar'); y pronunciada *š*, en Asturias, Babia y Laciana, el Bierzo, la Cabrera y Sanabria *(xelar, xenru* 'yerno', *xinesta* 'hiniesta'). En estas últimas regiones, *š* es el resultado de las antiguas *g, j* y *x (Xuan, xudío, baxu, rexidor, xugo).* En lugar de la *j* castellana procedente del *l +* yod y *c'l,* hay *y* en Asturias, Curueña, el Bierzo, la Cabrera y Astorga *(muyer* 'mujer', *fiyu, ureya* 'oreja', *estropayu);* en contacto con *i* o *e* es frecuente en Asturias la elisión de *y (fíu* 'hijo', *sortíes* 'sortijas', *uvea* 'oveja'). Como pronombre átono de tercera persona se emplea *lle, ye, i (dióyelo, dióilo* 'se lo dió', *dióyes* 'les dió', *tomémoslle).* Y la preposición se funde con el artículo *(cola piedra, nas casas, pola tierra).*

Asturias, la región más aislada por las montañas y la más rica en tradición folklórica, posee también rasgos dialectales que antaño tuvieron mayor extensión, aparte de otros privativos suyos. En vez del grupo *-mbr-* el asturiano central y occidental usa *-m- (llume, home, fame).* El posesivo *mío, mió, to, so,* que en su origen era masculino, se aplica hoy también al femenino *(mió madre, to casa).* En el Centro de Asturias (Mieres, Pola de Lena, Aller, cabo de Peñas) y en el valle santanderino del Pas la vocal tónica se cierra ante *u* final, oponiéndose *pirru* a *perra* y *perros, sentu* a *santa* y *santos, puistu* a *puesta* y *puestos;* en Aller la inflexión se produce también ante *i* final, *ebri* 'abre', *cumi* 'come'; y en la cuenca del Nalón la *a* no se cierra en *e,* sino en *o (xatu > xotu, Pachu > Pochu).* Propio del Centro de Asturias es que la *a* final de los plurales se convierta en *e (les cases, guapes, tú cantes* 'cantas', *cantaben* 'cantaban'). Este último fenómeno se da también en San Ciprián de Sanabria y en El Payo, al Sur de Ciudad Rodrigo, localidades acaso repobladas por asturianos durante la Edad Media (1).

---

(1) R. Menéndez Pidal, *Orígenes del español,* págs. 464-466.

Un tratamiento especial de ciertas consonantes palatales y laterales, originariamente peculiar del habla de los *vaqueiros*, caracteriza a la faja más occidental de dialecto asturiano (brañas de Luarca, Tineo, Allande, Cangas de Narcea, Villaoril, Somiedo), el Sur de Asturias central (Teberga, Quirós, Lena, Mieres y Aller) y la parte colindante de la provincia de León (Valle del Sil en el Bierzo; Laciana, Babia, Norte del Valle de Omaña; Luna y Los Argüellos). En estas comarcas, la *l̦* procedente de *l* + yod, *c'l* y *g'l* ha pasado a articularse como africada palatal; los estudios dialectales la transcriben a veces como *ch* o *tš* (*urecha* 'oreja', *viechu* 'viejo', *fichu* 'hijo', *fuetša* 'hoja', *titšao* 'tejado'); pero, al menos en algunos sitios, no es igual que la *ch* castellana, sino como *ky*, con *k* mediopalatal y *y* fundidas en una articulación africada generalmente sorda, aunque hay restos de sonora (1). En la misma zona, y por Trevías y Luarca hasta el mar, la *l* inicial y la *ll* intervocálica latinas se han transformado en un sonido cacuminal que se articula tocando el paladar, detrás de los alvéolos superiores, con la cara inferior de la lengua. Las variantes de este sonido, todas cacuminales, son *d̦* (La Sisterna, Suroeste de Asturias), *d̦ș* (Felechosa, en el concejo de Aller) y *țș*, general en la zona: *țșobu* 'lobo', *țșingua* 'lengua', *bațșe* 'valle', *țșubiețșu* 'ovillo' < ( g ) l o - b ĕ l l u ; "el que nun diga *țșeite* ['leche'], *țșinu* ['lino'], *țșume* ['lumbre'], *țșana* ['lana'], que nun diga que yía de *țșaciana* ['Laciana']". La distinción fonológica entre la *țș*

---

(1) Véase Rodríguez Castellano, *Aspectos del Bable Occidental*, § 19 y 79. G. Alvarez, op. cit., págs. 223 y 229, identifica las africadas palatales de *chanu* < p l a n u y *agucha* < *a c u c u l a con las castellanas de *chato* y *pecho*. Pero al palatograma que da como de *ch* en la pág. 218 no es de *ch* castellana, sino igual al de la *y* africada (comp. Navarro Tomás, *Manual de pronunciación*, § 118 y 119). Según esto, el sonido africado de *chanu* y *agucha* en Babia y Laciana es una *y* africada sorda.

— 314 —

cacuminal y la *ch* procedente de *pl-, cl-, fl-* iniciales se borra frecuentemente en el Oeste y Sur de Austria, donde se oyen *cheite* 'leche', *chuna* 'luna', *purtiechu* 'portillo', e inversamente *tsorar* 'llorar', *tsegar* 'llegar', *tsabi* 'llave', con predominio de *ch* o de *ts*, según localidades y generaciones. Por otra parte, en Teberga, Quirós, tierras altas de Lena, etc., la *ch* de *ocho, pecho, puchero,* invasora desde Asturias central, se hace *ts* (no *ts*) para no confundirse con las otras africadas locales *(otso, petso, putsero)* (1).

La zona más arcaizante está constituída por el Occidente de Asturias y León, Astorga, Sanabria y Miranda. Coinciden el leonés occidental y el gallego-portugués vecino en guardar los diptongos *ei, ou (cantei, cantou, caldeiro, roubar);* el sufijo *-oiro (paradoira, abintadoiru* 'aventadero'); la *e* final en *necesidade, rede, sede, tenere, partire, zagale; ch* resultante de *pl, cl, fl* iniciales *(chano, cheno, chamar;* ḷ, general en Miranda, ḷ o *y* en el resto, de *l* + yod y *c'l (filu, abeiḷa);* en zonas del Suroeste de Asturias *ts* por *ch, (tsave* 'llave'); e *it, uit* de *kt, -ult* latinos *(muitu, feitu).* Dialectalismos crudos no gallegos son los diptongos *uo, ua, uö, ia (fuorza, buono, pia* 'pie'); tanto estos diptongos como sus variantes *ue, ie,* comunes con el castellano, se escinden en casos de especial expresividad, convirtiéndose en *u-ó, u-é, i-é, i-á,* etc., disilábicos *(piscu-ózu, šu-ébes* 'jueves'); entonces son frecuentes dislocaciones acentuales como *lúego, búono, díaz* 'diez'; *yía* 'es'. Características son las formas *you* 'yo', *dous* y femenino *duas* 'dos'; posesivos *mieu, tou, sou* para el masculino y *mie, tue, sue* para el femenino; pretéritos *rompeu, rumpieu* 'rompió', *salíu* 'salió', *cantoron, dijoren, di-*

(1) Para la compleja fonología de estas regiones, véanse los estudios de RODRÍGUEZ CASTELLANO, *Aspectos,* y CATALÁN, *El asturiano occidental,* citados antes.

*jonen;* y segundas personas *tomades, podedes, salides, to-mábades, teníades, saliérades.*

En el Este y Sur del antiguo reino leonés la influencia castellana ha barrido los fenómenos más típicos del dialecto: la *f* inicial, por ejemplo, ha desaparecido, igual que la *h* aspirada, en el Oriente de León y Zamora y en la mayor parte de Salamanca; sólo el rincón del Norte y la zona meridional de esta provincia, ya en contacto con Extremadura, conservan, decadente, la aspiración *(heder* o *je-der* 'heder', *huso* o *juso* 'huso'). En cambio, de León al Sur es corriente la alternancia de *r* y *l* tras consonante de la misma sílaba *(praza* 'plaza', *branco, templano).*

## El aragonés (1).

El dominio lingüístico del aragonés ha sufrido reducciones aún mayores que el del.leonés. El habla baturra del Sur de Huesca, Zaragoza, Teruel y Segorbe es mera variedad del español rústico, aunque en ella se manifiestan algunos fenómenos muy antiguos, comunes con la parte

---

(1) Para el aragonés moderno, véanse Saroïhandy, Annuaire de l'Ecole Pratique des Hautes Etudes, 1898 y 1901; T. Navarro To-más, Revue de Dialectologie Romane, I, 1909; G. W. Umphrey, *The Aragonese Dialect.*, Revue Hispanique, XXIV; V. García de Diego, *Miscelánea Filológica;* A. Kuhn, *Der Hocharagonesische Dialekt*, Revue de Linguistique Romane, XI, 1935; F. Krüger, *Die Hochpyre-näen*, Hamburg, 1936-39; W. D. Elcock, *De quelques affinités pho-nétiques entre l'aragonais et le béarnais*, Paris, 1938; F. Lázaro Ca-rreter, *El habla de Magallón*, Zaragoza, 1945; Manuel Alvar, *El habla del Campo de Jaca*, Salamanca, 1948; *Toponimia del alto valle del río Aragón*, Zaragoza, 1949: *El dialecto aragonés*, 1953 (excelente exposición de conjunto); *Notas lingüísticas sobre Salvatierra y Sigües*, Archivo de Filol. Aragon., VIII-IX, 1956-7; Antonio Badía Margarit, *Sobre morfología dialectal aragonesa*, Bol. Real Acad. de Buenas Letras de Barcelona, XX, 1947, y *El habla del valle de Bielsa*, 1950; Félix Monge, *El habla de la Puebla de Híjar*, Rev. de Dial. y Trad. Pop., VII, 1951; Pascual González Guzmán, *El habla viva del valle de Aragüés*, 1953, etc. Vocabularios de J. Borao, *Dic-*

propiamente dialectal. Tales son la persistencia de algunas oclusivas sordas intervocálicas (*suco* 'jugo', *melico* 'ombligo', *rete* 'red', *foratar* 'horadar'), restos de un fenómeno que tiene su mayor vitalidad en el Norte de Huesca donde se dice *napo* 'nabo', *marito* 'marido', *artica* 'ortiga'; el uso de los pronombres *yo, tú* con preposición (*pa yo, a tú*); la confusión de los distintos temas verbales (*daron, yo tuvía, supiendo, pusiendo*); las partículas *y* 'allí', 'en ello', 'a ello', 'a él', 'a ella', *en, ne* 'de allí', 'de ello', empleadas en Caspe y Alcañiz, por lo menos, lo mismo que en los pueblos pirenaicos (1); y las metátesis *craba, probe, pedricar* por *cabra, pobre, predicar*. El diminutivo *-ico* (*ratico, gallico*), aunque en otras épocas fue corriente en toda España, muestra hoy peculiar arraigo en Aragón, desde donde extiende su dominio hasta Murcia y el Oriente andaluz. Característica es la tendencia aragonesa a convertir en graves las palabras esdrújulas (*arbóles, pajáros, catolíco*), aunque no falten muestras en el español no dialectal (*dominica*).

El verdadero dialecto aragonés está recluído en los valles de Ansó, Hecho, Lanuza, Biescas, Sobrarbe y Ribagorza, y más al Sur, hacia la sierra de Guara. Tiene rasgos comunes con las zonas peninsulares no castellanas: se mantiene la *f* latina, *faba, farina*; *ǵ, j* inicial se conserva con

---

*cionario de voces aragonesas*, Zaragoza, 1884; COLL, *Colección de voces usadas en la Litera*, Zaragoza, 1901; LÓPEZ-PUYOLES, *Colección de voces de uso en Aragón*, Zaragoza, 1901; C. TORRES FORNES, *Voces aragonesas usadas en Segorbe*, Valencia, 1903; V. FERRAZ Y CASTÁN, *Vocabulario del dialecto que se habla en la Alta Ribagorza*, Madrid, 1934; J. PARDO ASSO, *Nuevo diccionario etimológico aragonés*, Zaragoza, 1938; P. ARNAL CAVERO, *Vocabulario del alto aragonés (de Alquézar y pueblos próximos)*, Madrid, 1944; A. BADÍA MARGARIT, *Contribución al vocabulario aragonés moderno*, Zaragoza, 1948.

(1) Para el uso y variantes de estas partículas en la lengua antigua y en el alto aragonés y catalán actuales, véase A. BADÍA MARGARIT, *Los complementos pronomino-adverbiales derivados de "ibi" e "inde" en la Península Ibérica*, Madrid, 1947.

valor palatal *(chinebro* o *šinebro* 'enebro') y en zonas como
el campo de Jaca da también *ts (tsugar* 'jugar', *tsugo* 'yu-
go'). En vez de la *ch* castellana, hay *it* o *t* de *-ct-, -(u)lt-
(dito, feito, feto, muito);* ḷ y no *j* de ḷ + yod, *c'l* y *g'l*
*(mullé* 'mujer' *abella* 'abeja', *rella* 'reja'); *ŝ,* no *j, de ks*
*teŝer* 'tejer' *madaŝa* 'madeja'; *ŝ,* no θ, de *sć (creŝé* 'crecer' *aŝada* o *ajada* 'azada'); restos de artículo *lo (o fuego,
lo fuego, do pallar).* Como en leonés, el *ié castiello, ariesta*
no se reduce a *i;* diptongan las vocales *ĕ, ŏ* ante yod *(tiengo, fuella, güerdio* 'ordio cebada'), así como el presente e
imperfecto del verbo ser *(ya* 'es', *yaṛa* 'era'). Los diptongos *ué, ié* luchan con *uó, uá, iá (fuogo, ruaca* 'rueca', *puarta,
pia, tian,* 'tiene'); las formas con *uá iá* se usan mucho en
el Alto Aragón (1).

Igual que en catalán se conservan en alto aragonés los
grupos iniciales de *clamá* 'llamar', *plan* 'llano', *flamarada*
'llamarada'; caen frecuentemente *e* y *o* finales *(deván* 'delante', *fuen* 'fuente', *liens* 'tienes', *serez* 'seredes', 'seréis', *di-
nés* 'dineros', *fornas* 'hornazo'); se pierde la *r* final *(mullé*
'mujer', *chirá* 'girar', 'dar la vuelta'); y el relativo *qui* tiene
aún gran vigencia. Otros fenómenos se extienden a ambos
lados del Pirineo, como influencia mutua de las dos vertientes o paralelo desarrollo fonético; así en los valles pirenaicos aragoneses se sonoriza la *p, t, k* detrás de *n, r, l*
*(fuande* 'fuente', *chungo* 'junco', *chordiga* 'ortiga' *cambo*
'campo'); lo mismo ocurre en zonas bearnesas limítrofes.
En gascón y en Sobrarbe se encuentra el artículo *ro (de ro-
cambo, ras güellas* 'las ovejas'). En gascón y en diversas
áreas altoaragonesas —restos de un dominio que parece
haber comprendido hasta la Sierra de Guara y los límites

---

(1) En el catalán de Aguaviva (Nordeste de Teruel) se da tam-
bién, en ciertas condiciones, el diptongo *ia (siat* 'siete', *mial* 'miel', *pial*
'pelo') como desarrollo peculiar de una *e* procedente de *ĕ* o de *ē,* ị,
sin conexión, por tanto, con la diptongación aragonesa. Véase M. SAN-
CHIS GUARNER, *Noticia del habla de Aguaviva de Aragón,* Rev. de
Filol. Esp., XXXIII, 1949.

— 318 —

con Ribagorza— se da el paso de -ll- latina a t, ts alvéolo-prepalatal apical sorda o a ch (saltieto 'sotillo', castietso o castiecho 'castillo'). En el vocabulario y toponimia de toda la zona quedan restos de n en vez de ñ como resultado de -nn- (nino, canete, anollo; compárense los castellanos niño, caña, añojo) (1). Además, el belsetán o habla local de Bielsa conserva las dobles consonantes latinas l-l, nn en su estado de geminadas sin palatalizar: la l-l en algún caso (payel-la, bel-lota); la nn, abundantemente (penna, ninno). En la morfología son aragonesismos privativos los imperfectos eba 'había', podeba, deciba; y los perfectos él tomé, él vendié, ellos tomeron, junto a yo compró, tú comprós, nosotros compromos, vosotros comproz, ellos comproron (las formas -oron se dan también en León). Haber equivale aún a tener, "he fambre"; y ser tiene empleos que en castellano han pasado a estar ("son lueñes de lucar") o a haber ("yes veníu" 'has venido').

Al Este del Cinca se extiende la frontera lingüística del aragonés con el catalán (2), muy imprecisa desde el Pirineo hasta Binéfar y Tamarite, como los límites entre el leonés y el gallego-portugués al Norte del Duero. El Oeste de Ribagorza, hasta el Isábena aproximadamente, es de dialecto aragonés; pero tiene catalanismos como ll inicial en vez de l (lladrá 'ladrar', lluen 'lejos') y plurales femeninos les cases, cardellines (en Benasque). La Ribagorza orien-

---

(1) Para la analogía de esta evolución de -ll- y -nn- con la que se da en leonés y suditálico, véase DIEGO CATALÁN, Resultados ápico-palatales y dorso-palatales de -ll- y -nn-, Rev. de Filol. Esp., XXXVIII, 1954, 1-44. Véase también nuestra pág. 69.

(2) Estudiada por A. GRIERA, La frontera catalano-aragonesa, 1914; R. MENÉNDEZ PIDAL, Rev. de Filol. Esp., III, 1916, 73-88, y M. ALVAR, Catalán y aragonés en las regiones fronterizas, VII Congreso Internacional de Ling. Románica, II, Actas y Memorias, 1955, 737-778, y Léxico aragonés de A[tlas] L[ing.] [de] C[atal.], Archivo de Filol. Arag., VIII-IX, 1956-57, 211-238. Véase también GÜNTHER HAENSCH, Las hablas de la alta Ribagorza, Zaragoza, 1960, y Algunos caracteres de las hablas fronterizas catal.-arag. del Pirineo, Orbis, XI, 1962, 75-110.

tal habla catalán, aunque algún rasgo aragonés penetra hasta más allá del Noguera Ribargozana. Característica de Ribagorza es la pronunciación *klau* 'llave', *ploure* 'llover', *flama* 'llama'.

Al Suroeste de Valencia, el habla de Énguera, Anna y Navarrés, castellano-aragonesa con rasgos valencianos, distingue la *s* sorda de *pasar* (ant. *passar)* de la sonora de *casa, rabosa;* la *z* es sonora, pero se aplica lo mismo para *z* antigua *(dize)* que para *ç (plaça);* además se mantiene la distinción entre *b* oclusiva y fricativa *(bever)* (1).

## Dialectos del Mediodía: rasgos generales.

En la época moderna el idioma se ha mantenido sin cambios esenciales en Castilla la Vieja, donde nació, y en buena parte de Castilla la Nueva. En las regiones del Sur han tenido lugar desarrollos fonéticos peculiares, algunos de los cuales llegan hasta Madrid y La Mancha sin constituir en ellas dialecto especial, ya que por lo demás el lenguaje responde al tipo castellano puro. Conforme se avanza hacia el Mediodía aumenta el número e intensidad de particularidades, que en Andalucía se han unido a los caracteres privativos que tomó allí la revolución consonántica del siglo XVI, originando un sistema fonológico distinto del castellano. Semejante al habla andaluza en notas esenciales es la de las islas Canarias, incorporadas a Castilla durante el siglo XV. En Extremadura los rasgos meridionales se combinan con leonesismos y arcaísmos. En Murcia es notable la influencia aragonesa y levantina.

Muy extendida está la alteración de los sonidos pala-

---

(1) Véase R. Menéndez Pidal. *Manual de Gram. hist. esp.,* § 35 bis, 6, nota, y B. Martínez, *Breve estudio del dialecto enguerino,* Anales del Centro de Cultura Valenciana, 1947, VIII, 83-87.

tales *ll* y *y*. El yeísmo o pronunciación de la *ll* como *y* se encuentra atestiguado desde el siglo xvi como peculiaridad de los esclavos negros. Un manuscrito aljamiado del siglo xvii, la *Historia abreviada de la doncella Arcayona*, ofrece completa confusión de *ll* y *y;* su autor o copista parece ser un morisco andaluz refugiado en Túnez, y denuncia, por tanto, la existencia de yeísmo en España con anterioridad a la expulsión (1609). A fines del mismo siglo, un poeta nacido en Porcuna (Jaén), Juan del Valle Caviedes, da en el Perú las primeras grafías seguras de yeísmo americano. En el siglo xviii el yeísmo era considerado como rasgo característico andaluz *(gayinaz, poyaz,* remedos de la pronunciación andaluza en un romance de don Tomás de Iriarte, entre 1773 y 1791; *bollante* por *boyante,* ultracorrección, en el gaditano González del Castillo etc.). En la actualidad el uso general de casi toda Andalucía (1) y la mayor parte de Extremadura (2), así como el habla popular y media de Ciudad Real, Toledo (no toda la provincia), Madrid y Sur de Avila, reducen la *ļ* a *y*, diciendo *caye, yorar, gayina, aqueyo*. Tanto esta *y* como la primitiva de *ayer, mayo, saya* ofrecen variantes de diversa aceptación, según las regiones y ambiente social. Plebeya en Madrid, pero muy pujante en otras zonas yeístas, es la tendencia a articular una *y* tensa y rehilante con la lengua adelantada hacia los alvéolos, cercana o igual a los sonidos *dž, ž* de nuestra *j* antigua o de la *j* portuguesa. El yeísmo se propaga en las generaciones nuevas; hay pueblos donde los viejos pronuncian *hoļín* y los jóvenes *hoyín* u *hožín,* que se contagia a centros urbanos de regiones apegadas a la *ļ*. Así las ciudades de Car-

---

(1) Hay una franja de *ll* distinguida de *y* en la provincia de Huelva, junto a la frontera de Portugal, e islotes en la de Sevilla, en la Alpujarra y en las sierras de Málaga y Cádiz.

(2) Véase después pág. 330.

tagena, Murcia y Albacete son yeístas, mientras el resto
de las dos provincias conserva la *l*. Igual ocurre con los
focos yeístas de Valladolid, Oviedo y Gijón, enclavados
en zonas de *l*. En Santander el yeísmo domina en la capital y en zonas dialectales de La Montaña (1).

Area parecida, aún no bien determinada, ocupa la rela
jación de la *s* final de sílaba, que se convierte en *h* aspirada *(mascar > maĺicar, los hombres > loĥ hombreĥ)*.
Ante vocal o pausa la *ĥ* desaparece con frecuencia *(las
olas > laĥ olaĥ > la ola; dos < doĥ > do)*. Ante
consonante, la *ĥ* se acomoda a ella, tomando su punto de
articulación *(obispo > obiĥpo,* casi *obippo; cáscara >
cáĥcara,* casi *cáccara);* pero suele mantenerse sorda, aunque siga consonante sonora, y llega a ensordecerla *(las ga
llinas > laĥ gayinaĥ > laĥ ĥayinaĥ o laj̦ jayinaĥ; desba-
ratar >* murciano *effaratar; las bolas > laf folaĥ; las
dos > laz zoĥ* (2). La *z* final de sílaba corre igual suerte

(1) Véanse R. J. CUERVO, Bib, de Dial. Hispanoam., IV, p. 248;
R. K. SPAULDING, *How Spanish grew*, p. 233, y, sobre todo, AMADO
ALONSO, *La ll y sus alteraciones en España y América*, Estudios dedicados a Menéndez Pidal, II, 1951 (reedit. en *Estudios lingüísticos. Te
mas hispanoamericanos*, 1953); JUAN COROMINAS, *Para la fecha del
yeísmo y del lleísmo*, Nueva Rev. de Filol. Hisp., VII, 1953, 81-87,
y ALVARO GALMÉS DE FUENTES, *Lle-yeísmo y otras cuestiones lingüísticas en un relato morisco del siglo XVII*, Est. ded. a M. Pidal,
VII, 1956, 273-307. La confusión de *ll* y *y* ofrece ejemplos antiguos:
*lluguero* por *yuguero*, en Juan Ruiz, 1.092 *b*, manuscrito de Salaman-
manuscrito del *Victorial* de Díaz de Gámez, aparece *fulleron* por
Américo Castro, hay *veyocino, papagallo, callado, lloma, llolo* (pág.
LXXV); en unas estrofas del *Alexandre* (94 *b*), copiadas en un
manuscrito del *Victorial* de Díaz de Gámez, aparece *fulleren* por
*fuyeren* (Alexandre, ed. Willis, pág. 22). Más tarde, hacia 1588, el
*Recontamiento del Rey Aliŝandre*, texto aljamiado aragonés, da *akeyo*
por *aquello* (A. R. NYKL, Rev. Hispanique, LXXVII, 1929, pág. 448).
Pero como fenómeno amplio de "lengua" en el sentido saussuriano, el
yeísmo es posterior. En el último cuarto del siglo XVIII lo declara andalucismo, además de Iriarte, don Ramón de la Cruz *(Las provincias
de España unidas por el placer*, 1789, según SPAULDING, loc. cit.).
(2) Más exactamente *lab bolaĥ* y *lad doĥ* con *b* y *d* sordas, semejantes a *f* y *z*. En las asimilaciones *tinnar, buł-la, canne*, mencionadas
después, la *n* o *l* primeras son a menudo sordas.

que la s: *haz* > *hah* o *ha; tiznar* > *tihnar, tinnar; noviaz
go* > *noviahgo* < *noviajo, noviaho; mayorazgo* > *mayo
rajo, mayoraho* (formas usuales en Murcia y Andalucía)
El testimonio más antiguo se halla en una nota autógra-
fa de Fernando Colón (1488-1539), donde el nombre de
*Sophonisba* aparece escrito *Sofonifa* (1). Actualmente la
aspiración o asimilación de *s* y *z* finales es habitual ante
cualquier consonante en Toledo, La Mancha, Extremadura,
Andalucía, Murcia y Canarias. En Madrid sólo está iniciada entre las capas sociales más populares, y sobre todo
ante consonante velar *(mohca* o casi *mocca* 'mosca'); a la
Fortunata galdosiana "las eses finales se le convertían en
jotas sin que ella misma lo notase ni evitarlo pudiese". Se
trata de un fenómeno que está invadiendo con fuerza arro-
lladora los rincones meridionales donde la pronunciación
espontánea había conservado hasta ahora la -s (2).

La vocal que precede a la aspiración suele pronunciarse
abierta, y cuando la aspiración desaparece por completo,
su función significativa es desempeñada por la abertura
de la vocal, que además se alarga de ordinario. De este
modo se ha creado, en el murciano y en el andaluz oriental por lo menos, una distinción fonológica a base del
diverso timbre y duración de las vocales. Se diferencian,
pues, con efectos en la significación, *i, e, a, o, u,* de *ι:, ε:,
ä:, ǫ: u:,* abiertas y prolongadas; la *ä:* abierta adquiere
fuerte matiz palatal. De este modo la oposición de las
vocales permite distinguir *dio* (pretérito de *dar)* y *Diǫ:*
'Dios'; *huè* 'fue" y *huǫ:* 'juez; *ba* ['él] va' y *bä:* '[tú]
vas'. La oposición cobra especial relieve entre los sin-

_____

(1) R. MENÉNDEZ PIDAL, *La lengua de Cristóbal Colón,* Colección Austral, 1942, pág. 34.
(2) Véase un episodio de esta propagación en GREGORIO SALVA·
DOR, *Fonética masculina y fonética femenina en el habla de Vertientes y Tarifa* (Cádiz), Orbis, I, 1952, y MANUEL ALVAR, *Diferencias
en el habla de Puebla de Don Fadrique,* Rev. de Filol. Esp , XL, 1956.

gulares *(tó, uhté)* y los plurales *(tọ: 'todos', uhtẹ́: 'us-*
tedes')*. En el habla de Cabra, Granada y Almería la abertura afecta no sólo a la vocal final, sino a todas las de
la palabra: sing. *lobo, melon,* pl. *lọbọ, mẹlọnẹ.* En una
zona que comprende Puente Genil y Lucena (Córdoba),
Estepa (Sevilla) y Alameda (Málaga), entre otras localidades, pasa a ȩ toda *a* alargada por la aspiración de *-s*
o por la omisión de otras consonantes: *pẹsẹtẹ, bẹ, olibẹ́,*
*ohpitẹ́,* 'pesetas', 'vas', 'olivar' 'hospital' (1).

Las finales *r* y *l* son objeto de constante intercambio,
apoyado por una articulación muy debilitada (2). El fenómeno está registrado entre los mozárabes toledanos en los
siglos XII y XIII. *(Árbarez, arcalde)* y en Andalucía durante
el XIV y XV ("*abril* los cimientos", *solviendo* 'sorbiendo');
en 1521 una mano andaluza escribe *comel* 'comer' y en 1525
un documento mejicano registra *Haznal* por *Aznar.* En 1567
el morisco granadino Francisco Núñez Muley escribe
*alçobispo, silben* 'sirven', *leartad, particural,* y otro texto granadino de 1576 da "Antonia *Belmúdez".* Por último, hacia 1601 se mencionan como formas andaluzas
*carcañal, lebrel, guadamecil, delantar,* frente a las castellanas —reales o supuestas— *calcañar, lebrer, guadamecir.*
*abantal* (3). Hoy, desde el Suroeste de Salamanca, por
toda Extremadura y Andalucía se oyen *hincal, hurgal,*

(1) T. NAVARRO TOMÁS, *Desdoblamiento de fonemas vocálicos,*
Revista de Filología Hispánica, I, 1939, 165-167; L. RODRÍGUEZ CAS-
TELLANO y A. PALACIO, *El habla de Cabra,* Rev. de Dialectología v
Tradic. Populares, IV, 1948; DÁMASO ALONSO, A. ZAMORA VICENTE
y M. J. CANELLADA, *Vocales andaluzas,* Nueva Rev. de Filol. Hisp.,
IV, 1950; MANUEL ALVAR, *Las encuestas del "Atlas lingüístico de
Andalucía",* Granada, 1955, y *Las hablas meridionales de España y su
interés para la lingüística comparada,* Rev. de Filol. Esp., XXXIX,
1955, 284-313; DÁMASO ALONSO, *En la Andalucía de la e. Dialectología pintoresca,* Madrid, 1956.
(2) A. ALONSO y R. LIDA, *Geografía fonética. -L y -R implosivas
en español,* Rev. de Filol. Hisp., VII, 1954.
(3) Reúno estos y otros datos en *El andaluz y el español de
América,* Presente y Futuro de la Lengua Española, II, 1963, 190-191.

*muñel,* por *hincar, hurgar, mujer;* en Murcia *cuclpo, cuelda,* y en el Sur *gorpe, sordao, mardito, er tiempo.* Es frecuente la omisión *(muñé, la ñié* 'la hiel', *melió* 'mejor')* o la sustitución de *r* por una nasal *(melión).* La *r* final suele también pasar a *ñ* y asimilarse al sonido siguiente: *burla* > *buñla* > *bul-la, carne* < *cañne* < *canne.* De ahí los infinitivos *matálo, ponese,* con pérdida de la *r,* aunque existen a su lado las formas arcaizantes *hacello, decillo, traeyo, pagaye* en el Sur de Ciudad Real, Andalucía y Murcia. En Andalucía y Extremadura, por lo menos, la *l* agrupada suele trocarse en *r, branco, groria, prato* 'plato', como en leonés.

En el Mediodía de España la relajación de las sonoras interiores es más radical que en el Norte y Centro. La *d* intervocálica se elide ordinariamente *(vestío, quear, deo, rabúo, naita);* ante *r* desaparece *(pare, mare)* o se vocaliza *(ladrón* > *lairón, padre* > *paere, paire,* corrientes en Andalucía y Murcia). Más consistentes se muestran la *g* y la *b,* aunque abundan en andaluz *mijita* 'migajita', *pujar* 'pegujal', y en murciano *collo* 'cogollo', *juar* 'jugar', *caeza* 'cabeza'. Entre vocales también se suprime la *r* con mayor frecuencia que en otras regiones (and. *mataon, pusieon,* murc. *agoa* 'agora'); y en andaluz la *n* se reduce a mera nasalización o desaparece por completo *(viene* > *viẽ* > *vié, Maoliyo* 'Manolillo'); igual ocurre con la *n* final de sílaba *(mal ángel,* > *malãñe* o *mala̅ñe; virgen* > *viñẽ* o *viñẽ).* No es posible aun precisar los límites de estos fenómenos; parece, sin embargo, que no alcanzan al habla de Castilla la Nueva, al menos con la misma intensidad.

La *ñ* procedente de *f* latina, que dejó de pronunciarse en Castilla la Vieja durante los siglos xv y xvi *(faba* > *haba* > *aba, fijo* > *hijo* > *ijo)* y más tarde en Castilla la Nueva, no subsiste apenas en Murcia, Jaén, el Nordeste de Granada y la mayor parte de Almería. Quedan focos o restos de aspiración (*humo* o *jumo*, *helecho* o *jelecho*) en la provincia de Avila y en algunos pueblos occidentales de Tole·lo y Ciudad Real. En Extremadura y el resto de Andalucia es general la conservación plena en la *h* en el habla popular (*higo*, *moho*, *ahogar*, *hierro*, *hurgar*), con distintos matices que van desde la simple aspiración sorda hasta la aspiración sonora o nasal. En ambas regiones la *j* se articula como *h*, más faríngea y débil que la *j* castellana (*oho* 'ojo', *diho* 'dijo', *deha* 'deja') (1). Así ocurría ya a principios del siglo XVII (véanse págs. 247-8).

EL ANDALUZ.

El habla andaluza reúne todos los meridionalismos enumerados; pero, además, se opone a la castellana en una serie de caracteres que comprenden la entonación, más variada y ágil; el ritmo, más rápido y vivaz; la fuerza espiratoria, menor; la articulación, más relajada, y la posición fundamental de los órganos, más elevada hacia la parte delantera de la boca. La impresión palatal y aguda del andaluz contrasta con la gravedad del acento castellano (2).

A excepción del Norte de Córdoba y del Nordeste de

(1) Véase A. M. ESPINOSA (hijo) y L. RODRÍGUEZ CASTELLANO, *La aspiración de la "h" en el Sur y Oeste de España*, Revista de Filología Española, XXIII, 1936.

(2) T. NAVARRO TOMÁS, *El acento castellano*, 1935, pág. 30. Sobre el andaluz, véanse H. SCHUCHARDT, *Die Cantes Flamencos*, Zeitschrift für romanische Philologie, V, 1881; F. WULFF, *Un chapitre de phonétique andalouse*, Recueil offert à G. Paris, 1889; A. CASTRO, *Lengua, Enseñanza y Literatura*, 1924; T. NAVARRO TOMÁS, A. M. ESPINOSA (hijo) y L. RODRÍGUEZ CASTELLANO, *La frontera del andaluz*, Revista de Filología Española, XX, 1933; ALCALÁ VENCESLADA, *Vocabulario andaluz*, 1934 y 1951; A. ALTHER, *Beiträge zur Lautlehre sudspanischer Mundarten*, Aarau, 1935; GREGORIO SALVADOR, *El habla de Cúllar-Baza*, Rev. de Filol. Esp., XLI, 1957, etc.; véanse además los artículos citados en las notas a las páginas que anteceden. De capital importancia es el *Atlas lingüístico-etnográfico de Andalucía*, de MANUEL ALVAR, con la colaboración de A. LLORENTE y G. SALVADOR, I, 1961.

Jaén, Granada y Almería, donde existe la *s* ápico-alveolar
castellana, la *s* andaluza es muy distinta. Su variedad más
extensa y moderada es una *s* "coronal", que se articula entre los incisivos superiores y los alvéolos, con la lengua plana. El tipo extremo y más característico es la *s* predorsal,
que se pronuncia con la lengua convexa y el ápice en los
incisivos inferiores: domina en el Centro y Sur de Sevilla, en las provincias íntegras de Málaga y Cádiz y penetra en algunas zonas de Córdoba y Granada. La con-
vexidad del predorso lingual puede ser tanta que produzca
contacto con los incisivos superiores y fricación interdental
semejante, a veces igual, a la de *z* (θ) castellana.

Cuando las antiguas africadas *ç* y *z* se convirtieron en
fricativas y la *z* perdió su sonoridad, el resultado final del
proceso castellano fue la moderna *z* (θ) interdental fricativa
sorda, que no se confundió con la *s* ápico-alveolar procedente de las antiguas *ss* y *s*. Los cuatro fonemas antiguos
quedaron reducidos en Castilla a dos, θ y *s*. Pero en Andalucía, como ya se ha dicho (véanse págs. 191 y 247),
*ç* y *z* se confundieron, respectivamente, con *ss* y *s*, y luego, al ensordecerse las sonoras, los cuatro fonemas con-
fluyeron en uno solo. Así nacieron el *seseo* o pronunciación única con *s* sorda coronal o predorsal, y el *ceceo*,
articulación única predorso-interdental sorda. Sevilla y la
costa atlántica parecen haber sido el foco irradiador. Allí
vivió Juan de Padilla (1468-1522), en cuyas obras hay rimas de *s* con *z* y de *ss* con *ç* (*genoveses, meses, vezes; de-
hesa, reza; recibiesses, padeçes*). Más tarde, en 1527, se
imprime en Sevilla *colocences* por *colossenses;* y un documento sevillano de 1549 da *resebí, parese, pes, espesifica-
damente, ofrese, resela, acaeser, paresería.* Arias Montano
(nacido en 1527) dice en 1592 que durante su mocedad los
sevillanos pronunciaban *c* y *z* como en Castilla, pero que
desde una veintena de años las confundían con la *s,* aun-

que los viejos y hasta algunos jóvenes conservaban la dicción correcta. La noticia sólo es exacta parcialmente, ya que, según vemos, la confusión era ya muy pujante durante la juventud de Arias Montano; pero hubo de generalizarse hacia la fecha que él da, pues desde 1560-70 arrecian los testimonios del cambio. Años después, Mateo Alemán, tratando en su *Ortografía* la confusión andaluza de *ç* y *z* con *s*, encuentra difícil dar a conocer "por arte o método" el debido uso de tales fonemas; y en el mismo pasaje, bien sean erratas suyas, bien del impresor mejicano, se deslizan *braza* y *loza* por *brasa* y *losa*. Los gitanos tenían como rasgo peculiar el ceceo: ya lo registra Gil Vicente y, en 1540, el historiador y gramático portugués João de Barros se refiere una vez a "o çeçear çigano de Sevilla"; más tarde en la comedia cervantina *Pedro de Urdemalas*, la gitana Inés dice *cer del tuzón, zuelo, gitanezco, blazón, honezta*. Los moriscos granadinos, que no acertaban a reproducir exactamente la *s* castellana, adoptaron también el ceceo, al igual que la población cristiana: Núñez Muley, en 1567, usa *çuzedió, neçeçidad, zuzio, vaçallos*. A mediados del siglo xvii Francisco de Trillo y Figueroa se refiere al "trailor ceceo" con que las "sirenas del Dauro" dulcificaban sus asechanzas (1). El área actual del ceceo comprende casi

---

(1) Véanse A. ALONSO, *Trueques de sibilantes*, Nueva Rev. de Filol. Hisp., I, 1947, pág. 12; *Historia del "ceceo" y del "seseo" españoles*, Thesavrvs, VII, 1951, y "O çeçear çigano de Sevilla, 1540", Rev. de Filol. Esp., XXXV, 1952; edición sevillana de los *Morales de San Gregorio*, J. Cromberger, 1527, II, fol. CXXI, r., al margen; R. J. CUERVO, *Disquisiciones*, Revue Hispanique, II, 1895, pág. 39; NAVARRO TOMÁS, ESPINOSA y R. CASTELLANO, art. cit., págs. 261-262, y A. GALLEGO MORELL, *Francisco y Juan de Trillo y Figueroa*, Granada, 1950, pág. 83 (el pasaje de Trillo es ambiguo, pues *ceceo* puede significar la llamada mediante la interjección *ce, ce)*; finalmente R. LAPESA, *Sobre el ceceo y el seseo andaluces*, en *Estructuralismo e Historia, Miscelánea Homenaje a André Martinet*, I, 1957, 67-94; DIEGO CATALÁN, *El çeçeo-zezeo al comenzar la expansión atlántica de Castilla*, Boletim de Filologia, XVI, 1956-7, 306-334; y el fundamental estudio de R. MENÉNDEZ PIDAL, *Sevilla frente a Madrid*, en *Estructur. e Hist.*, III, 1962, 99-165.

toda la región de *s* predorsal, el Sur de Huelva, la parte
occidental de Granada y la Alpujarra. El seseo se extiende por zonas de Huelva, Norte y ciudad de Sevilla, la llanura de Córdoba y, en Jaén, por las riberas del Guadalquivir hasta Baeza. El Norte de las provincias de Huelva
y Córdoba, casi todas las de Jaén y Almería y casi todo el
Este de la de Granada observan la distinción entre *s* y *z*,
con islotes de ceceo y seseo. La consideración social del
seseo y ceceo es diferente: *pasiensia, sielo, siego* están más
admitidos y se tienen por menos vulgares que *iglecia, pa-
zar. coza*.

Peculiarmente andaluza es la relajación de la *ch,* que
llega a despojarse de su oclusión inicial y a convertirse
en *š* fricativa *(noše, mušašo,* por *noche, muchacho).* Gracias a esto, al yeísmo y al rehilamiento de la *y,* el andaluz
más avanzado simplifica el heterogéneo trío de fonemas
palatales castellanos, *ch, y, l,* y los reduce a la pareja, perfectamente homogénea, de *š* sorda ( < *ch)* y *ž* sonora
( < *y, l).*

A excepción del seseo y ceceo no se ha estudiado el
desarrollo histórico de los rasgos fonéticos que, en su conjunto, caracterizan al andaluz. Todos o casi todos se habían consolidado ya en la segunda mitad del siglo xviii.
Por entonces se imprimen en Málaga unas curiosas escenas
pastoriles de Navidad, *La infancia de ⊤esu-Christo,* obra de
Gaspar Fernández y Avila, donde abundan *jecho, jambre,
paeces, aseá, acueldo, patrialca, osté* 'usted', *senseño, asusar,
sujetallas, traello,* etc. Es notable que falte el yeísmo, atestiguado por otros en la misma época (1).

---

(1)  Las diez representaciones de *La infancia de Jesu-Christo* fueron publicadas y estudiadas por M. L. Wagner, Beihefte zur Zeitsch.
t. r. Philol., 72, 1922. Estos pastores dieciochescos andaluces palatalizan la *l* inicial o interior *(llucero, llengua, calletre)* como los salmantinos y sayagueses de Encina y del siglo xvi, rasgo desconocido en el
andaluz actual.

En contraste con su fonología revolucionaria, el léxico andaluz guarda numerosos arcaísmos. No es extraño que en Granada perduren voces mozárabes, como *cauchil* 'arca de agua' (< calĭce), *almatriche* 'reguera' (< ma-trice) y *paulilla* 'insecto dañino para los cultivos' (< papilella), que revelan su origen en la *ch* por *c, ž* y en el diptongo *au* (v. págs. 103, 118, 126, 140, y compárense los cast. *cauce, madriz, polilla*). También es natural que haya arabismos especiales, como *aljofifa* 'bayeta de fregar, estropajo'. Pero es notable que sigan vigentes palabras antiguas que recuerdan el español medieval o el de Santa Teresa, fray Luis de León y Cervantes: *afuciar* 'amparar, proteger', *cabero* 'último', *entenzón* 'discordia, contienda', *munir* 'avisar las fiestas con cantos matinales', *certenidad* 'certeza', *casapuerta, disanto* 'día de fiesta', *escarpín* 'calcetín', etc. (1).

La reconquista de Andalucía no fue —salvo en el reino de Jaén— empresa exclusivamente castellana, sino conjunta de Castilla y León. En los primeros tiempos hay documentos escritos en Andalucía con abundancia de rasgos leoneses. Así se explica que en andaluz se den occidentalismos como *prato, branco* por *plato, blanco;* la *d* protética de *dalguno, dir*, frecuente en regiones leonesas; o vocablos como *esmorecer* 'trasponerse', usual en gallego-portugués y leonés. Por otra parte, a través de Murcia han penetrado en Andalucía catalanismos y aragonesismos como *jaquir* 'desamparar', *llampo* 'relámpago', *espernible* 'despreciable' y acaso *fiemo* 'estiércol' (cat. *jaquir, llamp*, aragonés *espernible, fiemo*) (2).

(1) Del mayor interés es el *Vocabulario andaluz* de A. ALCALÁ VENCESLADA, Andújar, 1934 (2.ª ed., Madrid, 1951).

(2) Véanse otros más en GREGORIO SALVADOR, *Aragonesismos en el andaluz oriental*, Archivo de Filología Aragonesa, V, 1953.

La fortuna del andaluz se debe esencialmente a su gracejo y vivacidad. Es el molde adecuado para el ingenio y la exageración, la burla ligera y fina y la expresividad incontenida. Goza de popularidad, y su vitalidad joven es, aunque destructora, la mejor garantía de arraigo.

## El extremeño y el murciano.

Extremadura, reconquistada por leoneses y castellanos, ofrece en su lenguaje una mezcla de rasgos leoneses y meridionales. A aquéllos corresponden la epéntesis de *i* semiconsonante *(matancia, quiciáh* 'quizás'); las vocales finales *i, u,* dominantes en Cáceres, por *e, o;* la conservación del grupo *mb (lamber);* el paso de -*d* implosiva a -*l (pielgo);* el sufijo diminutivo -*ino* y los presentes *agraeza, conozo* (1). Meridionalismos son la conservación de la *h* aspirada *(oho, harina),* generalmente sonora; la pronunciación de la *j* como *h (navaha, botiho);* la confusión de *r* y *l* implosivas, con tendencia a *l (peol, muhel),* y la intensa caída de *d* intervocálica *(deo).* En general, leonesismos y arcaísmos están más acentuados en Cáceres mientras que en Badajoz es ostensible la influencia andaluza. Así el yeísmo y rehilamiento *(ženo, akežo, liožo)* ocupan la casi totalidad de la provincia de Badajoz, mientras en la de Cáceres sólo dominan el Nordeste, algunas localidades del Sureste y una zona occidental. Entre los

---

(1) Véanse F. Krüger, *Studien zur Lautg. Westspanischer Mundarten;* O. Fink, *Studien über die Mundarten der Sierra de Gata,* Hamburg, 1929, y *Contribución al vocabulario de la Sierra de Gata,* Volkstum und Kultur der Romanen, II, 1929; W. Bierhenke, *Das Dreschen in der Sierra de Gata,* Ibíd., II, 1929, y *Ländliche Gewerte der Sierra de Gata,* 1932; María Josefa Canellada, *Notas de entonación extremeña,* Rev. de Filol. Esp., XXV, 1941; F. Santos Coco, *Vocabulario extremeño,* Rev. del Centro de Est. Extremeños, 1941, y A. Zamora Vicente, *El habla de Mérida y sus cercanías,* Madrid, 1943; E. Lorenzo, *El habla de Albalá,* Badajoz, 1948.

arcaísmos cacereños es de notar la conservación de la *v* labiodental en Serradilla *(vedinu* 'vecino', *verza, yerva-dina* 'hierbecita'), y con menos vitalidad en algún otro punto. Mayor extensión tiene el mantenimiento de las antiguas sibilantes sonoras -*s*- y *z*, que aparece en una serie de áreas, hoy aisladas, desde las dos vertientes de la Sierra de Gata hasta Montehermoso y Malpartida de Plasencia. En otro tiempo, el fenómeno debió de llegar al Suroeste de Avila, abarcando toda la región cacereña. La *z* sonora se ha convertido en *d* fricativa: *idil* 'decir', *ħadel* 'hacer' (antiguos *dezir, ħazer*). En el "chinato" o habla de Malpartida, la *s* sonora ha llegado a igual resultado: *roda* 'rosa', *bedo* 'beso', *dod iħoħ* 'los hijos'. Muy decadentes, estos cambios son propios ya de ancianos y mujeres (1).

El reino de Murcia fue incorporado a Castilla antes de mediar el siglo XIII. Pero una sublevación de los moriscos obligó a que Jaime I de Aragón interviniera en auxilio de Alfonso X, con lo que se establecieron en la región muchos catalanes y aragoneses. Años después, Murcia fué ocupada casi en su totalidad por Jaime II, quien no la restituyó a Castilla hasta 1305. Estas circunstancias y la vecindad de Levante han determinado influencias lingüísti-

(1) A. M. ESPINOSA (hijo), *Arcaísmos dialectales. La conservación de "s" y "z" sonoras en Cáceres y Salamanca*, Madrid, 1935 (para la *v*, págs. 35, 63, 65, 167, 177, 182, etc.); DIEGO CATALÁN, *Concepto lingüístico del dialecto "chinato" en una chinato-hablante*, Rev. de Dial. y Trad. Pop., X, 1954. El paso *z > d* fricativa ocurre también en asturiano occidental *(fader* 'hacer', * judicu* 'hocico'), L. RODRÍGUEZ CASTELLANO, *Aspectos del bable occidental*, § 52; Sanabria *(fadedes* 'hacéis', *fediste* 'hiciste'); y en Villarino de los Aires (Salamanca), donde se oyen *bederro, redental, adeiti*, y la *s* es frecuentemente sonora, ya provenga de *s* sonora antigua *(casa, quesu)*, ya de antigua sorda. (LLORENTE MALDONADO, *El habla de la Ribera*, § 14, 50 y 51.) También en el catalán de Aguaviva (Teruel) existen *tredde, dodde, sedde* (con la primera *d* oclusiva y la segunda fricativa), por *tredze, detze, sedze*.

cas bien perceptibles (1). De procedencia aragonesa es la consonante sorda de *cayata, cocote, acachar,* así como el sufijo *-ico, -iquio;* la *k* y la yod de esta última forma se funden en una articulación africada sorda mediopalatal. Se da a veces *ļ* inicial por *l (llampuga, llengua, lletra),* como en catalán y valenciano; y conservación de algún grupo inicial con *l (flamarada* 'llamarada'), como en aragonés y catalán. En el vocabulario abundan aragonesismos y valencianismos; tales son, por ejemplo, *divinalla* 'adivinanza', *esclafar* 'aplastar', *espolsador* 'zorros de sacudir', *bajoca* o *bachoca* 'judía verde'. En la huerta murciana la *ch* tiene una articulación especial, con amplio contacto de la lengua con el paladar y escasa fricación. Por lo demás, el dialecto murciano *(panocho)* responde a los caracteres generales del Mediodía, salvo en conservar la *ļ* en la pronunciación campesina. La aspiración de la *-s* implosiva da lugar a las complejas asimilaciones consonánticas y a la oposición entre vocales cerradas y abiertas de que se ha tratado en las páginas 321-3 (2).

En Cartagena y sus inmediaciones es antigua la confusión de *s* y *z* a la manera andaluza: ya la registra en 1631 el ortógrafo don Nicolás Dávila. Domina el seseo con *s* predorsal, aunque hay ceceo en alguna aldea. Las coincidencias del habla cartagenera con el andaluz comprenden también el yeísmo y algunos otros caracteres (3). Hay seseo de tipo valenciano, con *s* apical, en algunos pueblos alicantinos de habla murciana.

---

(1) Abundan aragonesismos y catalanismos en documentos notariales murcianos del siglo XIII, así como en el *Repartimiento de Murcia* (ed. por JUAN TORRES FONTES, Murcia-Madrid, 1960).

(2) Véanse J. GARCÍA SORIANO, *Vocabulario del dialecto murciano,* Madrid, 1932, y A. ZAMORA VICENTE, *Notas para el estudio del habla albaceteña,* Rev. de Filol. Esp., XXVII, 1943.

(3) Véanse EMILIA GARCÍA COTORRUELO, *El habla de Cartagena y su comarca,* Madrid, 1959, y GINÉS GARCÍA MARTÍNEZ, *El habla de Cartagena,* Murcia, 1961.

EL CANARIO.

La conquista de las islas Canarias, iniciada en tiempo de Enrique III, fue llevada a su término durante el reinado de los Reyes Católicos. Las expediciones partieron casi siempre de puertos andaluces, y entre los conquistadores y colonos debió de predominar el elemento andaluz. El habla canaria sesea con *s* de tipo andaluz; pero en el campo de Tenerife hay restos de ceceo *(camiza, de por sí, loz animaleh.* La confusión de *s, ss, z* y *ç,* atestiguada a *principios del sigo* XVI, era completa en el XVII: una crónica copiada entonces ofrece *cosina, diçimulados, entonses, miçibas* 'misivas', *poçesion* 'posesión', *seszasen* 'cesasen', *desendiendu, susoso,* etcétera (1). Sin embargo, de las antiguas -*s*- y *z* queda una *s* predorsal sonora que se oye en la Gomera, La Palma y acaso en Gran Canaria, y que a veces se hace *d (cada* 'casa', *beinlitred añus).* Se aspira la *h (hotarse* 'confiarse, del antiguo *hoto* < f a u t u ); la *j* se pronuncia como *h* aspirada; y la *s* implosiva se convierte en aspiración o se asimila a la consonante inmediata *(ihla, il-la).* Entre la gente de mar la -*l* implosiva para a -*r (arquiler).* Ambas consonantes se vocalizan ocasionalmente en *i (ei cueipo* 'el cuerpo'), y la -*r* se asimila a la consonante que sigue *(canne* 'carne') o extrema la relajación en final de palabra, conforme ocurre también en el Mediodía peninsular. Existe el yeísmo, general en Gran Canaria, en Santa Cruz de Tenerife y otros puntos; pero en el resto se mantiene con vigor la *ll;* y la *ch,* a diferencia de la andaluza, ofrece muy fuerte elemento oclusivo. Como el andaluz y el español de América el habla canaria conserva la distinción etimológica entre *le* y *lo;* desconoce *vosotros vais* y

(1) Véase A. MILLARES CARLO, *Una crónica primitiva de la conquista de Gran Canaria,* Museo Canario, II, 1935, núm. 5, págs. 56-83

emplea en lugar suyo *ustedes van;* y al igual que ocurre en América, usa mucho el perfecto simple en vez del compuesto (*"vine hoy"*; *"¿te caíste,* mi niño?" *"¿dónde estuvieron?"*) El léxico canario conserva algunas voces guanches *(gofio, gánico* 'vasija de barro', *baifo* 'cabrito' *chénique* 'piedra del hogar') y arcaísmos del castellano contemporáneo de la conquista *(asmado* 'atónito'; *besos* 'labios', esp. medieval *bezos; apopar* 'adular'). Situadas las islas Canarias en la ruta de las navegaciones portuguesas, se asentaron allí gentes del Occidente peninsular: muy abundantes son los términos de origen gallego o portugués, como *fechar* 'cerrar', *ferruje* 'herrumbre', *magua* 'desconsuelo', *garruja* 'llovizna' (port. dialectal *caruja), cachimba* 'pipa', y otros más. Por último, la comunicación con América ha dado lugar a la introducción de *guagua* 'camión, autobús', *atorrarse* 'vagar, holgazanear', *buchinche* 'tenducho, taberna', *machango* 'bromista', *rascado* 'ofendido' y otros vocablos o acepciones nacidos al otro lado del Atlántico (1).

---

(1) Véanse J. RÉGULO PÉREZ, *Bibliografía crítica de los estudios relativos a Canarias,* Sup. bibliográfico de la Rev. Portuguesa de Filología, 1949; L. y A. MILLARES, *Léxico de Gran Canaria,* Las Palmas, 1924, refundido por A. MILLARES con el título de *Cómo hablan los canarios,* Las Palmas, s. a.; M. L. Wagner, Rev. de Filol. Esp., XII, 84 y sigts; J. ALVAREZ DELGADO, *Puesto de Canarias en la investigación lingüística,* La Laguna, 1941; *Notas sobre el español de Canarias,* Rev. de Dialectol. y Trad. Pop., III, 1947, y *Nuevos canarismos,* Ibíd., IV, 1948; SEBASTIÁN DE LUGO, *Colección de voces y frases provinciales de Canarias,* ed., pról. y notas de J. PÉREZ VIDAL, Santa Cruz de la Palma-La Laguna, 1946; J. RÉGULO PÉREZ, recensión de la obra anterior en Revista de Historia, 1947; J. PÉREZ VIDAL, *Aportación de Canarias a la población de América,* Anuario de Estudios Atlánticos, 1955; M. ALVAR, *El español hablado en Tenerife,* Madrid, 1959, y D. CATALÁN, *El español en Canarias,* Presente y Futuro de la L. Esp., I, 1963, 239-280, etc.; J. ALVAREZ DELGADO ha publicado además importantes estudios de lingüística y toponimia guanche *(Miscelánea guanche. Benahoare,* 1942; *Teide. Ensayo de filología tinerfeña,* 1945).

## XVI.  EL JUDEO-ESPAÑOL

La mayoría de los judíos expulsados de España por
los Reyes Católicos se estableció, tras diversas vicisitudes,
en muchos puntos del imperio turco. Allí fundaron núcleos que se enriquecieron pronto con el comercio. Otros
emigrados se repartieron por el Norte de Africa. Los judíos de Marruecos y Oriente han conservado con tenaci-
dad sus tradiciones. En boca suya se encuentran romances y dichos antiguos que se han olvidado en la Península.
El español se sigue empleando en las comunidades sefardíes, incluso en las que se han trasladado al Nuevo Mundo, y se ha extendido a judíos de otras procedencias.
Aunque al principio los sefardíes se agruparon según las
regiones españolas de origen, y aunque subsisten variedades de pronunciación y vocabulario, se ha llegado a una
mezcla lingüística inteligible para todos; las diferencias son
mayores en el habla familiar.

El interés que ofrece el judeo-español consiste en su
extraordinario arcaísmo; no participa en las principales
transformaciones que el español ha experimentado desde
la época de la expulsión. Su sistema fonológico es casi
igual que el de Nebrija, con distinción entre $x$ y $j$, $ç$ y $z$,

*ss* y *s*. Los sonidos *x* y *j* mantienen en los Balcanes su originaria articulación palatal, que es sorda *(š)* en *bruxa, dixo* y sonora *(ž* o *dž)* en *hijo, jugar;* en Marruecos estos fonemas contienden con la χ velar, extendida por la influencia del español peninsular moderno. En las sibilantes ha desaparecido la oposición entre las ápico-alveolares *s-, -ss-, -s-* y las dentales *c, ç, z,* eliminándose, como en andaluz y español de América, las articulaciones ápico-alveolares; pero se conserva la distinción entre sordas y sonoras, de modo que *ç, c* y *s-, -ss-* han confluído en una *s* predorsal sorda semejante a la andaluza y a la del francés *poisson,* mientras *z* y *-s-* se han fundido en *s* predorsal sonora como la de *maison.* No obstante, el judeo-español de Larache usa frecuentemente la θ del castellano moderno; por el contrario, en Oriente quedan restos de la *z* africada primitiva, como *ondse* 'once', *dodsena* 'docena', *podsu* 'pozo' o, con palatalización, *dodže, podžo.* Por su parte, la *s* ante consonante se palataliza, como en el castellano del siglo XVI *(mošca, pišcadu).* La antigua distinción entre *b* oclusiva y *v* fricativa ha desaparecido en Marruecos, donde al igual que en el español general moderno, sólo existe un fonema bilabial sonoro, articulado como *b* oclusiva o como *b* fricativa, según la posición o sonidos inmediatos. En Oriente perdura la distinción, y la *v* es labiodental en muchos puntos; también lo es en el sefardí de Nueva York, de origen esmirniano. La *f* inicial vacila entre el mantenimiento *(fazer, ferir),* la aspiración *(quehacer, huero)* y la pérdida *(ižo, ermosu);* domina la *f* en Bosnia, Macedonia y Salónica; en cambio, son raros los casos de conservación en Rumanía, Bulgaria y Turquía; en Marruecos se desconoce la aspiración. En los grupos romances subsiste la *b* implosiva *(bibda* 'viuda', *sibdad* 'ciudad') como en el español del siglo XV.

También es notable el arcaísmo de las formas gramaticales. Persisten *só, estó, vó, dó*, y las terminaciones *topás, querés, sos, amá* 'amad'. Hay aglutinación del imperativo con el pronombre *(quitalde, trailde)*. Se desconocen *vuestra merced* y *usted:* como tratamiento de respeto se usan *vos* en Marruecos y *él, eya*, en Oriente. Subsisten muchas palabras anticuadas en España, como *agora, avagaroso* 'lento', *amatar* 'apagar', *ambesar* 'enseñar' (esp. antiguo *abezar, avezar), güerco* 'diablo' (antiguo *huerco), kamareta* 'habitación', *adobar* 'preparar', *fadar* 'destinar, lograr', etc. Otras como *mansebu, topar*, que en España son de empleo literario o restringido, corren con todo vigor en judeo-español.

Se han generalizado rasgos de dialectos españoles, como el grupo *mb (palombica)* o las vocales finales *i, u (árbolis, entonsis, piliscus* 'pellizcos'). Incorporados al habla común viven el gallego *ainda* 'aún', el aragonés *lonso (onso* 'oso'), el leonés o portugués *šumarada* 'llamarada' y otras voces de diverso origen. El elemento portugués es importante como consecuencia de haberse refugiado en Portugal durante algún tiempo buen número de judíos expulsos de España. Arrojados también de Portugal, judíos lusitanos y españoles convivieron en Amsterdam y en Oriente. Así emplea el judeo-español lusismos como *anojar* 'enojar', *embirrarse* 'enfurecerse'. *froña* 'funda' y muchos más.

En judeo-español la *l* ha pasado a *y (eya, yebar)*, como en el Mediodía de España y en América; entre vocales es frecuente la pérdida de esta *y (castio, bolsío, amaría, gaina, aí* por *castillo, bolsillo, amarilla, gallina, allí* en Marruecos; *ea* 'ella' en los Balcanes). En principio de palabra, la *s* genera una *f* o *h* aspirada ante el diptongo *ué: suegra, zueco, sueño* se convierten en *esfuegra* o *isfuegra, esfueco* o *isfueco, esfueño* o *ishueño*. Las velares y labiales originan la inserción de una *w, laguar, guato, puadre, alducuera* 'faldri-

quera o faldiquera', al lado de las formas puras *gato, padre*.
Abundan las metátesis como *acodrarsi, bedri, guadrar,* por
'acordarse', 'verde', 'guardar'. La diptongación ofrece irregularidades como *rogo, queres, preto, adientro, pueder*. Y
la *n* inicial tiende a cambiarse en *m,* no sólo en *mosotros
mos,* como en español vulgar, sino en otros casos, como
*muebo* 'nuevo'.

Ya en la Edad Media el lenguaje de los judíos españoles tenía particularidades debidas a influencia religiosa y
a la tradición hebrea. Decían *el Dió,* en lugar de *Dios,* que
les parecía un plural propio del trinitarismo cristiano; empleaban mucho los verbos en *-iguar (fruchiguar* 'dar fruto',
*aboniguar),* con los cuales traducían la voz causativa del
hebreo. De uso especial suyo eran los vocablos *meldar* 'me-
ditar', actualmente 'leer los libros sagrados'; *huesmo* 'olor',
hoy *güesmo;* y hebraísmos como *oinar* 'endechar' y *mazal*
'destino'. A través de ellos pasaron al español las palabras
de origen hebraico *malsín, máncer;* más problemático es
*desmazalado,* que en su sentido habitual de 'indolente, irre-
soluto, descuidado' está en indudable conexión con el gallego *desmacelado,* port. *desmazelado* ( < m a c ĕ l l a ) ; pero
en la acepción de 'desdichado', usual entre los sefardíes,
revela claro influjo de *mazal* (1). La influencia bíblica se
ha acentuado desde el siglo xvi; muchas voces hebreas se
mezclan entre las españolas.

La decadencia del judeo-español es progresiva y abrumadora. Dejó de ser lengua de cultura y quedó reducido
al ámbito familiar. Su léxico primitivo se ha empobrecido
extraordinariamente, mientras se adoptaban infinidad de
expresiones turcas, griegas, rumanas, eslavas o árabes. Nu-
tridos contingentes sefardíes han emigrado a países lejanos, como Estados Unidos, donde las generaciones jóve-

---

(1) Véase Y. MALKIEL, Hispanic Review, XV, 1947.

 nes, al acomodarse al nuevo ambiente, van olvidando rasgos de la lengua tradicional. Otro tanto ocurre en Marruecos, bajo la influencia del español peninsular. La última guerra mundial ha diezmado o aniquilado las comunidades judías de los Balcanes. Todo haría augurar la ruina de esta preciosa supervivencia si el tenaz apego de muchos sefarditas no obligase a mantener esperanzas (1).

(1) Entre la abundante bibliografía relativa al judeo-español véanse especialmente M. Grünbaum, *Judisch-Spanische Chrestomathie*, Frankfurt a. Main, 1896; J. Subak, *Zum Judenspanischen*, Zeitschr. f. rom. Philol, XXX, 1906; L. Lamouche, *Quelques mots sur le dialecte espagnol parlé par les Israélites de Salonique*, Romanische Forschungen, XXIII, 1907; A. S. Yahuda, *Contribución al estudio del judeo-español*, Rev. de Filol. Esp., II, 1915; W. Simon, *Charakteristik des judenspanischen Dialekts von Saloniki*, Zeitschr, f. r. Philol., XL, 1920; M. L. Wagner, *Judenspanisch-Arabisches*, Ibid., 1920; *Algunas observaciones generales sobre el judeo-español de Oriente*, Revista de Filol. Esp., X, 1923; *Caracteres generales del judeo-español de Oriente*, Madrid, 1930; *Espigueo judeo-español*, Rev. de Filol. Esp., XXXIV, 1950; y *As influéncias recíprocas entre o portgués e o judeo-español*, Revista de Portugal, núm. 86; A. Castro, *Entre los hebreos marroquíes*, Revista Hispano Africana, I, 1922; D. S. Blondheim, *Les parlers judéo-romans et la Vetus Latina*, París, 1925; S. Mézan, *Les Juifs espagnols en Bulgarie*, Sofía, 1925; J. Benoliel, *Dialecto judeo-hispano-marroquí o hakitía*, Bol. de la R. Acad. Esp., XIII, XIV y XV, 1926-1928; K. Baruch, *El judeo-español de Bosnia*, Rev. de Filol. Esp., XVII, 1930; M. Luria, *A study of the Monastir dialect of Judeo Spanish*, Rev. Hisp., LXXIX, 1930; J. A. van Praag, *Restos de los idiomas hispano-lusitanos entre los sefardíes de Amsterdam*, Bol. Ac. Esp., XVIII, 1931; C. M. Crews, *Recherches sur le judéo-espagnol dans le pays balkaniques*, París, 1935; *Notes on Judeo-Spanish*, Proceedings of the Leeds Philosoph. Soc., VII-VIII, 1955-56; G. W. Umphrey & Emma Adatto, *Linguistic Archaisms of the Seattle Sephardim*, Hispania, California, XIX, 1936; P. Bénichou, *Observaciones sobre el judeo-español de Marruecos*, Rev. de Filología Hisp., VII, 1945; Danah Levy, *La pronunciación del sefardí esmirniano de Nueva York*, Nueva Rev. de Filol. Hisp, VI, 1952; Manuel Alvar, *Endechas judeo-españolas*, Granada, 1953; Henry R. Kahane y Sol Saporta, *The verbal categories of Judeo-Spanish*, Hispanic Review, XXI, 1953; I. S. Révah, *Formation et évolution des parlers judéo-espagnols des Balkans*, Ibérida, n.º 6, 1961.

## XVII. EL ESPAÑOL DE AMERICA

Cuando decimos "español de América", pensamos en una modalidad de lenguaje distinta a la del español peninsular, sobre todo del corriente en el Norte y Centro de España. Sin embargo, esa expresión global agrupa matices muy diversos: no es igual el habla cubana que la argentina, ni la de un mejicano o guatemalteco que la de un peruano o chileno. Pero, aunque no exista uniformidad lingüística en Hispanoamérica, la impresión de comunidad general no está injustificada: sus variedades son menos discordantes entre sí que los dialectalismos peninsulares, y poseen menor arraigo histórico. Mientras las diferencias lingüísticas de dentro de España han tenido en ella su cuna y ulterior desarrollo, el español de América es una lengua extendida por la colonización; y ésta se inició cuando el idioma había consolidado sus caracteres esenciales y se hallaba próximo a la madurez. Ahora bien, lo llevaron a Indias gentes de abigarrada procedencia y desigual cultura; en la constitución de la sociedad colonial tuvo cabida el elemento indígena, que aprendió de sus señores, y más aún de los misioneros, la lengua española, modificándola en mayor o menor grado, según los hábitos de la pronunciación nativa, o conservó sus idiomas originarios, con progresiva infiltración de hispanismos; durante más de cuatro centurias, la constante afluencia de emigrados ha introducido innovaciones. Y si la convivencia ha hecho que regionalismos y vulgarismos se diluyan en un tipo de expresión hasta cierto punto común, las condiciones en que todos estos factores han intervenido en cada zona de Hispanoamérica han sido distintas y explican los particularismos. El estudio del español de América está, por tanto, erizado de problemas cuya aclaración total no será posible sin conocer detalladamente el origen regional de los conquistadores y primeros colonos de cada país, sus relaciones con los indios, el desarrollo del mestizaje, las inmigraciones posteriores y la acción de la cultura y de la administración durante el período colonial y el siglo xix. Mientras tanto, ofrecemos al lector un resumen de los datos que hoy se poseen y de las cuestiones lingüísticas hasta ahora suscitadas (1).

---

(1) Para el conocimiento del español de América son de interés primordial los estudios de Rufino José Cuervo, *Apuntaciones críticas sobre el lenguaje bogotano*, Bogotá, 1867, muchas veces reeditado: M. L. Wagner, *Amerikanisch-Spanisch und Vulgärlatein*, Zeitschr. f. rom. Philol., XL, 1920, y *Lingua e Dialetti dell'America Spagnola*, Firenze, 1949; Pedro Henríquez Ureña, *Observaciones sobre el español de América*, Rev. de Filol. Esp., VIII, 1921; XVII, 1930, y XVIII, 1931; Amado Alonso, *El problema de la lengua en América*, Madrid, 1935; *La Argentina y la nivelación del idioma*, Buenos Aires, 1943, y *Estudios lingüísticos. Temas hispanoamericanos*, Madrid, 1953; Américo Castro, *La peculiaridad lingüística rioplatense*, B. Aires, 1941 y Madrid, 1960; Ch. E. Kany, *American-Spanish Syntax*, 1945 y 1951); Bertil Malmberg, *L'espagnol dans le Nouveau Monde. Problème de linguistique générale*, Studia Linguistica, 1947 y 1948; Angel Rosenblat, *Lengua y cultura de Hispanoamérica. Tendencias actuales*, Caracas, 1949 y 1962, y *La población indígena y el mestizaje en América* (2.ª ed.), Buenos Aires, 1954. Indispensable instrumento de trabajo es la *Biblioteca de Dialectología Hispanoamericana*, publicada por el Instituto de Filología de Buenos Aires, cuyos siete volúmenes aparecidos comprenden: I y II (1930 y 1946), Aurelio M. Espinosa, *Estudios sobre el español de Nuevo Méjico*, trad., reelaboración, notas y estudios complementarios de Amado Alonso y Angel Rosenblat; III (1930), E. F. Tiscornia,

LAS LENGUAS INDÍGENAS Y SU INFLUENCIA.

Como el latín en el Occidente de Europa, el español se sobrepuso en América a multitud de lenguas primitivas. Su variedad era extraordinaria: se calcula en unos 170 los grupos de idiomas que han existido o subsisten en los núcleos de población india, sólo en América del Sur, parte de la Central y las Antillas. Las que han dejado más huellas en el habla hispanoamericana son el *arahuaco*, de las Antillas, hoy desaparecido; el *caribe*, del Sur de las Antillas, Ve-

*La lengua de Martín Fierro*; IV (1938), *El español en Méjico, los Estados Unidos y la América Central*, trabajos de E. C. HILLS, F. SEMELEDER, C. C. MARDEN, M. G. REVILLA, A. R. NYKL, K. LENTZNER, C. GAGINI y R. J. CUERVO, con anotaciones y estudios de P. HENRÍQUEZ UREÑA; V (1940), P. HENRÍQUEZ UREÑA, *El español en Santo Domingo;* VI (1940), *El español en Chile*, trabajos de R. LENZ, ANDRÉS BELLO y R. OROZ, trad., notas y apéndices de A. ALONSO y R. LIDA, y VII (1949), BERTA ELENA VIDAL DE BATTINI, *El habla rural de San Luis*, Parte I. Además han puntualizado y modernizado noticias sobre diversos aspectos del español de América P. M. BENVENUTO MURRIETA, *El lenguaje peruano*, I, Lima, 1936; R. L. PREDMORE, *Pronunciación de varias consonantes en el esp. de Guatemala*, Rev. de Filol. Hisp., VII, 1945; B. MALMBERG, *Notas sobre la fonética del esp. en Paraguay*, Lund, 1947, y *Etudes sur la phonétiqu de l'espagnol parlé en Argentine*, Lund, 1950; el excelente libro de TOMÁS NAVARRO, *El esp. en Puerto Rico*, Río Piedras, 1948, y su artículo *Apuntes sobre el español dominicano*, Rev. Iberoamericana. XXI, 1956; LUIS FLÓREZ, *El esp. hablado en Montería y Sincelejo* [Colombia], Bogotá, 1949, y *La pronunciación del esp. en Bogotá*, Ibíd., 1951; FRANCISCO SÁNCHEZ ARÉVALO, *Notas sobre el lenguaje de Río de Oro* [Colombia], Bogotá, 1950; JOSEPH MATLUCK, *La pronunc. del esp. en el valle de México*, México, 1951; HUMBERTO TOSCANO MATEUS, *El esp. en El Ecuador*, Madrid, 1953; D. L. CANFIELD, *Andalucismos en la pronunc. salvadoreña*, Hispania, XXXVI. 1953; B. E. VIDAL DE BATTINI, *El español de la Argentina*, B. Aires. 1954 (2.ª ed., I, 1964); A. ROSENBLAT, *Lengua y cultura de Venezuela* [Caracas, 1955]; RUBÉN DEL ROSARIO, *La lengua de Puerto Rico*, San Juan, 1955, y *Consideraciones sobre la lengua en Puerto Rico*, San Juan, 1958; MANUEL ALVAREZ NAZARIO, *El arcaísmo vulgar en el esp. de Puerto Rico*, Mayagüez, 1957, etc. Muy útil es el repertorio de MADALINE W. NICHOLS, *A bibliographical guide to materials on American Spanish*, Harvard Univ. Press, 1942, así como la *Crónica bibliográfica hispano-americana* de M. L. WAGNER, Supl. bibliogr. de la Rev. Portuguesa de Filol., 1950.

nezuela y Guayanas; el *náhuatl,* principal lengua del imperio mejicano; el *quechua,* del Perú, extendido por los incas a lo largo de los Andes, desde el Ecuador hasta el Norte de Chile y Noroeste de Argentina; el *araucano* o *mapuche,* refugiado en el Sur de Chile, y el *guaraní,* hablado en las cuencas del Paramá y Paraguay y en el Brasil.

Es muy discutido el posible influjo de las lenguas indígenas en la pronunciación del español de América. Su más destacado paladín fué Rodolfo Lenz, quien, estudiando el habla vulgar de Chile, llegó a afirmar que era "principalmente español con sonidos araucanos". Pero su tesis ha ido perdiendo terreno; en realidad, casi todos los hechos alegados como pervivencia o resultado de la fonética india corresponden a fenómenos similares atestiguados en España o en otras regiones de América; y, por tanto, es lógico suponer que haya habido desenvolvimientos paralelos dentro del español, sin necesidad de recurrir al substrato indio. Conforme ha mejorado el conocimiento de la articulación hispánica, normal y dialectal, ha sido rechazado el supuesto araucanismo de las fricativas *b, đ, g,* del paso de *s* final a *h,* de la existencia de *f* bilabial y de otros rasgos que Lenz creía característicos de Chile. Más tarde se ha demostrado que la conversión de *r* y *rr* en fricativas asibiladas o chicheantes, señalada también como araucanismo *(un řoto, otřo, pondřé,* de la pronunciación chilena o gauchesca) es un proceso de relajación espontánea que se registra en casi toda América y en Navarra, Aragón, Alava y Rioja (véase pág. 308). Tampoco se deben al substrato indio ciertas particularidades que son desarrollo autóctono de posibilidades latentes en los fonemas españoles: en Chile se palatalizan χ *(g, j* ortográficas) y *g (gu* ortográfica) ante *e, i (yefe* o *yiefe* 'jefe', *muyer* o *muyier* 'mujer'; *yerra* 'guerra', *hiyero* 'higuero'); la χ suena como *y* sorda semejante a !a *ch* alemana de *ich, gleichen,* y suele desarrollar a continuación una *i* semiconsonante; la *g* suena como *y* sonora articulada más hacia el centro de la boca y más estrecha que la *y* normal española; el cambio, que recuerda el desplazamiento análogo de la *ǵ* latino-vulgar (g e r m a n u > y e r - m a n u), obedece sin duda a la simple atracción ejercida por la vocal. De igual modo la conversión del grupo -*dr*- en -*gr*- (*piegra, vigrio, pagre, lagrillo*, en Chile, Argentina, Uruguay y Paraguay; *magre, lagrar*, en Méjico y Nuevo Méjico) se explica satisfactoriamente por equivalencia acústica, como las alternancias peninsulares *médano* y *mégano, dragea* y *gragea*.

No puede rechazarse de plano, sin embargo, la influencia de las hablas indígenas en otros casos. El Padre Juan de Rivero, que escribe hacia 1729 una historia de las misiones en el interior venezolano, se excusa de sus incorrecciones diciendo: "No es pequeño estorbo el poco uso de la lengua castellana que por acá se encuentra, pues con la necesidad de tratar a estas gentes en sus idiomas bárbaros, se beben insensiblemente sus modos toscos de hablar y se olvidan los propios". Donde más se evidencia el influjo indígena es en la población bilingüe; pero sus hábitos se extienden a veces entre quienes ya no hablan lenguas primitivas. Los indios y el vulgo de la Sierra ecuatoriana confunden a cada paso *e* con *i* y *o* con *u* (*me veda* 'mi vida', *mantica* 'manteca', *dolsora* 'dulzura', *tríbul* 'trébol') porque el quechua sólo tiene tres vocales —una *a*, una palatal y una velar— en vez de las cinco españolas. Es probable que la conservación de *ļ* en el español de regiones bilingües andinas haya tenido apoyo en los substratos quechua y araucano, ya que estas dos lenguas poseen el fonema *ļ*. Los yucatecas, incluso en ambientes cultos, pronuncian su español con las "letras heridas" del maya (*p', t', k', ch', tz'*), cuya articulación oral va seguida por una oclusión en la glotis. Muy probable es que se mantengan caracteres prehispánicos en la entonación hispanoamericana, tan distinta de la española. La entonación americana, rica en variantes, prodiga subidas y descensos melódicos, mientras la castellana tiende a moderar las inflexiones, manteniéndose alrededor de una nota sostenida y equilibrada. Cabe admitir influjos de igual origen, primitivos o no, en el ritmo del habla, que altera la regular duración de las sílabas: el mejicano abrevia nerviosamente las no acentuadas (*palabrs, viejsit* 'viejecito', *pas-sté* 'pase usted'), mientras el argentino se detiene con morosidad antes del acento y en la sílaba que lo lleva, y el cubano se mueve con perezosa lentitud. En la morfología, salvo en zonas bilingües, escasean los restos indígenas. Del sufijo náhuatl *-ecatl*, abundante en gentilicios, procede el *-eca, -eco* de *azteca, tlascalteca, guatemalteco,* etc., y también el *-eco* con que en Méjico y América Central se forman muchos adjetivos indicadores de defectos físicos (*cacareco* 'picado de viruelas, cacarañado', *chapaneco* 'achaparrado', *bireco* 'bizco, torcido, virado'. En Arequipa (Perú) y en el Noroeste argentino el posesivo quechua *y* se pospone a vocablos españoles en casos de fuerte valor expresivo, como los vocativos *viday, viditay* 'mi vida', 'mi vidita', *agüelay* 'mi abuela". El diminutivo *-la,* quechua también, es el origen del *-la, -l-* de *vidala, vidalita,* usadas en las mismas regiones de la Sierra argentina (1).

(1) Véanse R. LENZ, *Chilenische Studien, Phonetische Studien* de W. Viëtor, 1892-1893, y *Beiträge zur Kenntniss des Amerikano-spanisch,* Zeitschr. f. r. Philol., XVII, 1893, estudios traducidos y discutidos en Bibl. de Dial. Hisp., VI; AMADO ALONSO, *Examen de la teoría indigenista de Rodolfo Lenz,* Rev. de Filol. Hisp., I, 1939, y *Substratum y superstratum,* Ibíd., III, 1941; M. L. WAGNER, Romanische Forschungen, LXI, 1948, pág. 13, y Nueva Rev. de Filol. Hisp, IV. 1950, págs. 105-114; MARCOS A. MORÍÑIGO, *Difusión del español en el Noroeste argentino,* Hispania, XXXV, 1952; H. TOSCANO, op. cit.,

La contribución más importante y segura de las lenguas indígenas está en el léxico. Los españoles se encontraron ante aspecto desconocidos de la naturaleza, que les ofrecía plantas y animales extraños a Europa, y se pusieron en contacto con las costumbres indias, también nuevas para ellos. A veces aplicaron términos como *níspero, plátano, ciruela* a árboles y frutas que se asemejaban a los que en España tienen esos nombres, o llamaron *león* al puma y *tigre* al jaguar. Pero de ordinario se valieron de palabras tomadas a los nativos. El más antiguo y principal núcleo de americanismos procede del arahuaco, pues siendo las Antillas las primeras tierras que se descubrieron, fue en ellas donde los conquistadores conocieron la naturaleza y vida del Nuevo Mundo. Arahuacas son *canoa, cacique, bohío, maíz, batata, carey, caníbal, naguas o enaguas, sabana* 'llanura', *nigua, guacamayo, tabaco, tiburón, yuca;* aprendidas en la Española (hoy Santo Domingo y Haití), algunas voces arahuacas se extendieron después a otras regiones americanas, como sucedió con *maíz, cacique, hamaca,* etc. El náhuatl proporcionó *aguacate, cacahuete, cacao, chocolate, hule, petate, nopal, petaca, jícara, liza, tocayo* y otras; el quechua, *alpaca, vicuña, guano, cóndor, mate, papa* 'patata', *pampa* y algunas más; de origen guaraní son *ñandú, tapir y gaúcho* > gaucho. Es crecidísimo el número de palabras indígenas familiares en América y desconocidas en España: así los arahuacos *ají* 'pimiento' e *iguana* 'cierto reptil comestible'; los nahuas *guajolote* 'pavo' o *sinsonte* 'cierto pájaro cantor'; los quechuas *china* 'mujer india', *chacra* 'granja', *choclo* 'maíz tierno', corrientes en toda América del Sur; el guaraní

páginas 50-52; PETER BOYD-BOWMAN, *La pérdida de las vocales átonas en la altiplanicie mexicana,* Nueva Rev. de Filol. Hisp., VI, 1952, y *Sobre la pronunciación del esp. en el Ecuador,* Id., VII, 1953, 225; A. ZAMORA VICENTE y M. J. CANELLADA DE ZAMORA, *Vocales caducas en el esp. mexicano,* Id., XIV, 1960, 221-241.

*ombú* 'árbol de la Pampa', el guaradí *bagual,* potro salvaje',
el araucano *malón* 'irrupción o ataque de indios', etc. (1).

## El andalucismo del habla americana.

El español que pasó a América en los primeros tiempos
de la colonización tenía que diferir poco del que llevaron a
Oriente los sefardíes. Pero mientras el judeo-español quedó inmovilizado por el aislamiento y bajo la presión de
culturas extrañas, el español de América, que no perdió
nunca su comunicación con la metrópoli, experimentó la
mayoría de los cambios acaecidos en la Península. En
primer lugar sufrió la transformación consonántica del
siglo XVI. Las labiales *b* y *v,* que sonaban de distinto
modo en un principio, acabaron por confundirse (2). Se
ensordecieron *z, -s-* y *j,* que pasaron a tener igual articulación que *ç, -ss-* y *x.* Y el sonido de *j* y *x,* dejó de ser
palatal (3) y se retrajo, como en España, hacia el velo del
paladar o la faringe. Dentro de estas líneas generales el
español de América se separa del de Castilla en rasgos
que coinciden con otras regiones, especialmente con el
Mediodía de España: las cuatro sibilantes *ş, ss, ç* y *z* se
han fundido en una *s* de articulación muy varia, pero más

---

(1) Véanse R. Lenz, *Diccionario etimológico de voces chilenas de-
rivadas de lenguas indígenas americanas,* Santiago de Chile, 1904-1910;
G. Friederici, *Amerikanistisches Wörterbuch,* 2.ª ed , Hamburg, 1960;
A. Zayas, *Lexicografía antillana,* 2.ª ed , Habana [1932]; E. Tejera,
*Palabras indígenas de la isla de Santo Domingo,* Santo Domingo, 1935;
M. A. Moríñigo, *Las voces guaraníes del Diccionario Académico,*
Bol. Acad. Argentina de Letras, III, 1935; P. Henríquez Ureña, *Palabras antillanas en el Diccionario de la Academia,* Revista
de Filol. Esp., XXII, 1935, y *Para la historia de los indigenismos,*
Buenos Aires, 1938; y Tomás Buesa Oliver, *Indoamericanismos
léxicos en español,* Madrid, 1965.
(2) Véase pág. 245.
(3) Palatal era todavía cuando entraron en araucano préstamos
como *ovicha* 'oveja', *chalma* 'jalma', ant. *xalma,* que representan con *ch*
la *j* y *x* antiguas, no existentes en araucano.

cercana, por lo general, de la *s* andaluza que de la castellana y norteña. En posición implosiva la *s* queda reducida a una aspiración *(lŏʰ, otrŏʰ, bŏʰque)*, que se asimila con frecuencia a la consonante siguiente *(miʰmo > mimmo)* y a veces le quita sonoridad *(reʰbalar > refalar, diʰgusto > dijusto)*; cuando la aspiración llega a desaparecer, ocurre en algunos países que la distinción entre singular y plural o entre la segunda y tercera persona verbales se hace, como en andaluz oriental y murciano, mediante diferencias de timbre y de duración en las vocales finales: el hecho se ha registrado hasta ahora en Puerto Rico *(campo*, sing., frente a *campǫ* 'campos'; *dise* 'dice', frente a *disę* 'dices')* y en Uruguay *(libro, diente*, sing., frente a *librǫ, dientę*, pl.; o bien *todo, la casa*, sing., frente a *todo:, la: casa:*, pl.); pero seguramente se encontrará en otros sitios (1). En la mayor parte de América la *ll* ha pasado a *y*, y en el Río de la Plata, la Sierra ecuatoriana y parte de Méjico ha adquirido el zumbido rehilante de la *z* (2). En el Caribe y costas del Pacífico se truecan o pierden *-r* y *-l* implosivas (3). Area parecida, más extensa, tiene la pronunciación de la *j* como aspiración faríngea *ʰ*. Y en el ambiente rústico de muchas regiones se aspira la *h* procedente de *f* latina, *ʰarto* o *jerto, ʰablar* o *jablar*.

Las coincidencias del español de América con el de la España meridional han hecho suponer una fuerte influencia andaluza. No obstante, ha habido ilustres defen-

---

(1) Navarro Tomás, *El esp. en Puerto Rico*, 44, 46, 48; Washington Vasquez, *El fonema /s/ en el esp. del Uruguay*, Montevideo, 1953.

(2) Véanse *Bibl. de Dial. Hisp.*, I, nota de A. Alonso y A. Rosenblat a la pág. 192; A. Zamora Vicente, *Rehilamiento porteño* Filología, I, 1949; A. Alonso, *La ll y sus alteraciones en España y América*, en *Estudios lingüísticos. Temas hispanoamericanos*, Madrid, 1953; G. L. Guitarte, *El ensordecimiento del žeísmo porteño*, Rev. de Filol. Esp., XXXIX, 1955.

(3) Véase A. Alonso y R. Lida, Rev. de Filología Hispánica, VII, 1945.

— 350 —

sores de una tesis contraria, según la cual los fenómenos hispanoamericanos serían paralelos a los del Mediodía español, pero no descendientes de ellos. Se creía entonces que las fechas del seseo y ceceo andaluces y del yeísmo peninsular eran muy posteriores a las que hoy conocemos. Se argüía también que la conquista y colonización de Hispanoamérica no fueron obra exclusiva de andaluces, ni aun de andaluces y extremeños de manera predominante, sino que contribuyeron todas las regiones de España, en especial las dos Castillas y León, siendo asimismo considerable el número de vascos. Unas primeras estadísticas, las de Henríquez Ureña, parecían rotundamente favorables al antiandalucismo, pues arrojaban que en el siglo XVI los andaluces sobrepasaron en poco la tercera parte del total de emigrantes; reuniendo andaluces, extremeños y murcianos, la proporción llegaba al 49,1 por 100 (1). Un nuevo cómputo, operando con una masa documental tres veces mayor que la de Henríquez Ureña, ha cambiado por completo el aspecto de la cuestión: en los primeros años de la colonización, entre 1493 y 1508, el 60 por 100 de los que pasaron a Indias eran andaluces; y en el decenio siguiente las mujeres del reino de Sevilla sumaron los dos tercios del elemento femenino emigrado (2). Es decir, que durante el período antillano se formó en las islas recién descubiertas un primer estrato de sociedad colonial andaluzada, que hubo de ser importantísimo para

(1) P. Henríquez Ureña, *Sobre el problema del andalucismo dialectal de América*, Buenos Aires, 1932. Véase Guillermo L. Guitarte, *Cuervo, Henríquez Ureña y la polémica sobre el andalucismo de América*, Vox Romanica, XVII, 1958, y Thesaurus, XIV, 1959; R. Menéndez Pidal, *Sevilla frente a Madrid. Algunas precisiones sobre el esp. de Amér.*, Estructuralismo e Hist.ª, Homen. a A. Martinet, III, 1962, 101-165; R. Lapesa, *El andaluz y el esp. de América*, Presente y Futuro de la L. Esp., II, Madrid, 1964.

(2) Peter Boyd-Bowman, *Índice geobiográfico de cuarenta mil pobladores españoles de América en el siglo XVI, I, 1493-1519*, Bogotá, 1964, y *La emigración peninsular a América: 1520-1539*, Historia Mexicana, XIII, 1963.

el ulterior desarrollo lingüístico de Hispanoamérica. Añádase que Sevilla y Cádiz monopolizaron durante los siglos xvi y xvii el comercio y relaciones con Indias. En un momento en que la pronunciación estaba cambiando rápidamente a ambos lados del Atlántico, Sevilla fué el paso obligado entre las colonias y la metrópoli, de modo que para muchos criollos la pronunciación metropolitana con que tuvieron contacto fué la andaluza. Finalmente hay que tener en cuenta el influjo canario, tanto en la contribución demográfica cuanto como enlace entre América y la Península (1).

La revolución fonética del siglo xvi coincidió en América con la sedimentación de la lengua importada, que, generalizando o eliminando los diversos regionalismos, se encaminaba hacia un tipo común. Los que procedían de Castilla, León, Toledo, Extremadura y Murcia distinguirían al principio *ss* y *s* de *c, z*. Los andaluces confundirían *c, z, ss* y *s* en *s* coronal o predorsal, que al principio sería sorda para *c* y *ss*, sonora para *z* y *s* intervocálica, como en el judeo-español; después hubo de desaparecer la distinción quedando sólo la articulación sorda. La variedad no suponía, como en España, repartición regional, sino mezcla anárquica, ya que en cada punto se reunían gentes de distinto origen. Y nivelados los particularismos, se llegó como norma general a un seseo con *s* convexa o plana, no cóncava, como la del Norte peninsular (2). En 1525 se escribe ya en Méjico *mais, razo* 'raso', *calsas* 'calças', *çecuçión, piesas, ortalisa, sinquenta*, etc.; y en Cuba, en 1539, *çurto* 'surto', *oçequias* 'obsequias, exequias'. La antología titu-

___

(1) José Pérez Vidal, *Aportación de Canarias a la población de América*, Anuario de Estudios Canarios. 1956.

(2) La *s* de la sierra peruana sigue siendo ápicoalveolar; véase Revista de Filología Hispánica, III, 1941, pág. 164. También se ha registrado esta pronunciación en diversos puntos de Puerto Rico, Santo Domingo y Colombia.

lada "Flores de varia poesía" (Méjico, 1577), ofrece en su manuscrito original *cerenos, ançias, auzente* junto a *sierva* 'cierva', *asertaste, alcansaste;* bien es verdad que en ella predominan los líricos sevillanos, lo que hace suponer fuera recogida por un andaluz. Pero no es forzosa tal hipótesis, ya que el poeta Fernán González de Eslava, nacido al parecer en Tierra de Campos, escribe de su puño y letra en Méjico (1574) *mez*, 'mes', *desiséis, profeçión, concejo* 'consejo', e iguala en sus rimas *s* y *z* finales, alguna vez intervocálicas. Eslava hubo de contagiarse del seseo en el Nuevo Mundo, igual que Bernal Díaz del Castillo, natural de Medina del Campo: cuando el viejo conquistador escribe en Guatemala la *Historia verdadera* de la conquista (1568), su autógrafo muestra la más absoluta confusión de *s, ss, ç* y *z (sertificaba, abonansó, ençenada, vaçallo, apasible, pueblesuelo, payzes, quize, zuele,* etc.). Si queremos indagar cómo pudo llegar a ser tal la fonética de este castellano, no será descaminado atribuirlo a la convivencia con gentes como aquellos tres pilotos con quienes hizo una de sus travesías: "el más prencipal... se dezía Antón de Alaminos, natural de Palos, y el otro se dezía Camacho de Triana, y el otro... se llamava Joan Alvarez el manquillo, natural de Güelva", o como aquel capitán Luis Marín, natural de Sanlúcar, que "çeçeaba un poco como sebillano". Los indios aprendían el español con la misma dicción: hacia 1600 un "príncipe" quechua escribía *tezorero, fiezta, labransa, zoberbia, corasón* (1). Tras esta documentación del siglo XVI no puede sorprender que en 1688 el historiador Piedrahita, de Nueva Granada, escriba *maís, maisal, siénaga* 'ciénaga', y diga de los habitantes de Cartagena de Indias que "mal disciplinados en la pureza del idioma es-

(1) Véanse D. L. CANFIELD, *Spanish American Data for the Chronology of Sibilant Changes*, Hispania, XXXV, 1952, p. 28; y los estudios de MENÉNDEZ PIDAL y LAPESA citados en la pág. 350, nota 1.

pañol, lo pronuncian generalmente con aquellos resabios que siempre participan de la gente de las costas de Andalucía". Hacia la misma fecha, la escritora mejicana Sor Juana Inés de la Cruz insertaba en sus rimas casos de seseo. Hoy sólo quedan islotes de *z* antigua o moderna, entre los indios del Cuzco y Cerro de Pasco (Perú). En América el ceceo tiene menos extensión que en Andalucía; pero ha sido registrado hasta ahora en diversos puntos de Puerto Rico y Colombia, así como en zonas rurales de Argentina; es frecuente en El Salvador y Honduras, muy común entre las clases bajas de Nicaragua y bastante en las costas de Venezuela (1).

Los otros rasgos en que el español de América conviene con el del Mediodía peninsular, no son allí tan generales como el seseo. El yeísmo aparece atestiguado entre 1665 y 1695 por composiciones del poeta satírico peruano Juan del Valle Caviedes, y en 1772 por ejemplos guatemaltecos. Recuérdese que entre los moriscos andaluces está asegurado a principios del siglo XVII; además, no se debe olvidar que Valle Caviedes había nacido en Porcuna (Jaén) (véase pág. 320). La *l̦* persiste en una franja del interior colombiano; en Ecuador, en la parte meridional de la Sierra; en casi todo Perú, salvo Lima y parte de la costa; en casi toda Bolivia; Norte y Sur de Chile; Paraguay y regiones limítrofes argentinas, así como en el ambiente rural argentino del Noroeste. En el Norte y Centro de la Sierra ecuatoriana la *ll* no se articula como *l̦*, sino como *y* rehilada o *ž* mediopalatal, a veces africada; el rehilamiento la

---

(1) T. NAVARRO, *El esp. en Puerto Rico*, pág. 69; L. FLÓREZ, *La pron. del esp. en Bogotá*, § 87; D. L. CANFIELD, Hispania, XXXVI, 1953, págs. 32-33, y *La pronunciación del esp. en América*, págs. 78-81; B. E. VIDAL DE BATTINI, *El esp. de la Argentina*, p. 68; y HEBERTO LACAYO, *Apuntes sobre la pronunciación del esp. de Nicaragua*, Hispania, XXXVII, 1954, 268.

distingue de la *y (caže* 'calle', *estreža* 'estrella', frente a *maya, saya,* con *y* sin rehilar). La distinción entre *ž* (< *ļ)* y *y* también se observa en Orizaba (Méjico) y en la provincia argentina de Santiago del Estero (1).

La conservación de la *ħ* procedente de *f* latina o de aspiradas árabes se da en toda Hispanoamérica, aunque, como en España, no pasa de !os ambientes rústicos; de todos modos, carece de la vitalidad con que subsiste en el habla vulgar de Extremadura y Andalucía; por otra parte, muestra en América ejemplos como *ojrecer, jácil,* extraños a la Península. En cuanto a la *-s* final, se mantiene en la meseta de Méjico, en, algunas regiones andinas de Colombia y Ecuador, casi todo el Perú y Bolivia; en el resto de Hispanoamérica su paso a *ħ* y ulteriores asimilaciones o desaparición constituyen un proceso igual al que ha tenido en Extremadura, La Mancha, Andalucía y Murcia, atestiguado en el siglo xvi con el *Sofonifa* de Fernando Colón (véase pág. 322). En Nuevo Méjico, Colombia y entre las capas sociales inferiores de Chile y de otros países, la sustitución de *s* por *ħ* aspirada se propaga a la *s* intervocálica *(paħar* 'pasar', *caħas* casas') e inicial *(ħiempre* 'siempre'), como en las hablas rurales de la Sierra de Gata y ocasionalmente en Andalucía *(caħino* 'casino', *eħo* 'eso'). Y por lo que respecta a *-r* y *-l* implosivas, su confusión ya se encuentra atestiguada en Méjico en 1525, a los cuatro años de la conquista (véase pág. 323), lugar y fecha que impiden pensar en un fenómeno autóctono. A mayor abundamiento otras escrituras del mismo notario tienen numerosas confusiones de *s-, -ss-* y *-s-* con *c, ç* y *z,* además de que la equiparación de *-r* y *-l* era ya peculiar

---

(1) Véanse los artículos citados en la pág. 349, n. 2, y P. Boyd-Bowman, *Sobre restos de lleísmo en México,* Nueva Rev. de Filol. Hisp., VI, 1952, 69-74, y *Sobre la pronunciación del español en el Ecuador,* Id., VII, 1953, 224-6; H. Toscano, op. cit., 99-105.

de los andaluces en el siglo XVI. En América la confusión no es general: alcanza principalmente a territorios insulares y costeños, dejando libres el interior de Méjico, del Ecuador y del Perú, Bolivia y Argentina, salvo la región del Neuquén. La vocalización de -r y -l en i, registrada en Colombia, Santo Domingo y Puerto Rico (*vuei-vo* 'vuelvo', *taide* 'tarde', *poique* 'porque', *aiguien* 'alguien'), si no cuenta con paralelo en el español peninsular, sí lo tiene en el de Canarias (véase pág. 333).

Donde las semejanzas fonéticas con el habla de Andalucía son más estrechas es en las Antillas y costa del Caribe, sin duda como consecuencia del inicial predominio migratorio andaluz y de la continua relación con Canarias. En el Continente el habla de las altiplanicies se aproxima a la de Castilla mucho más que la de los llanos y costas, donde están más acentuadas las semejanzas con Andalucía; en las mesetas, como se ha indicado, subsiste la *s* implosiva, escasea la aspiración de la *h* y quedan restos de *s* alveolar. Para explicar esta repartición se ha supuesto que los castellanos se instalarían en las tierras altas, mientras que los andaluces preferirían las llanuras y el litoral, buscando unos y otros el clima más afín al de las regiones españolas de donde procedían. En tanto no se encuentre confirmación histórica para tal posibilidad, hay que pensar en el efecto lingüístico de la doble visita anual de la flota que salía de puertos andaluces y a ellos regresaba (1); y también en el influjo cultural de las ciudades de Méjico y Lima, importantes centros de la vida universitaria y administrativa durante la época colonial. Ya en 1604, Bernardo de Balbuena alaba la dicción de Méjico, "donde se habla el español lenguaje / más puro y con mayor cortesanía"; la comedia urbana de Ruiz de Alarcón es ejemplo de correc-

(1) R. MENÉNDEZ PIDAL, *Sevilla frente a Madrid*, antes citado

ción y refinamiento. La influencia de Lima se extendió a todo el virreinato peruano, del que formaba parte Bolivia. Añádase que como en estas comarcas abundaba la población india, la cual usaba sus lenguas nativas, el español debió de hacerse allí aristocrático y purista, mientras que en las llanuras la vida dispersa y ruda de los colonizadores favoreció su divorcio del lenguaje correcto.

Las coincidencias fonéticas del español americano con dialectos peninsulares norteños no alcanza a un conjunto de fenómenos comunes, como sucede con los andalucismos, sino sólo a rasgos aislados. Tal es el caso de la articulación asibilada ř y ř̃ para r y rr, que en España se da en Rioja, Navarra y Vascongadas (págs. 314 y 344), o de los vulgarismos *cáido, máiz, pior, tiatro, cuete,* que se extienden por las mismas regiones, Aragón y Castilla (páginas 299 y 362-3). El elemento vasco fue importante en la colonización. Otras veces la independencia de evolución a uno y otro lado del Atlántico es indudable: en Nuevo Méjico, Norte de Méjico, Guatemala y costas del Ecuador y del Perú desaparece la *y* procedente de *z* en contacto con una *i* o con una *e (gaína* 'gallina', *biete* 'billete', *amarío* 'amarillo', *botea* 'botella'); no parece admisible la influencia del asturiano *(fíu < fiyu* 'hijo', *uvea < uveya* 'oveja'), como tampoco la del judeo-español *(gaína, amarío),* a pesar de la identidad del proceso.

EL VOSEO.

Como ya se ha dicho, en la España del 1500 *tú* era el tratamiento que se daba a los inferiores o entre iguales con máxima intimidad; en otros casos, aun en confianza se empleaba *vos.* Cuando se generalizó *vuestra merced* (véase página 251), *tú* recobró terreno en el trato familiar. No todo América siguió esta innovación. En Argentina, Uruguay,

Paraguay, América Central y el estado de Chiapas (Sur de
Méjico) domina el *vos* en la conversación familiar con intensa y espontánea vitalidad; en Panamá, Colombia, Venezuela, Ecuador, Chile, Sur del Perú y Sur de Bolivia
alternan *tu* y *vos*. En Méjico, la mayor parte del Perú y
Bolivia, y en las Antillas, la vida social, más en contacto
con las costumbres españolas, adoptó el uso de *tu* y eli-
minó el *vos* (1). La segunda personal de plural es, en casi
toda América, *ustedes,* con absoluto abandono de *vosotros,*
como en el habla andaluza, pero sin la mezcla *ustedes os
sentáis,* tan frecuente en Andalucía occidental.

Las zonas que emplean el arcaísmo *vos* conservan con él
plurales de segunda persona *cantás, tenés, sabrés, salgás,
soltés, sos,* e imperativos *andá, poné, vení,* desechados por el
español normal durante el siglo xvi. Desde la Edad Media
era fácil el paso del *tú* al *vos* y viceversa; en América esa
oscilación ha dado lugar a multitud de confusiones: es corriente encontrar *vos* con un verbo en singular o con los
pronombres *te, tuyo: vos eras, vos te volvés, vos tomás
tu dinero;* inversamente, *te, tu, tuyo,* acompañan a un
verbo en plural: *vení a tu casa, sentáte* (que equival-
drían a *venid, sentáos,* dirigidos a un solo interlocutor).
La confusión aparece ya en Bernal Díaz, *façételo vos* (2).
No ha entrado en el lenguaje familiar americano el paso
*-stes* < *-steis* en las desinencias del perfecto, que hace
*vos engañastes, vos vistes,* como en los autores clásicos
(véase pág. 252); la confusión de *tú* y *vos* habilita *-stes*

para la segunda persona de singular, y entonces el resultado es igual a las formas analógicas del español vulgar *(tú) dijistes, (tú) hicistes.* En muchas regiones de América la *s* interior pasa a final *(comites, matates),* como en judeo-español y andaluz (v. pág. 303, nota).

### Otros fenómenos morfológicos y sintácticos.

En la morfología y sintaxis el español de América mantiene arcaísmos, lleva adelante innovaciones que están en germen dentro del peninsular, o inicia otras especiales. En España se crean frecuentemente terminaciones femeninas para los nombres y adjetivos que, por su forma, se escapan a la distinción genérica *(huéspeda, comedianta, bachillera),* y saca masculinos de femeninos *(ovejo),* o al contrario *(demonia);* en distintos países de América se dice *antiguallo, hipócrito, pleitisto, feroza, serviciala.* Subsiste el plural *las casas* 'la casa', así como postverbales masculinos que en España han sido sustituídos por los femeninos *(llamado, vuelto,* en vez de *llamada, vuelta);* no obstante, el sufijo *-ada* es prolífico en nombres de acción y efecto *(atropellada* 'atropello', *insultada* 'insulto', *conversada* 'conversación'). El diminutivo y el aumentativo, ya tan frecuentes en España, se usan con profusión: *ranchito, platita, aurita* 'ahora', *nunquita, naitina* ('nadita' + *-ina); amigazo, lindazo, paisanazo.* En el Río de la Plata, Chile y otros países *-azo* sirve para formar superlativos ("venía *cansadazo*"). El adjetivo adverbializado se una más que en la Península ("nos íbamos *suavecito*", "los hombres iban *lento*"). En el pronombre es de notar el vulgarismo *a yo, con yo,* extendido desde América Central hasta el Perú, y la sustitución de *nuestro* por *de nosotros.* Como en Galicia,

Asturias y León, y como en castellano antiguo, *vine* aparece en muchos casos donde el español peninsular prefiere hoy *he venido;* y el literario *viniera* por *había venido* muestra en América mayor arraigo que en España. Las perífrasis se extienden a costa del futuro: *he de contar, va a decir* restringen el uso de *contaré, dirá,* incluso para indicar la acción probable: "vamos pronto, hijita, que los bebés *han de estar* llorando." En Colombia y Centroamérica se produce la sustitución del futuro por *va y* + el presente: "no se levante, porque *va y se cae." Saber* se usa con el valor de 'soler' y *mandar* se vacía casi de sentido ante infinitivos reflexivos de movimiento *(mándese entrar* 'entre', *se manda cambiar* 'se larga, se marcha'). Las perífrasis con gerundio compiten con las formas simples, muchas veces sin diferencia apreciable en el significado: *¿cómo le va yendo?* se da al lado de *¿cómo le va?,* y *vengo viniendo* junto al normal *vengo.* La construcción *es entonces que llegó, es por esto que lo digo,* que no falta en textos clásicos castellanos y está viva en gallego, ha cundido mucho en América en multitud de ocasiones; y más parece allí arcaísmo u occidentalismo que imitación artificiosa de *c'est alors que;* pero en ciertos casos es evidente la influencia francesa. La frase adverbial *no más* ha ampliado sus sentidos, tomando, aparte del restrictivo *(a usté no más* 'solamente auted'), otros intensivos o enfáticos como en *allí no más* 'allí mismo', *hable no más.* En América, *recién* se emplea sin participio, con el significado temporal de 'ahora mismo', 'entonces mismo', 'apenas', en 'cuanto', 'luego que': *recién habíamos llegado* 'apenas habíamos llegado'; también se combina con otros adverbios: "*recién entonces* salía / la orden de hacer la reunión" (Martín Fierro). *Cómo no* es forma de afirmación muy generalizada. En Méjico, América Central y Colombia *desde* y *hasta* se emplean en indicaciones de tiempo sin sus respectivas referencias originarias al momento inicial de una acción o al término de ella: *"desde* el lunes llegó" 'el lunes llegó'; *"hasta* las doce almorcé" 'a las doce'; "volveré *hasta* que pase el invierno" 'cuando pase'; este uso de *desde* se registra también en Cuba *(denge* o *dengue)* y Puerto Rico; el de *hasta* en Venezuela y Chiloé (1). La interjección apelativa *¡che!,* tan característica hoy del coloquio rioplatenense como del valenciano, entronca indudablemente con el *¡ce!* tan repetido en la literatura peninsular desde el siglo xv al xvii (2).


Vocabulario.

El léxico americano abunda en palabras y acepciones arcaizantes. Característico es el uso de *lindo,* como en el español peninsular del siglo xvii, en lugar de *bonito* o de *hermoso.* Propias del Siglo de Oro y olvidadas o decadentes en España son *liviano* 'ligero', *pollera* 'falda', *prometer* 'asegurar', *recordar* 'despertar', *esculcar* 'registrar, escudriñar', *aguaitar* 'vigilar, acechar', *escobilla* 'cepillo', *barrial* 'barrizal'. Algunas de estas palabras han sido señaladas como posibles regionalismos del Occidente peninsular. Tal procedencia es segura para los leonesismos *andancio, carozo, piquinino, furnia, peje, lamber, fierro,* y los galleguismos o lusismos *bosta, cardumen, laja;* muy probables occidentalismos son *botar* 'arrojar', *soturno* (ambos existentes también en Canarias), *fundo, buraco, pararse* 'estar de pie'. No es de extrañar esta importante contribución léxica: el contingente de los leoneses y extremeños que pasaron a América hasta fines del siglo xvi parece haber

---

(1) Para estas y otras peculiaridades de la sintaxis hispanoamericana, véase el citado libro de Kany y los estudios que mencionamos en las Adiciones, pág. 365.
(2) A. Rosenblat, *Origen e historia del "che" argentino,* Filología, VIII, 1962, 325-401.

sido algo mayor que el de los castellanos y vascos; y unido al de portugueses y gallegos, supera al de los andaluces (1).

Desde fecha muy antigua se observan cambios semánticos que muestran la adaptación del vocabulario español a las condiciones de la vida colonial. Ya en la Española, primera instalación de los conquistadores, nacieron *estancia* 'granja', *quebrada* 'arroyo', aparte de la aplicación de nombres españoles a la fauna y flora de América. Del lenguaje de los navegantes procede el empleo metafórico de *flete* por 'caballo'; *mazamorra* 'restos de galleta' designó los puches de maíz que hacían los indios. Cambios especiales han tenido *vereda* 'acera'; *páramo* 'llovizna', *volcán* 'monte' y 'montón' en Centroamérica. En general, el vocabulario que llevaron los conquistadores se ha ido empobreciendo.

En cambio, la formación de nuevas palabras es muy intensa y pone en juego todos los recursos de la derivación. Hay sufijos fecundísimos, como la terminación verbal *-iar* (*dijuntiar* 'matar', *cueriar* 'azotar', *uñatiar* 'hurtar', *carniar* 'matar reses') y como *-ada*, que aparte de los nombres de acción, ya mencionados, forma numerosos colectivos (*caballada, carnerada, potrada, muchachada, criollada, paisanada*). La afición por el neologismo se da en todas las esferas sociales, desde el habla gauchesca hasta la literatura; en los periódicos aparecen *sesionar* 'celebrar sesión', *vivar* 'dar vivas, vitorear', etc. Todas estas particularidades, juntas a la abundancia de voces indígenas, dan fisonomía especial al léxico americano. Añádase el extranjerismo, muy abundante en el Río de la Plata como consecuencia de la inmigración de gentes de todos los países, principalmente italianos. En las Antillas, Nuevo Méjico,

---

(1) Véanse JUAN COROMINAS, *Indianorrománica*, Rev. de Filología Hisp., VI, 1944, y P. HENRÍQUEZ UREÑA, *Andalucismo*, pág. 112.

Méjico y América Central el influjo anglosajón ha introducido muchas voces inglesas. Y la orientación francesa que dominó en la cultura americana durante el siglo pasado ha dejado buen número de galicismos.

VULGARISMO.

Aparte de las peculiaridades antes enumeradas, el vulgarismo americano tiene manifestaciones de igual carácter que las del habla popular y rústica española: *prencipio, dispierto, sospirar; beile* 'baile', *paine* 'peine'; *enriedo, ruempa; piaso* 'pedazo', *tuavía, una rastra e leña, maldá, mercé; auja* 'aguja', *me usta* 'me gusta'; *juerza* 'fuerza'; *junsión,* 'función'; *güérfano, virgüela* 'viruela'; *güeno, trigunal, agüelo; dino, vitoria, Madalena, aspeito, defeuto; traiba, oiba,* etc. La diferencia es que alcanza mayor extensión y consistencia que en la Península. Perduran arcaísmos como *agora, asperar, atambor, cuistión, emprestar, niervo, melecina, muncho, cañuto, ñublar, ñudo, silguero, tiseras, anque* (1).

El hiato tiende a desaparecer, con las consiguientes alteraciones de acento y timbre; así se confunden los sufijos *-ear-* y *-iar* *(pasiar, guerriar),* lo que origina ultracorrecciones como *desprecear, malicear.* Mucho arraigo muestran desplazamientos acentuales como *páis, óido, áura* 'ahora', *tráido, contráido.* En 1720, cuando el limeño don Pedro de Peralta Barnuevo acentuaba así en los versos de su *Rodoguna* (2), tales dislocaciones no disonarían grandemente del lenguaje culto de la metrópoli, que también las admitía

---

(1) C. MARTÍNEZ VIGIL, *Arcaísmos españoles usados en América.* Montevideo, 1939, y J. P. RONA, *"Vulgarización" o adaptación diastrática de neologismos o cultismos,* Montevideo, 1962.
(2) J. DE LA RIVA AGÜERO, Hommage à Ernest Martinenche, 1939, página 193.

(véase pág. 299). Pero en España hubo después una reacción apoyada por la fuerza de la tradición literaria, y se detuvieron o rechazaron las pronunciaciones *bául, cái, máestro, réido;* por el contrario, la joven sociedad de América sintió menos escrúpulos, continuó usando las formas con desplazamiento acentual y dejó que éste afectara también a las terminaciones del imperfecto *(créia* 'creía', *húia* 'huía', *cáia* 'caía', *tréiamos* 'traíamos');* aun entre americanos cultos es usual decir *páis, golpiar.* En cambio, se oye en Méjico la *d* de -*ado,* incluso con especial tensión, *desgraciaddo;* y en Argentina, para no omitir la *d* final, se llega a pronunciar *paret, bondat.*

En general, la separación entre la lengua escrita y el habla es en América más honda que en España. Salvo en la producción costumbrista o de tipo popular, los dialectalismos y vulgarismos admitidos en la conversación no pasan a la escritura. Frente al criterio de libertad y abandono se levanta la preocupación purista. Las enseñanzas gramaticales de Bello lograron desterrar en cincuenta años la confusión de *tú* y *vos* entre las clases cultivadas de Chile.

La extensión del español en América y sus ulteriores divergencias con el de España recuerdan en muchos aspectos el caso del latín vulgar. Pero las circunstancias de nuestro tiempo son muy distintas de las del siglo v (1). Ninguno de los caracteres diferenciales del habla americana atañe a la esencia del idioma. En cuanto al porvenir, los medios de comunicación aseguran la continuidad de intercambio cultural, tanta de unos y otros países hispanoamericanos entre sí como con España : las que fueron colonias reconocen la excelsa labor civilizadora de nuestros antepasa-

---

(1) Véanse AVELINO HERRERO MAYOR, *Presente y futuro de la lengua española en América,* Buenos Aires, 1943, y R. MENÉNDEZ PIDAL, *La unidad del idioma,* Madrid, 1944.

dos, también suyos; se estrechan los lazos espirituales con la antigua metrópoli, y la conciencia del valor instrumental e histórico de la hermosa lengua común es la mejor garantía contra el resquebrajamiento de su unidad. No se deben desoír, sin embargo, las voces de alerta que han advertido peligros de fisura: las divergencias fonéticas, gramaticales y, sobre todo léxicas, serían una fuerte amenaza si no se tratase de contenerlas mediante un esfuerzo de cooperación y buena voluntad (1).

---

(1) Véase DÁMASO ALONSO, *Unidad y defensa del idioma*, Memoria del Segundo Congreso de Academias de la Lengua Española, Madrid, 1956, págs. 33-48.

# ADICIONES Y ENMIENDAS

Además de las muchas incorporadas al texto de la presente sexta edición, creo necesario añadir las siguientes:

Pág. 15.—Frente a la hipótesis de una inmigración precéltica (ilirio-ligur o ambro-iliria), otros sostienen que los más antiguos indoeuropeos que se instalaron en la Península eran protoceltas, es decir, celtas cuya lengua no se había diferenciado claramente aún de las de pueblos indoeuropeos vecinos, como los vénetos, protogermanos, etc. Hay también quienes suponen que en las primeras invasiones célticas participaron indoeuropeos de otros grupos (paraceltas). Las tres teorías (precéltica, protocéltica y paracéltica) tratan de explicar el hecho de que en las inscripciones indoeuropeas prerromanas de Hispania hay algún rasgo lingüístico ajeno al arquetipo celta. Véanse los estudios de A. TOVAR y J. HUBSCHMID en la *Enciclopedia Lingüística Hispánica*, I, Madrid, 1960, y los de A. TOVAR, *The Ancient Languages of Spain and Portugal*, New York, 1961, págs. 91-126, y *Revisión del tema de las lenguas indígenas de España y Portugal*, Miscelánea de Estudos a Joaquim de Carvalho, Figueira da Foz, 1962.

Pág. 18.—La escritura tartesia ha sido al fin descifrada

satisfactoriamente por don MANUEL GÓMEZ-MORENO, *La escritura bástulo-turdetana (primitiva hispánica)*, Rev. de Archivos, Bibl. y Mus., Madrid, 1962. Véanse también ULRICH SCHMOLL, *Die südlusitanischen Inschriften*, Wiesbaden, 1961; A. TOVAR, *Lengua y escritura en el Sur de España y de Portugal*, Zephyrus, XII, 1961, 187-196; su *Revisión* antes citada, y su reseña sobre los estudios de Schmoll y Gómez Moreno (Kratylos, VIII, 1963, 70-76).

Pág. 19, n. 1.—A la bibliografía mencionada en esta nota añádanse la que figura en la adición precedente y, además, *La onomástica personal pre-latina de la antigua Lusitania* de MANUEL PALOMAR LAPESA, Salamanca, 1957; los estudios del mismo, de A. TOVAR y de J. HUBSCHMID incluidos en el tomo I de la *Enciclopedia Lingüística Hispánica*; A. TOVAR, *Les traces linguistiques celtiques dans la Péninsule Hispanique*. Celticum VI, Ogam-Tradition Celtique, 1963, páginas 381-403, etc.

Pág. 21, l. 20-21.—La evolución fonética del vasco es hoy mejor conocida gracias a LUIS MICHELENA, que ha empleado felizmente para reconstruirla la comparación entre los distintos dialectos vascos y el estudio de los textos escritos en diferentes épocas (*Fonética Histórica Vasca*, San Sebastián, 1961).

Pág. 21, n. 1.—Añádanse los estudios de A. TOVAR *El Euskera y sus parientes*, Madrid, 1959; *The Ancient Languages of Sp. and Port.*, págs. 127 y sigts.; y *El método léxico-estadístico y su aplicación a las relaciones del vascuence*, Bol. R. Soc. Vascong. de Amigos del País, XVII, 1961, y el capítulo *La Lengua Vasca*, de Réné Lafon en la Encicl. Ling. Hisp., I, 67-97.

Pág. 24, n. 1.—Añádanse los estudios de varios autores reunidos en los dos tomitos *Geografía Histórica de La Lengua Vasca,* Zarauz, 1960.

Pág. 28.—Pero Dámaso Alonso ha demostrado que la ausencia de *v* labiodental se extendía a fines de la Edad Media desde Galicia y N. de Portugal, pasando por León, Castilla y Aragón, hasta la mayor parte de Cataluña y algunas zonas del Mediodía francés aparte del Rosellón y Gascuña. En este caso el vasquismo es manifestación parcial de un substrato norteño más antiguo y extenso que el representado por la aspiración o pérdida de la *f* inicial latina. (*La fragmentación fonética peninsular,* Suplemento al tomo I de la *Encicl. Ling. Hisp.,* Madrid, 1962, págs. 155-209.)

Págs. 33-37.—Para el vocabulario español de origen prerromano véase, además de los estudios de Menéndez Pidal, Tovar y Hubschmid citados en notas y adiciones a nuestras págs. 16, 17 y 19, el magistral *Diccionario crítico-etimológico de la lengua castellana,* de J. Corominas, Madrid, 1954.

Págs. 55-56.—Los romances de Cerdeña, Calabria, Lucania, Sicilia y Dacia parten de otros sistemas vocálicos latino-vulgares. H. Lüdtke (*Die strukturelle Entwicklung des romanischen Vokalismus,* Bonn, 1956) creyó encontrar vestigios de estos sistemas en español y portugués; pero lo rechaza convincentemente Dámaso Alonso, *La fragmentación fonética peninsular,* páginas 4-21.

Pág. 91, l. 13-17; págs. 118-119, n. 3; pág. 127, n. 2; pág. 132, l. 20-24. — La evolución de *l* + yod y *c'l* coincidió en algunas zonas del Occidente leonés, en navarro-aragonés y en catalán occidental y central, con la evolución de *-l-l-* : los dos grupos consonánticos y la *l̦* geminada llegaron al resultado común *l̦ l̦*. Pero en la mayor parte del dominio asturleonés, en castellano y en el catalán oriental y balear la geminada *-l-l-* dió *l̦ l̦* palatal lateral, mientras *l̦* + yod y *c'l* dieron una palatal central (*palea, oc'lu* > ast.-leon. *paya, güegu;* cast. *paja, ojo,* pronunciados *padža, odžo, paža ožo* hasta el siglo XVI; cat. oriental y balear *paya, ui̦*). En los dialectos mozárabes, aunque hubo confusiones como *kabalyo, šintilya, šerralla* (págs. 118-119, n. 3), lo general fue distinguir gráficamente, empleando *ll* para el sonido procedente de *-l-l-* latina, y *-ly-* para el resultado de *l* + yod y *c'l*, que además ofrecían la solución *dž* (pág. 127, n. 2); incluso es posible leer *ch* en vez de *dž* (*orecha, colecha, achello, michuelo*) y apoyar tal interpretación con la grafía *conecho,* por *conejo,* del Fuero de Madrid y otras posibles muestras de ensordecimiento temprano atestiguadas en el Centro de España (véanse DÁMASO ALONSO, *La fragmentación fonética penincular,* págs. 94-100, y A. GALMÉS DE FUENTES, *Resultados de -ll- y -ly-, -c'l- en los dialectos mozárabes,* Rev. de Ling. Rom., XXIX, 1965, páginas 60-97). Ante estos hechos caben tres explicaciones: 1) que *-l-l-* pasó a *l̦ l̦* cuando *la l̦ l̦* procedente de *l̦* + yod o de *-c'l-* había dejado de ser lateral y se había convertido en *y, dž* o *ž*, suposición no confirmada hasta ahora; 2) que en las regiones donde *l̦* + yod y *-c'l-* originaron una palatal central hubo una etapa intermedia constituida por una *l̦ l̦* distinta de la *l̦ l̦* resultante de *-l-l-;* 3) que en la evolución de *l̦* + yod y *-c'l*, grupos en cuya composición entraba un elemento no lateral, la palatal fue central (*y, dž, ž*) desde principio. De las tres hipótesis, la segunda es la que está más de acuerdo con lo que conocemos del leonés y el catalán, donde la y no surgió sino tras seculares testimonios de *l;* también en la Castilla de los siglos x y xi grafías como *relias* 'rejas de arado', *Orzellione* 'Ordejón', *Spelia* 'Espeja', y *Gulpellares* 'Gulpejares', postulan la existencia de una *l* primitiva, siquiera fuese distinta (menos lateral seguramente) que la de *balle, kaballos, portiello* o *Kastiella.* Véanse RAMÓN MENÉNDEZ PIDAL, *Orígenes del español,* § § 5, 7 y 50, y A. BADÍA MARGARIT, *Gramática Histórica Catalana,* 1951, § 87, IV, A.

Pág. 127, 1. 4.—Para el conocimiento de las hablas mozárabes véanse los Glosarios de SIMONET y ASÍN (citados en la pág. 119 n.); los *Orígenes del español,* de R. MENÉNDEZ PIDAL; las *jardžas* editadas por STERN, HEGER y GARCÍA GÓMEZ, el cancionero de Ben Cuzmán y la bibliografía relativa a unas y otro (página 140, n.); el estudio de DAVID A. GRIFFIN, *Los mozarabismos del "Vocabulista" atribuido a Ramón Martí,* Madrid, 1961, y los demás referentes al mozárabe levantino y balear (pág. 136, n.); los de STEIGER y AMADO ALONSO mencionados en notas a las páginas 105-107; el de ALVARO GALMÉS DE FUENTES, *Resultados de -ll- y -ly-, -c'l- en los dialectos mozárabes,* Rev. de Ling. Rom., XXIX, 1965, 60-97; el *Diccionario crítico etimológico de la lengua castellana,* de J. COROMINAS, IV, 1954, págs. 1104-1105; la *Dialectología española,* de ALONSO ZAMORA VICENTE, Madrid, 1960, 13-46, etc.

Pág. 134, 1. 12.—Véase MANUEL ALVAR, *El Becerro de Valbanera y el dialecto riojano del siglo XI,* Archivo de Filol. Aragonesa, IV, 1952, 153-184.

Págs. 155-156.—ANTONIO M.ª BADÍA MARGARIT caracteriza por contraposición la "sintaxis suelta" del Cantar cidiano y la "sintaxis trabada" de la Primera Crónica General alfonsí en su excelente estudio *Dos tipos de lengua, cara a cara*, en "Studia Philologica". Homenaje ofrecido a Dámaso Alonso, I, Madrid, 1960, 115-139.

Págs. 157-161.—Trato con más extensión el mismo tema en el artículo *La lengua de la poesía épica en los cantares de gesta y en el Romancero viejo*, Anuario de Letras, México, IV, 1964, 5-24. Muy importante es el estudio de STEPHEN GILMAN, *Tiempo y formas temporales en el Poema del Cid*, Madrid, 1961, demostración de que la libertad en el uso de los tiempos verbales obedece a un sistema de categorías y valores peculiares del poema y distinto del que rige en el *Roland*. Véase también EDMUND DE CHASCA, *Estructura y forma en el P. de M. C.*, México, 1955.

Págs. 169-171.—Para el conocimiento de la prosa alfonsí son muy esclarecedores los estudios comparativos hechos por ANTONIO M.ª BADÍA MARGARIT, *La frase de la "Primera Crónica General" en relación con sus fuentes latinas*, Rev. de Filol. Esp., XLII, 1958 - 59, 179 - 210; *Dos tipos de lengua cara a cara*, "Studia Philologica", Homenaje a D. Alonso, I, 1960, 115-139; *Los "Monumenta Germaniae Historica" y la "Primera Crónica General" de A. el S.*, "Strenae", Homenaje a García Blanco, Salamanca, 1962, 69-75; y por FERNANDO LÁZARO CARRETER, *Sobre el "modus interpretandi" alfonsí*, Iberida, n.° 6, 1961, 97-114.

Págs. 190-191.—Sobre el ensordecimiento de los fonemas *z, -s-* y *g, j*, véanse AMADO ALONSO, *Trueques de sibilantes en antiguo español*, Nueva Rev. de Filol. Hisp, I, 1947, 1-12, y DÁMASO ALONSO, *La fragmentación fonética peninsular*, 85-103.

Págs. 206-208.—Sobre el italiano y el español renacentistas y el estilo de vida que cada uno representa es fundamental la comparación léxico-semántica hecha por ¡Margherita Morreale en *Castiglione y Boscán: el ideal cortesano en el Renacimiento español*, 2 vols., Madrid, 1959.

Pág. 252, nota 3.—Mientras en las desinencias tónicas alternaron *-ás, -és* con *-áis, -éis,* es decir, hasta 1560 o 1570, la conservación de la *-d-* en las átonas pudo ser preventiva, para evitar confusiones entre tú *eras* y vos *\* eras* (< *érades*), tú *viniesses* y vos *\* viniesses* (< *viniéssedes*). Tales confusiones ocurrieron en extensas zonas americanas, facilitando la mezcla de las personas *tú* y *vos* en el voseo.

Pag. 256.—La diferencia fundamental entre *ser* y *estar* aparece claramente percibida en estas líneas de Luis Zapata: "Del loco dicen que está loco porque otro día no lo estará más; del necio no dicen que está necio, sino que es necio de juro y de heredad, que toda la vida lo será" (*Miscelánea,* apud Keniston, página 479). Sobre los usos de *ser* y *estar,* véanse, además de los estudios citados en la pág. 257, n. 1, los siguientes: J. Bouzet, *Orígenes del empleo de 'estar',* Estudios dedicados a Menéndez Pidal, IV, 1953, 37-58; Américo Castro, *La realidad histórica de España,* México, 1954, 645 - 6; Ricardo Navas Ruiz, *Ser y estar. Estudio sobre el sistema atributivo del español,* Acta Salmanticensia, XVII, 3, 1963, y bibliografía reseñada en los capítudos XX y XXI de esta última obra.

Pág. 264.—El galicismo militar de los siglos XVI y XVII incluye muchos otros términos: *batería, bayoneta, coronel, piquete, xefe,* etc. Hacia 1645 el príncipe de

Esquilache decía así en un soneto sobre la campaña de Lérida, previendo su final:

Ni en tiempo de Mauricio ni del Draque
Llamó Castilla al pelear *disputa,*
Ni se supo en Madrid que era *recluta,*
Ni *marcha,* ni *retén, brecha* ni *ataque.*

... ... ... ... ... ... ... ... ... ... ... ...

No aurá quien diga más *calientes choques,*
Y dexando el Francés las *carauinas,*
Boluerán las ballestas de bodoques (1).

Págs. 299-307.—Sobre el habla vulgar de localidades o co-marcas netamente castellanas o sin acentuado carácter dialectal, véanse V. GARCÍA DE DIEGO, *Manual de Dialectología Española,* 2.ª ed., 1959, 343-350 y 355-362; P. SÁNCHEZ SEVILLA, *El habla de Cespedosa de Tormes,* Rev. de Filol. Esp., XV, 1928, 131, 172 y 244-282; A. ZAMORA VICENTE, *Notas para el estudio del habla albaceteña,* Ibíd., XXVII, 1943, 233-255: F. GONZÁLEZ OLLÉ, *El habla de Quintanillabón (Burgos),* Rev. de Dialect. y Tradiciones Populares, IX, 1953, y *El habla de la Bureba,* Madrid, 1964; se halla en prensa *El habla de Villacidayo (León),* de JOSÉ M. URDIALES, tesis doctoral aprobada en Madrid, 1963.

Págs. 309-310.—A la bibliografía sobre el astur-leonés añádanse los dos cuadernos de *Trabajos sobre el dominio románico leonés,* dirigidos por ALVARO GALMÉS DE

---

(1) S. GILI Y GAYA: *Poesías del Príncipe de Esquilache referentes a Lérida,* 1947, pág. 8. En el sentir de Esquilache, estos galicismos eran moda reciente, posterior a los tiempos de Mauricio de Nassau (1567-1625). No obstante, *marchar* figura ya censurado como italianismo en 1547 (véase págs. 263 y 264, núm. 1), aunque se consolidara más tarde por influjo directo francés.

Fuentes y Diego Catalán Mz. Pidal, Madrid, Seminario Mz. Pidal, 1957 y 1960, y los estudios de E. Alarcos Llorach, *Cartas a Gallardo en dialecto babiano*, Archivum, VII, 1958, 260-269; Dámaso Alonso, *Metafonía y neutro de materia en España (sobre un fondo italiano)*, Zeitsch. f. rom. Philol., LXXIV, 1958, 1-24, y *La fragmentación fonética peninsular*, Encicl. Ling. Hisp., 1962, 131-154; J. Alvarez-Fernández Canedo, *El habla y la cultura popular de Cabrales*, Madrid, 1963; D. Catalán, *Dialectología y estructuralismo diacrónico*, "Estructuralismo e Historia", Miscel. Homenaje a A. Martinet, La Laguna, III, 1962, 69-80; Carmen Díaz Castañón, *El bable de Cabo Peñas*, tesis doctoral aprobada en Madrid, 1964; Angel R. Fernández González, *El habla y la cultura popular de Oseja de Sajambre*, Oviedo, 1959; José Manuel González, *Toponimia de una parroquia asturiana (Santa Eulalia de Valduno)*, Oviedo, 1959; J. Neira, *La metafonía en las formas verbales del imperativo y del perfecto. (Adiciones al "Habla de Lena")*, Archivum, XII, 1963, 383-393; Lorenzo Rodríguez Castellano, *Algunas precisiones sobre la metafonía de Santander y Asturias*, Ibíd., IX, 1959, 236-248, y *La frontera oriental de la terminación -es < -as) del dialecto asturiano*, Bol. del Inst. de Estudios Ast., XIV, abril de 1960, 106-118, etc.

Págs. 311-312. Los estudios de Menéndez Pidal, María Josefa Canellada, Jesús Neira, Dámaso Alonso y Carmen Díaz Castañón han hecho notar que en el Centro y Oriente de Asturias y en el Occidente montañés existe un género neutro de materia cuya manifestación más ostensible son concordancias como *la sidre nuebu da gustu bebelo, taba negro l'agua, mantega fresco*. En localidades donde los nombres masculinos terminan en

-*u*, los de materia lo hacen en -*o* (*fierro*, *tṣino* 'lino', *sebo*), igual que los referentes al tiempo (*marzo*, *an-troxo*); la desinencia de los adjetivos que los califican y de los pronombres que los representan es también -*o* en lugares donde los masculinos correspondientes tienen -*u*. Finalmente, en las zonas del cabo de Peñas y Lena la inflexión de la vocal tónica por la -*u* final se produce en el masculino, pero no en el neutro.

Págs. 320-321.—Otros indicios o testimonios de yeísmo en los siglos XVI y XVII: *yegua* por *llegua* 'legua' se atribuye a los aldeanos de Hortaleza, junto a Madrid, hacia 1550 (DÁMASO ALONSO, *Dos españoles del Siglo de Oro*, 1960, 19-21); *papagayo* por *para pagallo* como dicho entre rústicos, toledanos al parecer, según Covarrubias en 1611; *poia* por *polla* en el códice gongorino de Chacón. Los reúno en *El andaluz y el español de América*, "Presente y Futuro de la Lengua Española", II, 1963, 179.—Respecto al yeísmo actual son muy valiosos los *Nuevos datos sobre el yeísmo en España*, de T. NAVARRO, según las noticias del Atlas Lingüístico de la Península Ibérica (Thesaurus, XIX, 1964): representan con fidelidad el estado en que se hallaba el fenómeno en ambientes rústicos hacia 1930-1936. Desde entonces ha progresado notoriamente, sobre todo en las generaciones jóvenes.

Pág. 322.—A la *Sofonifa* de Fernando Colón debe añadirse otro ejemplo del siglo XVI en que la aspiración procedente de -*s* se ha asimilado a la oclusiva sorda que la sigue: un cartapacio toledano de hacia 1575 ofrece las grafías *muetra*, *muétrale* en alternancia con *muestra*, *muéstrale*. (A. RODRÍGUEZ MOÑINO, Hisp. Rev., XXXI, 1963, 5.)

Págs. 342-343, nota.—A la bibliografía sobre el español

de América habría que añadir multitud de estudios aparecidos en los últimos años. Algunos, que versan sobre problemas concretos tratados más adelante, se mencionarán en las notas o adiciones correspondientes. Aquí citaré sólo aquellos que creo más importantes entre los que dan visiones de conjunto, abordan problemas generales o describen en todos sus aspectos tos el habla de un país o región. En primer lugar, el capítulo final de la *Dialectología española*, de A. ZAMORA VICENTE, Madrid, 1960; los estudios de D. L. CANFIELD, *La pronunciación del español en América*, Bogotá, 1962; A. ROSENBLAT, *El castellano en España y el castellano en América. Unidad y diferenciación*, Caracas, 1962; *Base del español de América: nivel social y cultural de los conquistadores y pobladores*, Bol. de Filol. de la Univ. de Chile, XVI, 1964, y *La primera visión de América y otros estudios*, Caracas, 1965; MARCOS A. MORÍNIGO, *Programa de Filol. hispánica*, Buenos Aires, 1959; J. P. RONA, *Aspectos metodológicos de la dialectología hispanoamericana*, Montevideo, 1958, y los dos volúmenes de comunicaciones presentadas al Congreso sobre *Presente y futuro de la lengua española*, Madrid, 1964. Además, las monografías y artículos de P. BOYD BOWMAN, *El habla de Guanajuato*, México, 1960; D. L. CANFIELD, *Observaciones sobre el español salvadoreño*, Filología, VI, 1960; ARTURO AGÜERO, *El español de América y Costa Rica*, San José, 1962; BALTASAR ISAZA CALDERÓN, *Panameñismos*, Bogotá [1964]; PEDRO URBANO GONZÁLEZ DE LA CALLE, *Contribución al estudio del bogotano*, Bogotá, 1963; P. BOYD-BOWMAN, *Sobre la pronunciación del español en El Ecuador*, Nueva Rev. de Filol. Hisp., VII, 1953; ALBERTO ESCOBAR, *Lenguaje e Historia en los "Comentarios*

*Reales"*, Sphinx, 13, 1960; H. L. A. van Wijk, *Algunos aspectos del habla rural de Ayacucho (S. O. del Perú), representada en "Cholerías", de Porfirio Meneses.* Homenaje a J. A. van Praag, Amsterdam [1956], y *Los bolivianismos fonéticos en la obra costumbrista de Alfredo Guillén Pinto*, Bol. de Filol. de la Univ. de Chile, XIII, 1961; A. Rosenblat, *Las generaciones argentinas del siglo XIX ante el problema de la lengua*, Buenos Aires, 1961; Avelino Herrero Mayor, *Contribución al estudio del español americano*, Buenos Aires, 1965; Federico E. Pais, *Algunos rasgos estilísticos de la lengua popular catamarqueña*, Tucumán, s. a.; J. P. Rona, *La reproducción del lenguaje hablado en la literatura gauchesca*, Montevideo 1963, y *La frontera lingüística entre el portugués y el español en el N. del Uruguay*, Pôrto Alegre, 1963, etc.

Págs. 343-344.—De capital importancia es el *Catálogo de las lenguas de América del Sur* de Antonio Tovar, Buenos Aires, 1961; véanse también sus artículos *Bosquejo de un mapa tipológico de las lenguas de América del Sur*, Bogotá, 1961; *Español, lenguas generales, lenguas tribales, en América del Sur;* Homenaje a Dámaso Alonso, III, Madrid, 1963.

Págs. 347-348.—Véase M. A. Morínigo, *La etimología de "gaucho"*, Bol. Acad. Argent. de Letras, XXVIII, 1963. El mismo autor (*Programa de filol. hisp.*, 101-106) rechaza el origen araucano que ha venido atribuyéndose a *poncho;* Corominas relaciona esta voz con el adjetivo español *poncho* 'descolorido', por ser manta monócroma y sin dibujos. Otro americanismo, *baqueano* o *baquiano* 'guía', que se suponía de procedencia arahuaca, parece también haber nacido en España;

véase R. A. LAGUARDA TRÍAS, Bol. Acad. Argent. de
Letras, XXVI, 1961.

Pág. 348.—Aparte del substrato y adstrato indio, hay que
tener en cuenta el elemento africano llevado a América por los esclavos negros. Muy importante en el Caribe, deja también huellas en otros países, y desde el
Brasil llega hasta el Río de la Plata. Comprende nombres de plantas, como *malanga* y *ñame;* de comidas y
bebidas, *funche, guarapo;* de instrumentos musicales y
danzas, *bangó, conga, samba, mambo;* algún adjetivo,
*matungo* 'desmedrado, flaco'; algún verbo, *ñangotarse*
'ponerse en cuclillas'. Tal vez sean de este origen *mu-
camo* 'criado, camarero' y su femenino *mucama,* procedentes del Brasil. Véanse FERNANDO ORTIZ, *Glosario de
afronegrismos,* La Habana, 1924; ILDEFONSO PEREDA
VALDÉS, *El negro rioplatense y otros ensayos,* Montevideo, 1937, y M. ALVAREZ NAZARIO, *El elemento
afronegroide en el español de Puerto Rico,* San Juan
de P. R., 1961. La inseguridad sobre las etimologías de estas palabras es grande: A. ROSENBLAT ha
demostrado que *macandá* 'brujería', supuesto afrone-
grismo, es sencillamente el mismo *macandad* 'artima-
ña' que se usa en Murcia, emparentado con amplia
familia léxica peninsular (Miscelánea de estudios dedicados al Dr. F. Ortiz, La Habana, 1956).

Págs. 357.—Hay también voseo con desinencias *-áis, -éis*
y también con *-ís* por *-éis (vos tenís);* en el subjuntivo y en el futuro las formas de plural originario
*vos tengás, vos sabrés* contienden con las de singular *vos tengas, vos sabrás.* Para la distribución geográfica y social de unas y otras, véanse KANY, *Sp.
Amer. Syntax,* 1951, 55-91; ZAMORA, *Dialectología,*
321-326, y J. P. RONA. *El uso del futuro en el voseo
americano,* Filología, VII, 1961.

Págs. 359-360.—Véanse también J. M. YEPES, *Neologismos de construcción en el lenguaje bogotano*, Bol. de la Ac. Colombiana, IX, 1959, 100-117; J. J. MONTES, *Sobre la categoría de futuro en el español de Colombia*, Thesaurus, XVII, 1962, 528 y sigts.; J. P. RONA, *Sobre sintaxis de los verbos impersonales en el esp. americano*, en "Romania", Scritti offerti a Francisco Piccolo, Napoli, 1962, 391-400, etc.

Pág. 361.—Véanse J. COROMINAS, *Rasgos semánticos nacionales*, Anales del Inst. de Ling. de la Univ. de Cuyo, I, 1941, 5-13 y 25-29; CH. E. KANY, *American Spanish Semantics*, y *American-Spanish Euphemisms*, Berkeley-Los Angeles, 1960 (hay traducción española del primero, Madrid, 19...); JUAN M. LOPE BLANCH, *Vocabulario mexicano relativo a la muerte*, México, 1963.

El italianismo de la Argentina y el Uruguay está siendo estudiado por GIOVANNI MEO ZILIO (*Sull' elemento italiano nello spagnolo rioplatense*, Lingua nostra, XXI, 1960, y otros artículos más aparecidos en la misma revista, 1955-1965; *Algunos septentrionalismos italianos en el esp. rioplat.*, Romanistisches Jahrbuch, XV, 1964; *Italianismos generales en el español rioplat.*, Bogotá, 1965, etc.).

Para el anglicismo en Hispanoamérica, véanse las obras de RICARDO J. ALFARO, citadas en la pág. 291, nota 1.

# INDICES

# INDICE DE MATERIAS

## A

# C

pios fuertes y débiles, alternancia -*udo*, -*ido*, 151.—
Tiempos compuestos, 54, 151-2, 256, 256-7.—Regionalismos actuales en la conjugación, 307.—Vulgarismos,
302-3.—Dialectalismos: conjugación leonesa, 310-5; aragonesa, 303, 316, 318; extremeña, 330; judeo-española,
337; hispanoamericana, 357-9, 362.—Fusiones fonéticas
de verbo y pronombre, v. Pronombres.

*Conna*, 134.

Constrictivas velares y laríngeas árabes, 105.

Conventos jurídicos romanos, 72, 123.

Córdoba bajo el Califato, 96, 113.

Córdoba, fray Juan de, 246.

Corneille, 196.

Correas, Gonzalo, 254, 266-7, 301 n.

Covarrubias, 260.

Cristianismo, v. Iglesia.

-*cs*-, v. *x*.

-*ct*- latino: su evolución, 30, 91, 92, 93, 127-8, 132, 136,
314, 317.

*Cual:* usos arcaicos, 153.

*Cuando:* usos arcaicos, 153.

Culteranismo, 220, 227, 230, 231, 234, 235-6, 238-41, 271-
272.

Cultismos léxicos: 76-8; siglos xii-xiii, 157, 162, 171; siglo xiv, 178; siglo xv, 182-9; siglos xvi-xvii, 208-9;
215, 217, 229, 238, 262; siglos xviii-xx, 272-3, 279,
282, 286-7.—Cultismos léxicos deformados o con grupos
de consonantes reducidos, 178, 183, 189, 210, 248-9,
275, 299, 362.

# CH

*Ch*, transcripción latina de Χ griega, 46; grafía latinizante española, 276.

*Ch*, africada palatal sorda: sonido de *c* latina al palatalizarse, conservado en mozárabe, 57, 91-3, 103, 140,
329; resultante de -*ct*- y *(u)lt*- en castellano, 30-1, 93,
132, 136, 145; sus transcripciones en los siglos xi-xiii.

121, 133, 368-69; resultado de *l* + yod, *c'l, g'l* en mozárabe, 367-69; de *pl-, cl-, fl-* iniciales en gallego-portugués y leonés, 117-8, 129-30, 132, 314; de *l* en el
Suroeste de Asturias, 313; de *g, j*, iniciales latinas en
aragonés, 316-7; de *ll* latina en aragonés pirenaico, 318.

.Ch: su articulación en Murcia, 332; en Canarias, 333;
pasa a *š* en andaluz, 328.

Che. interj. apelativa, 360.

Chile, español hablado en, 344-5.

Chinato, 331.

# D

*D* oclusiva y fricativa en español y vasco, 29.—Resultado
español de *t* intervocálica latina, 30, 58, 62-3, 114, 116;
de *t* tras *r, n* o *l* en aragonés, 29, 70, 317; de griega
tras nasal, 47; de *t* árabe, 106; *d* fricativa procedente de
*z* y *s* sonoras antiguas en dialectos actuales, 331.—Relajación y pérdida de la *d* intervocálica, 177, 300, 301-2,
324, 330, 362; pérdida de la *d* agrupada con *r*, 324.—
*D* final: asibilada, 149, 308; alternancia *d, t* en la lengua
antigua, 149, 184, 189; *t* por *d* final en la pronunciación
regional o dialectal, 307, 363; pérdida de la *d* final, 300.
*D* protética en leonés y andaluz, 329,

*d* cacuminal, resultado de *l-* y *ll-* en la Sisterna (Asturias).
313.

*D* + yod, 57, 114.

*Dalguno*, 329.

Dálmata, 65, 67.

Dante, 179.

Darío, Rubén, 282-3.

*De*, reducido a *e* o elidido en la pronunciación vulgar,
301, 362.

Declinación germánica -*a*, -*anis*, 89.

Declinación ibero-vasca, 22 nota.

Declinación nominal latina : su desaparición, 53-4.

*Demanda del Santo Grial*. 175.

Demostrativos, 66, 151, 158, 254.

Derivación: en latín vulgar, 59-60; en Alfonso X, 171;

-*duey*, -*duy* en toponimia, 24.

*dž* sonido de *g, j* españolas hasta el siglo XVI, v. J.—Resultado de *ć* latina en el primitivo romance hispánico, 90-91, 93.—Articulación de *y* y de *ll* en zonas yeístas, 320-1.—Procedente de *z* en judeo-español, 336.


# E

*E* vocal latina: sus variedades y evolución en latín vulgar, 55-6; *ě* tónica > *ié, iá*, v. Diptongación.

*E* española: resultado de *ai*, v. *ai*.—*E* en sílaba inacentuada, alterna con *i*, 114, 116, 149, 178, 183, 189, 243-4, 299, 362.—*E* final: su conservación, apócope, restauración o paragoge en la lengua antigua, 116, 121, 148-9, 158, 167-8, 176-77, 185; en leonés moderno, 311, 314; en aragonés, 176, 185, 317.—Pronunciación regional o dialectal *e, i*, 134, 308, 310-11, 330, 337.—*E* final de apoyo, añadida a arabismos, 105.

-*ear*, 45, 361-2.

-*eco*, 346.

Ecuador: vocalismo en la pronunciación india y vulgar, 345.—Articulación de la *ll*, 353-4.

*ei* diptongo: resultante de *ai*, 116-7, 129, 134, 314; en arabismos, 196.—*Ei* > *ai* y viceversa en el habla vulgar, 299, 362.

*El*, artículo masculino, 133.

*El, ell, ela*, artículo femenino, 150, 190, 249-50.

*Elena y María*, 172.

*Elipsis:* en la lengua arcaica, 155; en los siglos XVI-XVII, 262.

*ell*, v. *el*.

*en* < *inde*, conservado en aragonés, 315.

-*en* < -*an* en la conjugación astur-leonesa, 312.

-*én*, -*ena*, 25.

-*engo*, 86.

Énguera: su habla local, 319.

*enna*, 134.

-*eno*, 25.

Ensordecimiento: de consonantes sonoras finales en la len-

# F

*G* velar sonora: oclusiva o fricativa en español y vasco, 30. Resultado español de *c* intervocálica latina, 30, 57-8, 62-3, 89-90, 114; de *k, q* árabes, 105-6.—Procedente de *c* latina tras *n, r* o *l* en aragonés, 29, 70, 317.—*G* vulgar inserta ante *ué*, e intercambio vulgar *ḡ-b*, 301, 362— Relajación o pérdida de *g* intervocálica, 300, 324, 362. Palatalización de *g* ante *e, i* en Chile, 344-5.—Ensordecimiento de *g* final en *c* en español arcaico, 449.

*G* del latín ante *e, i*, 57, 344-5; inicial, 93, 127, 131, 135, 140, 311-2, 316-7; intervocálica, 114.

*G* romance pronunciada *dž, ž*, posteriormente *š*, y por último χ, v. *j.*—*G* y *j* en la ortografía moderna, 276.

*G* signo de palatalización en la primitiva grafía romance española, 115; transcripción del sonido *ch* y también de *dž, ž* ante *a, o, u*, 133.

*G* + yod, 58, 114.

Galaicos, 42.

Galicia, 84, 88; v. Gallaecia.—Lengua y literatura gallegas, v. Gallego-portugués.—Gallegos que escriben en castellano, 185, 297.—Bilingüismo, 297.—Regionalismos del castellano hablado en Galicia, 307.

Galicismos, 81-3, 120-1, 143, 183, 264, 273-4, 282, 288-90, 362, 371-2.

Galindo, Beatriz, 186.

Galo, 35-6.

Gallaecia-Astúrica, 47, 73, 92, 123, 130.

Gallego-portugués, 91, 104, 124, 126-37, 141-2, 172, 174-5, 185-6, 192.—Gallego moderno, 296-7.—Galleguismos, 174-75, 282; en canario, 334; en judeo español, 337; en español de América, 360.

García Matamoros, 202.

Garcilaso de la Vega, 201, 205-6, 208, 216, 229, 253, 255, 257.

Garcilaso de la Vega, embajador de los Reyes Católicos, 203.

Gascón, 27-8, 142-3, 317.

Gauthier, Théophile, 293.

*ge la, ge lo*, 150, 244, 254.

Generación de 1898, 283-5.

# H

I

*i* vocal latina: sus variedades y evolución en latín vulgar, 55-6; pronunciación tardía de η, 46; pronunciación latina de la *y* ( < griega), 46.

*I* romance; reducción castellana de *ié*, 132, 133, 168, 177.— Vacilaciones entre *i* y *e* inacentuadas, 114, 116, 149, 178. 183, 189, 243-4, 299, 362.—*I* final por *e* en zonas dialectales, 134, 310, 330, 337; provoca el cierre de la vocal acentuada en Aller (Asturias), 312. — *I* epentética en leonés y extremeño, 310, 330.

*I*, signo de palatalización en la grafía preliteraria, 115; transcripción de *dž*, *ž*, 146; transcripción arcaica de *ch*, 121.

*I*, dativo pronominal asturiano de tercera persona, 312.

*-i*, sufijo árabe, 108.

*ia*, diptongo precedente de *ĕ* acentuada, 92, 128, 132-3, 314, 317.

*-iar* < *-ear*, 361-2.

Iberismos, v. Substratos e Hispanismos prerromanos.

Ibéricas, lengua o lenguas, 18-9, 20-36.

Iberos, 12, 21-2.

*-ico*, sufijo diminutivo, 253, 316, 333.

-i d i a r e, 45, 57.

*ie*, diptongo procedente de *ĕ* acentuada, 92, 128-9, 132, 133, 168, 177, 311, 314, 317.

*ie* < e t, 145. V. *ye*.

*-ieco*, 31.

*-iego*, 32.

*-iello*, 128, 132, 133, 168, 177, 311, 317.

Iglesia, 48-9, 73, 75-6, 113, 120.

*-iguar*, 338.

Ilirio-ligures y su lengua, 14-5, 18-9, 31-2, 365.

*-illo*, v. *-iello*.

*Imela* árabe, 103.

Imperativo: formas, v. Conjugación; fusiones fonéticas con el pronombre enclítico, v. Pronombre.—Uso del subjuntivo con valor de imperativo, 153.

Imperfecto, v. Conjugación y Tiempos verbales.
Imperial, Micer Francisco, 178.
-*in* diminutivo, 310.
Indefinidos, 67-8 n., 101.
Infinitivo: uso latinizante, 180-1, 188; pérdida o fusión de la *r* final con el pronombre átono, 150, 250, 310, 324, 328.
Inglaterra: influjo español en los siglos XVI-XVII, 196-7.
Inglés: hispanismos en inglés, 198-9, 292-3; anglicismos en español, 282, 290-1, 362, 378.
-*ino,* sufijo diminutivo, 310, 330.
Inscripciones prerromanas, 18, 30-1; galas, 31; latinas, 33-4, 54, 57-8, 69, 90.
Interpolación de palabras entre el pronombre átono y el verbo, 169.
-*iquio,* sufijo diminutivo, 316, 338.
*Ir,* subjuntivo *vamos, vais,* 252; perífrasis con infinitivo o gerundio en América, 359; *va* y + presente, 359.
Iriarte, 288.
Irving, Washington, 293.
Isabel la Católica, 186-7, 193.
Isaías, 12.
*isfue-, ishue* < *sue-* en judeo español, 337.
Isidoro de Sevilla, San, 35, 72, 89.
Isla, P. José Francisco de, 272.
-*it* procedente de -*ct* latino, 30-1, 91, 93, 127-8, 132, 135, 314, 317.
Italia: influencia española en Italia, 195-9, influencia italiana en España, 179, 186, 204-5, 263.
Italiano: hispanismos en italiano, 197-8, 292; italianismos en español, 183, 264, 282, 290, 361, 372 n.; en el español de América, 361, 378.
-*ito,* v. Diminutivo.
-*iz,* sufijo de patronímicos, 31, 88.
-i z a r e, -*izar,* 45, 57.

# J

*J* latina, 127, 131-2, 135, 312, 316-7.
*J* española: su antigua pronunciación *dž, ž,* 146, 245, 348.

# K

## L

*L* inicial, se refuerza, palataliza, o da resultado cacuminal, en dialectos suditálicos e hispánicos, 69-70, 93, 128, 311, 313-4, 318, 328 n., 332.—*L* medial, palataliza en comarcas leonesas, 311; intervocálica, desaparece en gallego-portugués, 136.—*L* implosiva: en regiones de habla catalana, 307; en el Mediodía y en América, 323-4, 328, 330-1, 333, 349, 355; seguida de consonante, v. *al* + consonante y *(u)lt.*—*L* agrupada, v. *pl-, cl-, fl-;* intercambio con *r* en estos grupos, 315, 324, 329.

*L* resultado de *b, d* implosivas en leonés, 310; en extremeño, 330; de *ll* latina y árabe en gallego-portugués, 106, 118; ocasionalmente, de *-ld-*, 70; de *pl-* latino en vasco, 29.

*l* véase Ll.

L + yod, 56-57, 93, 127, 132-33, 140, 312-3, 317, 367-69.

*-l-, -la, la,* sufijo quechua, 346.

*La,* véase Artículo.

*Laísmo,* 261, 303-4.

Larra, 278, 286-7, 291.

Latín, 43-4, 75-8.—Latín vulgar, 51-60, 367.—Latín vulgar de España, 60-74.—Uso del latín en la Edad Media: bajo latín, 52, 77 n., 89, 113; latín popular leonés, 113-4.— Contienda entre el latín y el romance en el siglo XVI, 202-4.—Tendencia a identificar el español con el latín, 203.

Latín: hispanismos prerromanos que adoptó, 33-5; helenismos, 44-7, 49, 75-8; celtismos, 35-6; germanismos, 59, 81-3.

Latinismos: en vascuence, 20-1; en árabe, 102-3.—Latinismos léxicos en español, v. Cultismos.—Latinismos sintácticos, 152, 180-1, 188, 193, 215, 217, 229.—Latinismos fonéticos, 185, 217.—Véase Grupos consonánticos de voecs cultas.—Latinismos gráficos, 275-6.

*Lazarillo de Tormes,* 196, 209, 222, 243, 257.

*-ld* > *ll* o *l,* 70.

*Le* artículo dialectal, 135.

*Le,* v. Pronombre.

Leísmo, 260-1, 303-4.
León, Fray Luis de, 202, 214-6, 254, 256.
León, reino de, 111-3, 123-5, 135-7.
Leonés, dialecto, 92, 124, 126-133, 145, 172, 175, 190, 226, 298, 308-315, 330, 372-5.
Leonesismos: en la literatura medieval, 143, 145, 167, 172, 175, 190; en escritores modernos, 282, 285; en andaluz, 329; en extremeño, 330; en judeo-español, 337; en español de América, 360.
Les, 304.
Les, artículo femenino, 312, 318.
Lesage, 197.
"Letras heridas" del maya, 345-6.
Léxico latino vulgar, 58-60, 64-7, 71-4.—V. Latín.
Léxico español: de origen prerromano, 33-6.—Palabras de origen latino populares, cultas y semicultas, 75-8. — V. Americanismos, Anglicismos, Arabismos, Galicismos. Germanismos, Italianismos. Lusismos, Vasquismos, etc.
Léxico literario español: siglos xii-xiii, 157, 162, 170-1; siglos xiv y xv, 174, 178, 182-3, 188; siglos xvi y xvii, 208-9, 216, 229, 233, 238, 262-5; siglos xviii-xx, 273, 279, 281-2, 282-3, 284-293.—Léxico rural, 305; popular de las ciudades, 305-6; andaluz, 329; murciano, 332; canario, 333-4; judeo-español, 337-8; hispanoamericano, 347-8, 360-1.
Líbico, 13, 19, 33.
Libros de caballería, 206, 231.
Ligures, v. Ilirio-ligures.
Lírica mozárabe, 139-40; gallego-portuguesa, 141-2, 172, 174, 185.
Lista, Alberto, 299.
l-l, v. ll.
Lo artículo masculino dialectal, 133, 134, 317.
Logudorés, v. Sardo.
Loísmo, 260, 303-4.
López de Gomara, 207.
López Silva, 306.
Lu artículo masculino dialectal, 134.
Lucano, 44.
Lulio, Raimundo, 142.

Luna, Juan de, 256.
Lusitania, 42, 47, 92.
Lusismos, v. Portugués.
Luzán, 272.

## Ll

*Ll* (= *l-l-*) latina o árabe, palatalizada en los romances
peninsulares a excepción del gallego-portugués, 69. 106,
118, 367-69; conservada en Bielsa (Huesca), 318.—Da *d,
dd, dṣ, tṣ* o *ch* en el Suroeste de Asturias y Noroeste de
León, 69, 313-4; da *ch* o *t* en Sobrarbe, 69. 318.
*Ll romance* (= *l*): procedente de *l* inicial, 69, 93, 128. 311.
313-4, 318, 328 n., 332; de *l* medial en leonés, 311; pasa
a *y* en mozárabe, 128.—Procedente de *c'l* y *l* + yod.
56-7, 91, 127, 132, 145, 314, 317. 367-69; pasa a *y, ch. tṣ,*
en leonés, 127, 312, 313; pasa a antigua *j* castellana, v. J.
*Ll* procedente de *pl-, cl-, fl-,* 30, 126, 128, 130.—*Ll* procedente de *-l-l-,* 69, 106, 118, 367-69.—Paso de la *l* castellana a *y, dž, ž,* v. Yeísmo. *I.l* por *y,* 321 n.
*Lle,* pronombre dialectal leonés, 312.

## M

*M* final latina: su desaparición, 62.
*M* romance: procedente de *mb,* 70, 74, 91-2. 94. 129. 134;
de *m'n* en asturiano, 312; *m* inicial por *n* en judeo-espa-
ñol, 338.
Machado, Antonio, 283.
Maeztu, Ramiro de, 284, 297.
*magis,* 54, 66.
*Mainete,* 143.
Malón de Chaide, 214.
*Mandar* + infinitivo, 359.
Manrique, 189.
Mapuche, **v.** Araucano.
Maragall, 296.

Marcial, 44.
Mariana, P. Juan de, 220, 221, 258, 277.
Marineo Sículo, Lucio, 186.
Martínez de Toledo, Alfonso, Arcipreste de Talavera,
 180-2, 184, 187-8, 207, 300-301.
*Más*, 66, 134.
Maya, 345.
Mayans y Siscar, 271-2, 296.
*Mays*, 134.
*mb*, 70, 74, 91-2, 94, 129, 134, 310, 330, 337.
*-mbr-* < *-m'n-*, 134.
*Me*, v. Pronombre.
Medina, Francisco de, 200, 216.
Meléndez Valdés, 273, 299.
Melo, Francisco Manuel de, 201, 235.
Mena, Juan de, 179-83, 187, 189.
Mendoza, Fr. Iñigo de, 177 n.
Menéndez Pelayo, 282.
*-mente* en adverbios, 48-9.
Merimée, 293.
Mesa, Enrique de, 283, 285.
Mester de clerecía, 78, 161-4.
Metafonía vocálica en asturiano central, 312.
Mexía, Pero, 204, 207.
*Mib, mibi* 'mí', 140.
Milá y Fontanals, 296.
Miranda de Duero, su habla local, 73, 309-10, 314.
Miró, Gabriel, 296.
*Miseria de omne, Libro de,* 175.
Místicos, 196, 199, 209-13.
Mitología greco-latina: huellas léxicas, 41; alusiones mito-
 lógicas en la literatura, 171, 183, 224, 228-9.
*-m'n-* romance, 134, 312.
Modernismo, 282-3.
Modos verbales: particularidades de su empleo antiguo,
 153, 258-60.
Molière, 197.
Moncada, 201.
Montalbán, 234.
Montañés, dialecto, 73, 247-8, 282, 308-12.
Montemayor, Jorge de, 196, 201.

## N

## P

## Q

*Querer* + infinitivo, 159.
Quevedo, 223, 231-4, 241, 248, 259-60, 284.
*Qui*, 317.
*Quien, quienes*, 254.
Quintana, 273, 275.
Quintiliano, 35.

R

*R* inicial, no existe en vascuence ni acaso en las lenguas
ibéricas, 22; se refuerza hasta pronunciarse como *rr*
( = *ř* ) en el Sur de Italia, en los romances peninsulares y en gascón, 69.—*R* intervocálica: su relajación o
pérdida en el habla vulgar y en el Mediodía, 300, 324.—
*R* agrupada: su intercambio con *l*, 315, 324, 329.—*R*
implosiva: alteraciones en el Mediodía y en América,
323-4, 330, 333, 349, 355.—*R* final de palabra, perdida
en aragonés, 317; final de infinitivo ante pronombre áto-
no, 150, 250, 310, 324, 328.
*R* y *rr* asibiladas *(ř* y *ř)* en España y América, 308, 344,
356.
*Rasón de Amor*, 145, 155.
Realismo: novela realista del siglo xix, 280-2.
*Recién*, 359.
Reconquista, 97, 111-3, 119, 123-6, 131, 135-7.
Refranes, 174, 184, 188, 266-7.
Regionalismos, 281-2, 307-8, 372.
Regiones bilingües, 296-7, 307-8.
Reinos medievales españoles, 124-6, 135-7, 195.
Relativos, 153, 254, 317.
Renacimiento, 78, 179-84, 186-9, 191-94, 195-7, 201-9,
211-7, 220-1, 371.
Repoblación durante la Reconquista, 111, 124, 131, 331.
Retorromano, 65.
Reyes Católicos, 186-7, 190, 195.
*Reys d'Orient*, 145.
Ribadeneyra, Pedro de, 214, 243.
Rioja, 125, 134.
Riojano medieval, 134, 369: regionalismos actuales, 308.
Rito visigótico-mozárabe, 120.

## S

*S* vasca, 26-7.
š v. *X*.—Procedente de *ch* en andaluz, 328.
Sá de Miranda, 201.
Saavedra Fajardo, 196, 234, 250.
*Saber* 'soler', 359.
*Sad*, v. *S* árabe.
San Pedro, Diego de, 187, 196, 206.
Sánchez, Tomás Antonio, 271.
Sancho II de Castilla, 125.
Sancho el Mayor, 119-20, 125.
Sancho García, 97.
Sánscrito, 102.
Santiago de Compostela, 119, 143.
Santillana, Marqués de, 99, 179-85, 187, 207.
Sardo, 65, 67.
*sć, sć* + yod, 128, 132.
Scarron, 197.
*se*, sustituyó a *ge* como dativo de tercera persona, 244, 254.
*se* pronombre reflexivo: su apócope en la lengua antigua, 144, 148, 168, 176; usado en oraciones pasivas e impersonales, 54, 257-8.
Sefardíes, v. Judeo-español.
Semicultismo, 76-7, 113-4, 157, 178, 183, 249-50, 275, 299, 362.
Séneca, 44, 180, 233.
*Seó, seor* < *señor*, 251.
*Ser*, auxiliar de la voz pasiva, 54, 256-7; auxiliar de verbos intransitivos y reflexivos, 151, 256, 318; *ser* para indicar la situación local, 256, 318; Usos de *ser* y de *estar*, 256, 371. Formas dialectales de presente e imperfecto, 115, 128, 311, 314, 317. *So* y *soy*, 190, 252; *sodes, sois, sos*, 185, 252, 337, 357; *semos*, 302.
Sertorio, 41-2, 68.
Seseo, 191, 246-7, 307, 326-8, 332, 336, 348-9, 351-3.
Sibilantes árabes, 105.
Sigüenza, Fray José de, 214.
Sílaba, escansión silábica en latín vulgar, 56-7; hiato reducido a diptongo en vulgarismos españoles, 299, 356, 362-3.
Silva, Feliciano de, 206.
Silvestre II, 113.

# T

## U

## V

Vocales: del latín clásico y del vulgar, 55-7, 367; vocales
átonas, 148-9, 178, 184-5, 210, 243-4, 299, 362. v. Protó-
nica y Postónica.—Vocales en contacto, 299, 356, 362.
V. Diptongación, Apócope, *A, E, I, O, U,* etc.
*Vos, Vosotros,* v. Pronombre.
Voseo, 356-7, 371, 377.
Voz pasiva, v. Pasiva.
*Vuecencia, Vuestra Excelencia,* 251.
*Vuestra merced,* 251, 337, 356-7.
*Vuestra señoría,* 251.
Vulgarismos, 298-306, 362-3.

# X

*X* latina ( = *ks),* pasa a *χ̆ s, is* y *š,* 31, 90-1, 93.
*X* ( = *ks, gs* o *s )* de la ortografía moderna española, 276.
*X* ( = *š)* del español antiguo, 146-7; su velarización, 247-8,
300, 348; desaparición de la *x* antigua en la ortografía,
276; restos de la pronunciación *š* en dialectos actuales,
312, 317, 336.
*X* ( = *š* ) del español antiguo ( > *j* velar moderna): procedente de *x* ( = *ks* ) latina, 31, 90-1, 93; de *s* latina,
107, 244-5; de *sć, sć* + yod, *st* + yod en dialectos no
castellanos, 128, 132; de *pl, cl, fl* iniciales en leonés y
gallego-portugués, 117-8, 129-30, 132; de *g, j* ( = *dž, ž)*
finales en español arcaico, 149; de *g, j* ( = *dž* o *š* ) en
los siglos xvi-xvii y en leonés y aragonés actuales,
245-8, 312, 316-7.
Ximénez de Urrea, 190.

# Y

*Y* vocal latina: transcripción de *u* griega, 46.
*Y* consonante, procedente de *d* + yod, *g* + yod, *ǵ* y *j*
latinas, 57. V. G. y J.
*Y* consonante española; procedente de *ḷ* ( < *l- )* inicial en
mozárabe, 93, 128; de *ḷ* ( < *c'l* y *l* + yod) en leonés,
127, 312, 356; de *ḷ* castellana, v. Yeísmo.—Pérdida de
la *y* procedente de *ḷ,* 312, 337, 356.

# INDICE GENERAL

# PRINCIPALES ERRATAS ADVERTIDAS

| Página | Dice | Debe decir |
|---|---|---|
| 17, n. 1. 3 | *jusqu'a* | *jusqu'à* |
| 21, n. 1. 3 infra | Staudia | Studia |
| 28, n. 2, 1. 2 | pronuncia | pronunciaba |
| 71, n. 2, 1. 3 | *ble* | *blé* |
| 75, n. 1. 8 y 12 | Zeits. | Zeitsch. |
| 190, n. 1. 4 | *Moyen-Age* | *Moyen-Âge* |
| 236, n. 1. 3 | Kraus | Krauss |
| 236, n. 1. 4 | Frankfurt, a. M. | Frankfurt a. M. |
| 246, n. 1, 1. 2 | Enguera | Énguera |
| 293, n. 1. 2 | cultura París | cultura, París |
| 309, n. 1. 2 | Wison | W : son |
| 309, n. 1. 3 | *Tralkt* | *trakt* |
| 315, n. 1. 2 | *Ecole... Etudes* | *École ... Études* |